AF238225

ACCESO GRATIS *a la Lectura en la Nube*

Para visualizar el libro electrónico en la nube de lectura envíe junto a su nombre y apellidos una fotografía del código de barras situado en la contraportada del libro y otra del ticket de compra a la dirección:

ebooktirant@tirant.com

En un máximo de 72 horas laborales le enviaremos el código de acceso con las instrucciones de acceso

INTRODUCCIÓN A LA TEORÍA CONSTITUCIONAL

Fernando Muñoz
Pablo Marshall

INTRODUCCIÓN A LA TEORÍA CONSTITUCIONAL

Fernando Muñoz
Pablo Marshall

tirant lo blanch

Valencia, 2020

©   Fernando Muñoz

Pablo Marshall

© TIRANT LO BLANCH
EDITA: TIRANT LO BLANCH
C/ Artes Gráficas, 14 - 46010 - Valencia
TELFS.: 96/361 00 48 - 50
FAX: 96/369 41 51
Email:tlb@tirant.com www.tirant.com
Librería virtual: www.tirant.es

ISBN: 978-84-1355-488-4

Si tiene alguna queja o sugerencia, envíenos un mail a: atencioncliente@tirant.com. En caso de no ser atendida su sugerencia, por favor, lea en www.tirant.net/index.php/empresa/politicas-de-empresa nuestro procedimiento de quejas.

Responsabilidad Social Corporativa: http://www.tirant.net/Docs/RSCTirant.pdf

INDICE

Capítulo I:

PROBLEMAS PRELIMINARES DE LA TEORÍA CONSTITUCIONAL

Por *teoría constitucional* entenderemos aquella construcción intelectual que explica conceptualmente los rasgos centrales del modo de organización política característico del Estado moderno. La teoría constitucional se configura fundamentalmente a partir del aporte de juristas, filósofos y politólogos que han estudiado dicho fenómeno y han elaborado hipótesis explicativas e interpretativas respecto de él. Tales aportes intelectuales, por cierto, son tremendamente heterogéneos, tanto en términos de sus premisas normativas como de sus estrategias metodológicas; todo esfuerzo por explicar de manera ordenada este campo intelectual involucra una reconstrucción de dichos aportes que les dé un cierto orden. Inevitablemente, en consecuencia, cada explicación de la teoría constitucional representa una versión *posible*, mas no la *única*, del objeto de nuestro interés. Como parte de nuestro estudio de dicha teoría, comenzaremos examinando algunos problemas que requieren su previa comprensión; particularmente, examinaremos las ambiguas relaciones que se dan entre lo político y lo jurídico en el ámbito constitucional, y revisaremos la diferenciación entre el Estado y la sociedad civil.

Política y Derecho

Al hablar del derecho y la política nos referimos a dos ámbitos de la vida social que, estando íntimamente ligados, son sin embargo específicamente distintos. Cada uno tiene sus propias instituciones, sus propias racionalidades, sus propios saberes.

Cualquier observador de lo jurídico podrá notar que el discurso de los actores que pertenecen a ese ámbito, particularmente aquel discurso que se produce en el contexto del ejercicio de la jurisdicción, suele estar caracterizado por estrategias discursivas que buscan distinguir y diferenciar lo jurídico de lo político. Los gobiernos afirman celosamente su respeto de la independencia judicial; los jueces enfatizan públicamente el carácter estrictamente jurídico, no político, de sus interpretaciones de la ley; los abogados y los profesores de derecho suelen enfatizar el carácter técnico o profesional de sus intervenciones, dando a entender que sus concepciones jurídicas son independientes de sus preferencias individuales. No nos preocupa ahora discutir qué condiciones serían necesarias para que tales afirmaciones sean veraces; lo importante es entender lo que ellas revelan sobre nuestro imaginario colectivo, sobre la forma en que entendemos las fronteras entre la política y el derecho.

¿Por qué es tan importante insistir en esta diferenciación entre ambas esferas? La respuesta se encuentra en la noción misma de Estado Democrático de Derecho. Nuestro Estado es Democrático *y* de Derecho porque *crea y mantiene una distinción entre política y derecho*. En esta distinción, nuestro modo de organización política y de gobierno encuentra un fundamento para construir su propia narrativa.

Por un lado se encuentra el Estado de Derecho, principio según el cual debe imperar un derecho concebido como autónomo. Este principio busca ordenar la sociedad mediante reglas públicas, consideradas distintas de la moral y de las meras costumbres sociales, cuya ejecución esté entregada a órganos jurisdiccionales cuya independencia del poder político está fundamentada en la creencia social de que ellos disponen de un saber especializado consistente en un conocimiento experto de las reglas a ser aplicadas.

Así entendido, el ideal del Estado de Derecho se sustenta en la idea mítica –es decir, no necesariamente falsa, pero sí ubicada fundamentalmente en un plano simbólico– de que el derecho posee una racionalidad propia y substantiva, una cierta autonomía cognitiva, que sirve de fundamento a la actividad práctica en la que el derecho consiste. Históricamente, esta racionalidad inmanente del derecho ha sido presentada de diversas formas: como razón natural, voluntad del legislador, reconstrucción racional del ordenamiento jurídico, principios constitucionales, juicio de proporcionalidad, entre otras. En nuestro ordenamiento positivo, esta idea se expresa, por ejemplo, en la idea de procedimiento racional y justo, así como en la idea de la codificación como una ordenación normativa de carácter sistemática y comprensiva. Esta racionalidad le da la capacidad al derecho de ofrecer respuestas a los conflictos sociales; o dicho más jurídicamente, la capacidad de conocer de las causas civiles y criminales, de resolverlas y de hacer ejecutar lo juzgado. Desde la perspectiva de la autonomía del derecho, esta racionalidad debe ser preservada, y la independencia de las instituciones que la emplean para dar respuestas debe ser protegida, particularmente respecto de otros poderes públicos como el Presidente o el Congreso.

Esta teoría involucra una significativa pretensión epistémica de parte de la comunidad de profesionales del derecho. La existencia de este grupo profesional se sustenta en la creencia que existe una racionalidad inmanente al derecho, por lo que las respuestas que aquel entrega a los conflictos o disputas pueden ser objeto de conocimiento y por lo tanto de comprensión imparcial; por ello, pueden ser estudiadas en instituciones especialmente destinadas a tal efecto, las escuelas de derecho. La experticia obtenida de tal estudio y de la dedicación exclusiva a su aplicación legitima a algunos profesionales, los jueces, a ejercer en nombre del Estado la función de éste de resolver conflictos; y a otros profesionales, los abogados, a obtener el monopolio de la comparecencia ante tal espacio de resolución de conflictos para representar a otros.

Por otro lado se encuentra *la soberanía popular*. Según ella, los ciudadanos en cuanto titulares últimos del poder político interactúan entre sí con propósitos asociativos, generando preferencias colectivas que mediante el proceso electoral, el proceso legislativo y la acción del ejecutivo y la administración son transformadas en decisiones vinculantes para todos los integrantes de la sociedad. Para la perspectiva soberanista, la legitimidad del orden constitucional como un todo y de sus elementos integrantes deriva de que las decisiones colectivas son tomadas mediante procesos de persuasión, deliberación, negociación y votación donde todos los integrantes de la comunidad política pueden hacer valer sus puntos de vista y sus intereses. Esto es lo que constituiría a Chile en una república democrática.

Desde luego, es discutible que la autonomía del derecho y la soberanía popular describan cabalmente la realidad. El derecho ofrece respuestas incompletas, ambiguas, a veces incluso contradictorias; y debido a que los operadores jurídicos mismos –jueces, abogados, tratadistas– no pueden prescindir de sus concepciones morales y políticas al momento de intentar describir el derecho tal como es, la separación entre derecho y política resulta más tenue de lo que el discurso de la autonomía del derecho, a menudo, está dispuesto a reconocer. Por su parte, el proceso de traducir las preferencias sociales en decisiones colectivas está lleno de deficiencias, que van desde el desigual acceso a los medios para persuadir a otros a las imperfecciones de los diseños electorales y la utilización por parte de las autoridades de su poder público para obtener su beneficio individual, pasando por la existencia de condiciones sociales que anulan la capacidad de muchos de participar del espacio público.

Frente a estas cualificaciones, ¿cómo calificar la autonomía del derecho y la soberanía popular? Una opción, siempre disponible en términos generales o en casos específicos, es calificarlos de mentiras o autoengaños. Es la estrategia de todos quienes sostienen que el derecho y el Estado son mecanismos de invisibilización –de aparente legitimización– de estructuras de dominación radicalmente injustas. Otra posibilidad es entenderlos como relatos o narrativas que unen a la sociedad y le entregan una idea de su lugar en la historia y el mundo, al modo de las mitologías y las épicas de otras épocas. Finalmente, también podemos entenderlos como ideales racionales que justifican las instituciones realmente existentes por su cercanía con el ideal, y que al mismo tiempo nos indican en qué dirección avanzar a fin de perfeccionar las instituciones realmente existentes. La idea de mito, de alguna manera, alude a estas tres posibilidades.

Dimensiones de lo político

El término 'política' hace su aparición en la tradición occidental de la mano de la obra del filósofo griego Aristóteles [384–322 a.C.], quien escribió un tratado dedicado al estudio de los asuntos de la *polis*, es decir, a los asuntos comunes a todos los hombres libres que integran el orden político autónomo. Pero, ¿cuáles son tales asuntos? ¿Qué es la política?

Quizás la primera intuición de alguien inserto en la sociedad contemporánea sea el emplear la expresión política para describir los procesos que giran en torno a la actividad estatal: a la construcción, legitimación, conducción, y limitación de los poderes públicos, particularmente de las instancias más elevadas dentro de la jerarquía que les es propia. El sociólogo alemán Max Weber [1864–1920] adoptó una definición similar en su célebre conferencia *Politik als Beruf*, pronunciada ante los estudiantes de la Asociación Libre de Estudiantes de Múnich en 1919, donde propuso entender la política como "la aspiración a participar en el poder o a influir en la distribución del poder entre distintos Estados o, dentro de un Estado, entre los distintos grupos humanos que éste comprende".[1] Una importante consecuencia de esta definición es que "[q]uien hace política, aspira al poder", ya sea para emplear dicho poder "como medio al servicio de otros fines (egoístas o idealistas)" o al bien para disfrutar del 'poder por el poder', es decir "para gozar del sentimiento de prestigio que el poder da".[2]

Debido a la forma en que estructura su definición de política, la concepción de este ámbito que caracteriza a Weber está marcada por su concepción del Estado. ¿Qué es un Estado?, se pregunta Weber. El problema del fenómeno estatal es que no puede definirse por el contenido de su actividad: "[a]penas existe una tarea que no haya sido acometida por una asociación política aquí o allá, y, por otra parte, tampoco existe una actividad de la que pueda decirse que haya pertenecido siempre y de manera total, de *manera exclusiva*, a esas asociaciones".[3] Sólo podemos caracterizar al Estado, afirma Weber, formalmente, en este caso en función de los medios a través de los cuales lleva a cabo sus actividades: "[d]esde el punto de vista sociológico, el Estado moderno sólo se puede definir, más bien, en último término por el *medio* específico que, como toda asociación política, posee: la violencia física".[4] La violencia "no es, naturalmente, el medio normal ni único del Estado", señala Weber, "pero sí es su medio específico".[5]

---

1   La Política como Profesión: 95.

2   La Política como Profesión: 95.

3   La Política como Profesión: 94.

4   La Política como Profesión: 94.

5   La Política como Profesión: 94.

La observación de Weber inauguró un período de la filosofía política europea marcado por la consciencia respecto a la sombra que la violencia extiende por sobre la política, incluso allí donde no es evidente. Así, Carl Schmitt [1888–1985] intentó evidenciar la correspondencia existente entre el antagonismo violento y lo político. Paralelamente surgieron intentos por demarcar el territorio que media entre la violencia y la política; mientras que Weber intentó llevar a cabo esta tarea de manera ética, a través de la elaboración de guías o pautas de conducta específicamente políticas, Hannah Arendt [1906–1975] optó por establecer dichas fronteras de manera conceptual, distinguiendo aquello específicamente político de aquello específicamente violento. Este foco consciente en la relación entre política y violencia, que se hace cargo de algunas temáticas ya presentes en Thomas Hobbes [1588–1679] y en Karl Marx [1818–1883], distingue a la filosofía contemporánea de la filosofía política clásica y medieval, donde el centro de la discusión estaba enfocado primordialmente a la vinculación de la político con lo sagrado.

El planteamiento weberiano ante la política está marcado por esta relación intrínseca con la violencia. "El medio específico de la política es la violencia", asevera Weber.[6] ¿Y qué posibilidades éticas existen ante quien se vea confrontado con ella, qué formas de vida pueden surgir en este contexto? La respuesta de Weber es que sólo existen dos formas posibles de vivir a la sombra de la violencia: la *ética de la convicción* y la *ética de la responsabilidad*. "No es que la ética de las convicciones de conciencia sea idéntica a la falta de responsabilidad y que la ética de la responsabilidad sea idéntica a la falta de convicciones de conciencia",[7] aclara Weber.

Pero hay una diferencia abismal entre actuar bajo una máxima de la ética de las convicciones de conciencia (hablando en términos religiosos: 'el cristiano obra bien y pone el resultado en manos de Dios') *o* actuar bajo la máxima de la ética de la responsabilidad de que hay que responder de las *consecuencias* (previsibles) de la propia acción.[8]

---

6   La Política como Profesión: 154.

7   La Política como Profesión: 153.

8   La Política como Profesión: 153.

La actitud de una y otra ética ante la violencia difiere; pero cada una pareciera jugar un cierto rol en la concepción weberiana de la política. "[C]uando dentro de la lógica extramundana del amor se dice 'no oponerse al mal con la fuerza', para el político vale precisamente lo contrario: *tienes* que oponerte al mal con la fuerza, pues de lo contrario serás *responsable* de su triunfo".[9] Quien se aventura en política, "es decir, quien se mete con el poder y la violencia como medios, firma un pacto con los poderes diabólicos y sabe que para sus acciones *no* es verdad que del bien sólo salga el bien y del mal sólo el mal, sino con frecuencia todo lo contrario".[10] En cambio, quien actúa según la ética de la convicción "sólo se siente 'responsable' de que no se apague la llama de la pura convicción, la llama, por ejemplo, de la protesta contra la injusticia del sistema social".[11] Las exigencias de dicha ética "han conservado su fuerza revolucionaria y han hecho su aparición en casi todas las épocas de conmoción social con intensa energía".[12]

Lo interesante del análisis weberiano es que nos permite entender fenómenos y prácticas de la política habitualmente criticadas, incluso desde el mundo político y a menudo precisamente como una estrategia política.

Quien quiera edificar la justicia absoluta en la tierra utilizando el *poder*, necesitará para ello seguidores, el 'aparato' humano. A éstos tendrá que ponerles a la vista las recompensas interiores y exteriores necesarias: una recompensa celestial o terrenal; si no, no funciona. Recompensas interiores en las condiciones de la lucha de clases moderna son: satisfacer el odio y el deseo de venganza, satisfacer el resentimiento y la necesidad de tener razón desde el punto de vista pseudo-ético, es decir, satisfacer la necesidad de calumniar y difamar al enemigo. Recompensas externas son: aventuras, triunfos, botín, poder y prebendas. El líder depende por completo para su éxito del funcionamiento de este su aparato: por ello depende también de las motivaciones *del aparato*, no de las

---

9   La Política como Profesión: 152.

10   La Política como Profesión: 156.

11   La Política como Profesión: 154.

12   La Política como Profesión: 158.

suyas propias.[13]

Estas circunstancias se exacerban con el advenimiento del sufragio universal y, con ello, de la política de masas. Ello exige la formación de partidos políticos, hijos "de la democracia, del derecho a voto de las masas, de la necesidad de la publicidad masiva", del "desarrollo de una dirección unificada al máximo y de una disciplina más rígida".[14] Y los seguidores de un partido, observa Weber, "esperan de la victoria de su líder evidentemente una retribución personal: cargos u otras ventajas".[15] El ejemplo más claro de esto, según Weber, lo ofrece el primer partido de masas moderno, el Partido Demócrata de Andrew Jackson [1767–1845], el cual instauró en Estados Unidos el *spoils system*, consistente en la "atribución de todos los cargos federales a los seguidores del candidato que obtiene la victoria".[16] Esta lógica del *spoils system* puede ser contenida, como ha ocurrido en diversos países mediante la creación de sistemas de servicio civil, pero es difícilmente eliminable. La razón de ello, en el análisis de Weber, es que al Estado moderno le es consustancial la presencia de *políticos profesionales*. Inspirado en las teorías sobre la división social del trabajo, Weber identifica distintos grupos o categorías de personas dependiendo del carácter del vínculo de dichos grupos con la actividad política: *políticos ocasionales, políticos con la política como segunda profesión, políticos profesionales que viven para la política,* y *políticos profesionales que viven de la política.* "Políticos 'ocasionales'somos todos nosotros cuando depositamos nuestro voto o cuando realizamos una expresión de voluntad similar".[17] "Políticos con la política como segunda profesión" son quienes sólo desempeñan una actividad política "en caso de necesidad y no 'hacen de ello su vida' *principalmente,* ni en sentido material ni ideal".[18]

Pero el príncipe –señala Weber, de modo en parte historiográfico y en parte metafórico– no tenía suficiente con estas fuerzas

---

13   La Política como Profesión: 159.

14   La Política como Profesión: 128.

15   La Política como Profesión: 129.

16   La Política como Profesión: 135.

17   La Política como Profesión: 102.

18   La Política como Profesión: 102.

auxiliares de ocasión o que funcionaban como una segunda profesión. Él tenía que procurar hacerse un equipo de auxiliares dedicados por completo y exclusivamente a su servicio, es decir, que tuvieran en ese servicio su profesión principal.[19]

Entre quienes hacen de la política su profesión principal, Weber distingue entre quienes viven *para* la política y quienes viven *de* la política. El sentido sociológicamente relevante de esta distinción radica en la dimensión económica: "[v]ive 'de' la política como profesión quien aspira a hacer de ello una fuente de *ingresos* permanente; vive 'para' la política aquel en quien no ocurre eso".[20] Hay que tener cuidado, por cierto, con las conclusiones que se extraen de esta distinción. Vivir *para* la política y no *de* la política es un privilegio económico que muy pocos tienen. "La dirección del Estado o de un partido por gentes que vivan exclusivamente para la política y no de la política –en el sentido económico de la expresión– significa necesariamente un reclutamiento 'plutocrático' de los grupos de dirigentes políticos".[21]

En resumen, la respuesta de Weber ante la toma de consciencia que él realiza sobre la relación entre política y violencia consiste en elaborar una teoría de la *política como profesión*, la cual se nutre adicionalmente de la preocupación por la división social del trabajo que caracteriza a la sociología clásica. Resulta interesante señalar que Weber pronuncia su conferencia *Politik als Beruf* poco después del fin de la I Guerra Mundial; incluso cita una afirmación del líder soviético Leon Trotsky [1879–1940] formulada durante las negociaciones que pusieron fin a la guerra entre Rusia y Alemania mediante la Paz de Brest-Litovsk [1918]. Que su auditorio estuviese compuesto de jóvenes universitarios también es un dato relevante. Por un lado, junto a ellos compartía la experiencia de haber atravesado por el conflicto internacional más grande hasta entonces existente. Por el otro, dirigirse a jóvenes universitarios le daba la oportunidad de influenciar la mentalidad de los futuros líderes alemanes y alertarlos de los peligros que reviste la política, de las fuerzas que están en juego en esta actividad.

---

19   La Política como Profesión: 103.

20   La Política como Profesión: 104.

21   La Política como Profesión: 105.

Como sabemos, sin embargo, Alemania terminó involucrada al poco tiempo en sucesos incluso más violentos que la I Guerra Mundial: el Holocausto y la II Guerra Mundial. Este nuevo ciclo de violencia sirve de contexto a las reflexiones de Hannah Arendt, filósofa judía que escapó de Alemania en 1933, poco después de recrudecer la persecución antisemita tras la llegada al poder del nazismo. En cuanto a la relación entre violencia y política, Arendt busca reivindicar la autonomía de esta última a través de distinciones conceptuales que posibiliten la configuración de un espacio de acción colectiva auténticamente libre. Arendt encara este proyecto como un esfuerzo por revertir el sombrío pesimismo conceptual instalado en su generación: "existe un acuerdo entre todos los teóricos políticos, de la Izquierda a la Derecha", escribe, "según el cual la violencia no es sino la más flagrante manifestación de poder".[22] Arendt identifica como inspirador de este consenso a Weber y, a través de él, a Marx, quien formulara la tesis de que el Estado es un instrumento de la clase dominante empleado para oprimir a las demás clases. Frente a ello Arendt, preguntándose si la desaparición de la violencia en las relaciones entre Estados acarrearía el fin del poder, abre su exploración filosófica con la siguiente aserción: "[l]a respuesta, parece, dependerá de lo que entendamos por poder".[23]

El mensaje que Arendt quiere transmitir, a contracorriente del consenso contemporáneo –que "no distingue entre palabras clave tales como 'poder', 'potencia', 'fuerza', 'autoridad' y, finalmente, 'violencia'"[24]– pero apelando a una tradición política que se remonta a la isonomía ateniense, la *civitas* romana y el constitucionalismo republicano, gira en torno a "la importancia de la distinción entre violencia y poder".[25] "*Poder*", argumenta nuestra autora, "corresponde a la capacidad humana, no simplemente para actuar, sino para actuar concertadamente. El poder nunca es propiedad de un individuo; pertenece a un grupo y sigue existiendo mientras que el grupo se mantenga unido".[26] "*Potencia*", por su parte, "designa inequívocamente a algo en una entidad singular, individual; es la propiedad inherente a un objeto o persona y pertenece a

---

22   Sobre la Violencia: 48.

23   Sobre la Violencia: 50.

24   Sobre la Violencia: 59.

25   Sobre la Violencia: 51.

26   Sobre la Violencia: 60.

su carácter, que puede demostrarse a sí mismo en relación con otras cosas o con otras personas, pero es esencialmente independiente de ello".[27] *"Fuerza"*, palabra "que utilizamos en el habla cotidiana como sinónimo de violencia", debería según Arendt quedar reservada "para indicar la energía liberada por movimientos físicos o sociales",[28] es decir para referirse a las *fuerzas de la naturaleza* o a la *fuerza de las circunstancias*. *"Autoridad"*, en una formulación que se aproxima a la que por su parte elaborará Joseph Raz, corresponderá al "indiscutible reconocimiento por aquellos a quienes se les pide obedecer", en términos tales que tal obediencia "no precisa ni de la coacción ni de la persuasión".[29] "La *Violencia*", en cambio, "[f] enomenológicamente está próxima a la potencia, dado que los instrumentos de la violencia, como todas las demás herramientas, son concebidos y empleados para multiplicar la potencia natural hasta que, en la última fase de su desarrollo, puedan sustituirla".[30] El siguiente aforismo resume la propuesta terminológica y conceptual de Arendt: "[l]a extrema forma de poder es la de Todos contra Uno, la extrema forma de violencia es la de Uno contra Todos. Y esta última nunca es posible sin instrumentos".[31]

Sobre la base de estas distinciones, Arendt logra visibilizar el *poder* que los grupos humanos mantienen incluso frente a la *fuerza* de la *violencia*, es decir a la *potencia* de unos pocos multiplicada a través de instrumentos tecnológicos:

> Desde comienzos de siglo, los teóricos de la revolución nos han dicho que las posibilidades de la revolución han disminuido significativamente en proporción a la creciente capacidad destructiva de las armas a disposición exclusiva de los Gobiernos. La historia de los últimos setenta años, con su extraordinaria relación de revoluciones victoriosas y fracasadas, nos cuenta algo muy diferente. ¿Estaban locos quienes se alzaron contra tan abrumadoras probabilidades? Y, al margen de los ejemplos de éxitos totales, ¿cómo pueden ser explicados incluso los éxitos

27   Sobre la Violencia: 61.

28   Sobre la Violencia: 61.

29   Sobre la Violencia: 62.

30   Sobre la Violencia: 63.

31   Sobre la Violencia: 57.

temporales? La realidad es que el foso entre los medios de violencia poseídos por el Estado y los que el pueblo puede obtener, desde botellas de cerveza a cócteles Molotov y pistolas, ha sido siempre tan enorme, que los progresos técnicos apenas significan una diferencia… En un contexto de violencia contra violencia la superioridad del Gobierno ha sido siempre absoluta pero esta superioridad existe sólo mientras permanezca intacta la estructura de poder del Gobierno –es decir, mientras que las órdenes sean obedecidas y el Ejército o las fuerzas de policía estén dispuestos a emplear sus armas. Cuando ya no sucede así, la situación cambia de forma abrupta. No sólo la rebelión no es sofocada, sino que las mismas armas cambian de manos… Donde las órdenes no son ya obedecidas, los medios de violencia ya no tienen ninguna utilidad; y la cuestión de esta obediencia no es decidida por la relación mando-obediencia sino por la opinión y, desde luego, por el número de quienes la comparten. Todo depende del poder que haya tras la violencia.[32]

Estas distinciones se sustentan en el concepto mismo de política que caracteriza a Arendt:

La política se basa en el hecho de la pluralidad de los hombres (…) La política trata del estar juntos y los unos con los otros de los *diversos* (…) *el* hombre es a-político. La política nace en el *Entre-los*-hombres, por lo tanto completamente *fuera del* hombre. De ahí que no haya ninguna substancia propiamente política. La política surge en el *entre* y se establece como relación. (*¿Qué es la política?*).

Lo interesante es que Arendt está en desacuerdo con quienes creen que la política "es una necesidad ineludible para la vida humana" y que asumen como una verdad obvia "que allí donde los hombres conviven, en un sentido histórico-civilizatorio, hay y ha habido siempre política". Arendt considera que esta creencia es un error sustentado en una mala comprensión de la idea aristotélica según la cual el hombre es un *zoon politikon*. Pero el planteamiento de Aristóteles, observa ella, consiste en afirmar que "es una particularidad del hombre que pueda vivir en una

---

32   Sobre la Violencia: 66-67.

polis";[33] esto es, que la convivencia política es "humana en un sentido específico, igualmente alejado de lo divino, que puede mantenerse por sí solo en plena libertad y autonomía, y de lo animal, en que la convivencia –si se da– es una forma de vida marcada por la necesidad".[34] En consecuencia, Aristóteles "no se refería de ninguna manera a que todos los hombres fueran políticos o a que en cualquier parte donde viviesen hombres hubiera política, o sea, polis".[35]

¿Y en qué consistía la concepción griega de la política? Ella se centraba "en la libertad, comprendida negativamente como no ser dominado y no dominar, y positivamente como un espacio sólo establecible por muchos, en que cada cual se mueva entre iguales".[36] Sin tales *otros*, "que son mis iguales, no hay libertad".[37] Todos los integrantes de la polis "tienen el mismo derecho a la actividad política; y esta actividad era, en la polis, preferentemente la de hablar los unos con los otros".[38] Pero esta *isonomía* era posibilitada por la liberación de las necesidades materiales que los miembros de la polis alcanzaban a través de la esclavitud; "esta dominación no era ella misma política",[39] nos advierte Arendt, "aun cuando representaba una condición indispensable para todo lo político".[40] La concepción griega de la política no requiere "una democracia igualitaria en el sentido moderno",[41] sino que se expresa en "una esfera restringida, delimitada oligárquica o aristocráticamente, en que al menos unos pocos o los mejores traten los unos con los otros como iguales entre iguales";[42] una caracterización que perfectamente podría describir el estado de las relaciones entre clases profesionales y clases trabajadoras en sociedades como la chilena. Esta concepción, observa Arendt, "no tiene

---

33   ¿Qué es la política?: 68.

34   ¿Qué es la política?: 68.

35   ¿Qué es la política?: 68.

36   ¿Qué es la política?: 69-70.

37   ¿Qué es la política?: 70.

38   ¿Qué es la política?: 70.

39   ¿Qué es la política?: 69.

40   ¿Qué es la política?: 69.

41   ¿Qué es la política?: 70.

42   ¿Qué es la política?: 70.

lo más mínimo que ver con la justicia".[43] Sin embargo, en ella se anida una convicción que mantiene su valor hasta el día de hoy: que lo político "sólo empieza donde acaba el reino de las necesidades materiales y la violencia física", y en consecuencia que "política y libertad van unidas y que la tiranía es la peor de todas las formas de estado, la más propiamente antipolítica".[44]

La política, entonces, no es para Arendt un fenómeno ontológicamente necesario, sino un posible producto de la convivencia humana. Tanto el concepto arendtiano del poder como de la política dependen, para llegar a poder existir, del hecho de la pluralidad humana. Pero el concepto de lo político es incluso más exigente, pues requiere un cierto tipo de interacción entre los hombres: una interacción libre e igual, no marcada por la violencia ni por la fuerza de las necesidades materiales. Por ello Arendt juzga de manera negativa a la Revolución Francesa, la que a su juicio puso la *cuestión social*, "la existencia de pobreza", en el centro de la escena política, con lo cual según ella "la libertad hubo de rendirse ante la necesidad, a la urgencia del proceso vital mismo".[45] Y posteriormente Marx, en opinión de Arendt,

> fortaleció más que nadie la doctrina políticamente más perniciosa de la edad moderna, esto es que la vida es el bien más alto, y que los procesos vitales de la sociedad constituyen el verdadero centro del proyecto humano. En consecuencia, el rol de la revolución ya no era liberar a los hombres de la opresión de sus congéneres, mucho menos el encontrar la libertad, sino que liberar los procesos vitales de la sociedad de las cadenas de la escasez para que pudiesen verse satisfechos en un torrente de abundancia. No la libertad sino la abundancia pasó a ser el objetivo de la revolución.[46]

Arendt insistirá en este punto, sosteniendo que "la necesidad es de manera fundamental un fenómeno prepolítico, característico de la

---

43   ¿Qué es la política?: 70.

44   ¿Qué es la política?: 71.

45   On Revolution: 50.

46   On Revolution: 54.

organización doméstica privada".[47] Desde luego, esta condena arendtiana cobra particular vigencia a la luz de la consolidación de una cultura del consumo que hace girar la vida humana precisamente en torno a la abundancia.

A este juicio negativo sobre la intrusión de la necesidad en la política subyace otra distinción conceptual característicamente arendtiana: aquella que distingue la *labor*, el *trabajo* y la *acción*. Mientras la labor es "la actividad correspondiente al proceso biológico del cuerpo humano",[48] y el trabajo es "la actividad que corresponde a lo no natural de la exigencia del hombre"[49] y que "proporciona un 'artificial' mundo de cosas, claramente distintas de todas las circunstancias naturales",[50] la acción es aquella especial actividad "que se da entre los hombres sin la mediación de cosas o materia",[51] y que "corresponde a la condición humana de la pluralidad, al hecho de que los hombres, no el Hombre, vivan en la Tierra y habiten en el mundo".[52] *Acción, política* y *poder*, como se ve, son en Arendt conceptos íntimamente vinculados, al punto de poder ser calificados como lo mismo pero en relación o contraste con distintos fenómenos.

La acción –y, por tanto, la política– ofrece a los hombres un espacio de contingencia y de libertad: en ella no hay cartas ganadoras ni resultados predeterminados, hay un constante devenir de cosas que son y cosas que pudieron haber sido o podrán ser de otra forma. Como observa Arendt, la acción mantiene una "estrecha relación con la condición humana de la natalidad; el nuevo comienzo inherente al nacimiento se deja sentir en el mundo sólo porque el recién llegado posee la capacidad de empezar algo nuevo, es decir, de actuar".[53] Es, en consecuencia, un espacio de *libertad* y por ello de *autocreación*: el sujeto político se determina a sí mismo, creando su propia identidad en ese proceso. Pero al mismo tiempo es un espacio

---

47   La Condición Humana: 43.

48   La Condición Humana: 21.

49   La Condición Humana: 21.

50   La Condición Humana: 21.

51   La Condición Humana: 21-22.

52   La Condición Humana: 22.

53   La Condición Humana: 23.

de *igualdad*; sólo hay política allí donde las relaciones de superioridad o de jerarquía no han aplastado la posibilidad de algo nuevo.

Arendt agrega algo más:

> En nuestro tiempo, si se quiere hablar sobre política, debe empezarse por los prejuicios que todos nosotros, si no somos políticos de profesión, albergamos contra ella. Estos prejuicios, que nos son comunes a todos, representan por sí mismos algo político en el sentido más amplio de la palabra: no tienen su origen en la arrogancia de los intelectuales ni son debidos al cinismo de aquellos que han vivido demasiado y han comprendido demasiado poco. No podemos ignorarlos porque forman parte de nosotros mismos y no podemos acallarlos porque apelan a realidades innegables y reflejan fielmente la situación efectiva en la actualidad y sus aspectos políticos. Pero estos prejuicios no son juicios. Muestran que hemos ido a parar a una situación en que políticamente no sabemos —o todavía no sabemos— cómo movernos. El peligro es que lo político desaparezca absolutamente. Pero los prejuicios se anticipan, van demasiado lejos, confunden con política aquello que acabaría con la política y presentan lo que sería una catástrofe como si perteneciera a la naturaleza del asunto y fuera, por lo tanto, inevitable.[54]

Una tercera respuesta ante el vínculo entre política y violencia es ofrecido por el constitucionalista alemán Carl Schmitt. Su biografía de Schmitt nos ofrece una trayectoria radicalmente distinta de la de Arendt. Su obra se desarrolla en el período de entreguerras, mientras es profesor en diversas universidades alemanas, época en la cual ella disecta las contradicciones, tensiones y debilidadas anidadas en el seno de la primera república alemana, regida por la *Constitución de Weimar* [1919]. La crítica schmittiana al parlamentarismo y al liberalismo se fundan en la incapacidad de aquellos de comprender el fenómeno político y el vínculo de éste con la *decisión*. Si bien en un primer momento Schmitt presta su apoyo como jurista a sectores conservadores, instigando la ilegalización de comunistas y nazis por igual, ve la llegada de Hitler al poder como

---

54   ¿Qué es la política?: 49.

una oportunidad para influir en el nuevo orden. Ingresa a militar a las filas nacionalsocialistas, recibe un nombramiento como Consejero de Estado en Prusia, y preside la Asociación de Juristas Nacional Socialistas. Sin embargo, la situación de Schmitt durante este período es compleja. Durante la matanza conocida como la "Noche de los Cuchillos Largos" es asesinado el ex canciller Kurt von Schleicher, quien precediera a Hitler en el cargo y de quien Schmitt era colaborador; su respuesta fue congraciarse con el régimen publicando un artículo aplaudiendo a Hitler como defensor eficaz de un derecho no divorciado de la justicia material, concreta. A medida que transcurre el III Reich, Schmitt cae en desgracia frente a las SS, que lo acusan de oportunista y denuncian su catolicismo y sus relaciones con juristas judíos. Tras la derrota de las fuerzas alemanas, y a sugerencia del exiliado constitucionalista Karl Loewenstein [1891– 1973], Schmitt es arrestado e interrogado por las fuerzas de ocupación norteamericanas. Tras el restablecimiento del orden, Schmitt perdió su nombramiento académico y no volverá a enseñar en instituciones universitarias.

Schmitt es un autor polémico, no sólo biográfica sino también intelectualmente hablando. No rehúye de tal condición sino que, por el contrario, la busca; en sus palabras, "todos los conceptos, las expresiones y los términos políticos poseen un sentido *polémico*", sin el cual "devienen abstracciones vacías y fantasmagóricas".[55] Schmitt inscribe dicha orientación en el seno mismo de su concepto de *lo político*, expresado en un trabajo publicado en 1927 y revisado para su republicación en 1932. Su propuesta surge en respuesta a la asimilación de lo político con lo estatal y viceversa, "círculo vicioso"[56] que considera una equiparación "incorrecta y errónea".[57] Frente a ella, Schmitt afirma que sólo se puede llegar a una definición conceptual de *lo político* "mediante el descubrimiento y la fijación de las categorías específicamente políticas",[58] que organicen esta dimensión a la manera en que operan las categorías de lo bello y lo feo, o lo rentable y lo no rentable, en el plano estético y económico, respectivamente. Así, señala,

---

55   El Concepto de lo Político: 181.

56   El Concepto de lo Político: 172.

57   El Concepto de lo Político: 174.

58   El Concepto de lo Político: 176.

La específica distinción política a la cual es posible referir las acciones y los motivos políticos es la distinción entre amigo (*Freund*) y enemigo (*Feind*). En la medida en que no es derivable de otros criterios, ella corresponde, para la política, a los criterios relativamente autónomos de las otras contraposiciones: bueno y malo para la moral, bello y feo para la estética, y así sucesivamente. En todo caso es autónoma no en el sentido de que constituye un nuevo sector concreto particular, sino en el sentido de que no está fundada ni sobre una ni sobre algunas de las otras antítesis, ni es reductible a ellas… No hay necesidad de que el enemigo político sea moralmente malo, o estéticamente feo; no debe necesariamente presentarse como competidor económico y tal vez puede incluso parecer ventajoso hacer negocios con él. El enemigo es simplemente el otro, el extraño (*der Fremde*), y basta a su esencia que sea existencialmente, en un sentido en particular intensivo, algo otro o extranjero, de modo que en en el caso extremo sean posibles con él conflictos que no puedan ser resueltos ni a través de un sistema de normas preestablecidas ni por mediante la intervención de un tercero "no involucrado" y por lo tanto "imparcial".[59]

El enemigo, por supuesto, "es sólo el enemigo *público*", no "el adversario privado que nos odia debido a sentimientos de antipatía".[60] "El enemigo es el *hostis*, no el *inimicus* en sentido amplio",[61] explica recurriendo a la distinción que hace el latín entre estas figuras y de la cual lenguas como la alemana, o en nuestro caso el castellano, carecen, "de modo que son posibles, en ese campo, muchos equívocos y aberraciones".[62] Por ello, Schmitt puede hacer la siguiente aclaración recurriendo al Evangelio:

El citadísimo pasaje que dice "amad a vuestros enemigos" (san Mateo 5, 44 y San Lucas 6, 27) reza así: *diligete inimicus vestros*; pero no "diligete *hostes* vestros"; no se habla aquí del enemigo político… No es necesario odiar personalmente al enemigo en

---

59   El Concepto de lo Político: 177.

60   El Concepto de lo Político: 179.

61   El Concepto de lo Político: 179.

62   El Concepto de lo Político: 179.

sentido político, y sólo en la esfera privada tiene sentido amar al "enemigo", o sea al adversario.[63]

En virtud de su concepción de la política, Schmitt es capaz de dar cuenta de la fluidez de aquello que habita esta dimensión de la experiencia humana. "Todo enfrentamiento religioso, moral, económico, étnico o de otro tipo", observa Schmitt, "se transforma en un enfrentamiento político si es lo bastante fuerte como para reagrupar efectivamente a los hombres en amigos y enemigos".[64] "El antagonismo político es el más intenso y extremo de todos", señala, "y cualquier otra contraposición concreta es tanto más política cuanto más se aproxima al punto extremo, el del agrupamiento con base en los conceptos de amigo-enemigo".[65] Y por ello Schmitt, al igual que Arendt, no cree que la política sea consustancial a la condición humana, aunque desde luego por distintas razones:

> Un mundo en el cual haya sido definitivamente dejada de lado y destruida la posibilidad de una lucha de este tipo, un globo terrestre definitivamente pacificado, sería un mundo ya sin la distinción entre amigo y enemigo, y como consecuencia de ello un mundo sin política. En él podría tal vez haber contraposiciones y contradicciones muy interesantes, competencias e intrigas de todo tipo, pero seguramente no habría ninguna contraposición sobre la base de la cual se pudiese requerir a los hombres el sacrificio de su propia vida, o autorizarlos a derramar sangre y matar a otros hombres.[66]

Una importante conclusión del concepto de lo político de Schmitt es el carácter central que le asigna a la *decisión* sobre qué cuenta como un antagonismo políticamente relevante, y en consecuencia quién es el adversario. Y detrás de esa decisión, por supuesto, hay alguien que decide. "Al Estado, en cuanto unidad sustancialmente política, le compete el *ius belli*, o sea la posibilidad real de determinar al enemigo y combatirlo en

---

63   El Concepto de lo Político: 179-180.

64   El Concepto de lo Político: 186.

65   El Concepto de lo Político: 180.

66   El Concepto de lo Político: 184-185.

casos concretos y por la fuerza de una decisión propia",[67] sostiene Schmitt. Pero dentro de ese mismo Estado, ¿quién es aquel que llega a tomar tal decisión? ¿Y en qué condición lo realiza?

Las bases para la definición de los términos que deben estructurar esta interrogante se encuentran en una anterior obra de Schmitt, *Teología Política* [1922], que se inicia con la siguiente afirmación: "Es soberano quien decide el estado de excepción".[68] Soberano es quien "decide si existe el caso de excepción extrema y también lo que ha de hacerse para remediarlo".[69] Su naturaleza es paradojal, porque "[s]e ubica fuera del orden jurídico formal y con todo forma parte de él, porque le corresponde la decisión de si la constitución puede suspenderse *in toto*".[70] La "facultad de suprimir la ley vigente –ya sea de manera general o en el caso particular– es", según Schmitt, "la verdadera característica de la soberanía".[71] Esta tesis schmittiana, como se verá, será crucial para nuestro análisis posterior del concepto de constitución y de poder constituyente.

En 1929, cuando Schmitt se ve llevado a desplazarse del registro metateórico al discurso jurídico debido a las discusiones sobre el sistema de gobierno consagrado en la Constitución de Weimar, Schmitt responde de la siguiente manera a la pregunta sobre quién es el autorizado –aquí, constitucionalmente– a formular la decisión política fundamental:

> El Presidente del Reich es elegido por el pueblo alemán entero, y sus facultades políticas frente a los organismos legislativos (particularmente la de disolver el Reichstag y la de promover un plebiscito) son, por naturaleza, una "apelación al pueblo". Haciendo al Presidente del Reich centro de un sistema de instituciones y atribuciones tanto plebiscitarias como neutralizadoras en orden a la política de partidos, la vigente Constitución del Reich trata de crear, partiendo de principios precisamente democráticos, un contrapeso al pluralismo de los grupos sociales y económicos

---

67   El Concepto de lo Político: 193.

68   Teología Política: 23.

69   Teología Política: 24.

70   Teología Política: 24.

71   Teología Política: 25.

del poder, y de garantizar la unidad del pueblo como conjunto político.[72]

Volveremos a estudiar esta respuesta a la pregunta de quién debe ser el defensor de la Constitución más adelante. En todo caso, hay que dejar en claro aquí que las tesis schmittianas sobre lo político, sobre el soberano y sobre la protección política de la Constitución, si bien están íntimamente vinculadas, no se superponen entre sí a la manera en que lo hacen los conceptos arendtianos de poder, política y acción, por ejemplo. Schmitt formula aquellos conceptos en contextos analíticos disímiles: la teoría política, la teología política y la teoría constitucional, respectivamente, y por lo tanto tienen implicancias filosóficas y políticas distintas.

La polémica de Schmitt contra el liberalismo se sustenta en la concepción que ha ofrecido de lo político. "Todas las nociones políticas han sido cambiadas y desnaturalizadas por el liberalismo del último siglo de manera peculiar y sistemática",[73] acusa nuestro autor. No es que "los liberales de todos los países" hayan "hecho menos política que otros hombres";[74] la cuestión es, señala, "si se puede extraer una idea específicamente política del concepto puro y consecuente del liberalismo individualista". "La respuesta", afirma, "es negativa";[75] "la negación de lo 'político' que está contenida en todo individualismo consecuente conduce más bien a una praxis política de desconfianza con respecto a todas las fuerzas políticas y las formas del Estado y la política".[76] En consecuencia, declara Schmitt, "hay una política liberal como contraposición polémica a las limitaciones de la libertad individual por parte del Estado, de la Iglesia y de otras instituciones", pero "no hay una política liberal en sí, sino siempre sólo una crítica liberal de la política".[77] El pensamiento liberal, según Schmitt, pasa por alto o ignora a la política "y se mueve en cambio dentro de una polaridad típica y siempre renovada de dos esferas heterogéneas,

---

72   El Defensor de la Constitución: 286.

73   El Concepto de lo Político: 215.

74   El Concepto de lo Político: 215.

75   El Concepto de lo Político: 215.

76   El Concepto de lo Político: 215.

77   El Concepto de lo Político: 215.

las de la ética y la economía, el espíritu y el comercio, la cultura y la propiedad".[78] Desde estas esferas, el liberalismo trata de aniquilar, reemplazándolo, a *lo político*; "el concepto político de *lucha* se convierte, en el pensamiento liberal, sobre el plano económico en competencia y sobre el 'espiritual' en *discusión*".[79]

La denuncia de Schmitt del esfuerzo liberal por transformar lo político en económico y reemplazar la decisión por la discusión es particularmente interesante. Lo primero está nítidamente formulado en este párrafo:

> Es extraordinario con cuánta espontaneidad el liberalismo no sólo reconoce, fuera del ámbito político, la "autonomía" de los diferentes sectores de la vida humana, sino que los lleva a la especialización y aun al aislamiento total… El caso más importante de sector autónomo de la realidad está constituido, sin embargo, con absoluta seguridad, por la autonomía de las normas y de las leyes de la economía. Uno de los pocos dogmas realmente indiscutibles e indudables de la época liberal era que producción y consumo, formación del precio y mercado, tenían su propia esfera y no podían ser digiridos ni por la ética, ni por la estética, ni por la religión, ni, menos aún, por la política.[80]

La segunda se encuentra formulada en su expresión más clásica en otra obra de Schmitt orientada a discutir la situación intelectual e histórica del parlamentarismo contemporáneo:

> Es necesario entender el liberalismo como un sistema consecuente, polifacético y metafísico. Habitualmente sólo se discute la consecuencia económica de que la armonía social de los intereses y el mayor incremento posible de la riqueza son generados automáticamente a partir de la libre competencia económica de los individuos particulares, la libertad de contratación, la libertad de comercio y la libertad profesional. Pero todo ello sólo representa una aplicación de un principio liberal general. Es el

---

78   El Concepto de lo Político: 216.

79   El Concepto de lo Político: 217.

80   El Concepto de lo Político: 217.

mismo: que la verdad se genera a partir de la libre competencia de opiniones y que la armonía es el resultado automático de dicha competencia. Aquí se encuentra también el núcleo del espíritu de estas ideas, su específica relación con la verdad, que se convierte en una mera función de la eterna competencia de las opiniones. Y, en cuanto a la verdad, significa renunciar a un resultado definitivo. Al pensamiento alemán esta eterna discusión le resultaba muy accesible gracias a la imagen romántica de la eterna conversación... La libertad de prensa, la libertad de reunión y la libertad de discusión no son únicamente algo útil y conveniente, sino cuestiones vitales para el liberalismo.[81]

Se comprenderá, en resumen, por qué Schmitt sigue siendo una figura polémica hasta el día de hoy. Una importante parte de quienes han escrito sobre él sostiene que es imposible escindir su pensamiento de los sucesos históricos que llevaron a su fin la República de Weimar, y de la propia conducta de Schmitt ante tales eventos. "Al proporcionar validez teórica y estructura legal al decisionismo, el derecho concebido por juristas e ideólogos como Schmitt justificó una dictadura que limitaba la actuación de las instancias parlamentarias y terminaba por excluirlas de las resoluciones de Estado",[82] escribe un crítico. "[E]l pensamiento de Schmitt sirve como una alerta contra los peligros de la complacencia que un liberalismo triunfante conlleva",[83] escribe una autora. "Para que la interacción con Schmitt sea útil en el plano de la teoría contemporánea, debemos dejar de lado tanto el contexto local de su obra —la crisis de Weimar— y sus creencias y prácticas políticas personales. Las contribuciones teóricas que perduran tienen sus orígenes en circunstancias locales, pero no dependen de dichas circunstancias",[84] afirma otro. Su obra "adquiere cada vez más relevancia", observa una estudiosa de su pensamiento, debido "a la variedad de tradiciones en que ha sido recibida. Las ideas de Schmitt han interesado tanto a demócratas como a reaccionarios o a

---

81   Sobre el Parlamentarismo: 46.

82   Carl Schmitt, el teólogo y su sombra: 15-16.

83   The Challenge of Carl Schmitt: 2.

84   "Introduction". En Political Theology: 5.

revolucionarios; a las derechas tanto como a las izquierdas".[85]

El concepto de política que ofrece Schmitt y que hemos visto aquí ha sido discutido hasta la saciedad, acusado habitualmente abogar por la transformación de la política intraestatal en una confrontación entre *ellos* y *nosotros*, entre *amigos* y *enemigos*; una guerra civil. La posibilidad de la guerra civil, en todo caso, no necesita de Schmitt para existir como realidad histórica. La utilidad teórica de su obra es que ella rastrea los términos en los que se produce la ruptura de la convivencia civil; provee de un esquema analítico para permite comprender ese fenómeno. Por lo demás, difícilmente se podría pensar que Schmitt, un hobbesiano, considera el estado de guerra civil como algo deseable.

Su concepto de lo político ha sido empleado como el punto de partida de elaboraciones que intentan captar la forma en que aquel afecta la vida política en la sociedad contemporánea. El constitucionalista alemán y ex juez del Tribunal Constitucional Ernst-Wolfgang Böckenförde [1930–] interpreta de la siguiente manera el concepto schmittiano de política: "[l]o político no consiste en una determinada esfera de objetos, sino que en una relación pública entre grupos humanos, una relación marcada por un grado específico de asociación o disociación que puede potencialmente conducir a la distinción entre amigo y enemigo", relación cuyo contenido "puede originar en cualquier esfera de la vida humana".[86] Más aún,

> [E]l Estado como *unidad política* representa una unidad pacificada que comprende lo político. Mientras que se separa, amurallándose, de otras unidades políticas externas, sus distinciones domésticas, antagonismos y conflictos permanecen *por debajo* del umbral de los agrupamientos entre amigos y enemigos. Esto quiere decir que todas estas relaciones domésticas están comprendidas por la relativa homogeneidad del pueblo, mantenida por algún sentido de solidaridad (esto es, fraternidad). Por ello, el conflicto doméstico puede ser integrado en un orden pacífico garantizado por el monopolio estatal del poder coercitivo. Esto significa que, tal como el propio Schmitt lo indicó, y a diferencia de la política

---

85   El *nomos* y lo político: la filosofía política de Carl Schmitt: 15.

86   The concept of the political. A key to understanding Carl Schmitt's constitutional theory: 38.

exterior, la política dentro del Estado es 'política' sólo en un grado secundario. La política doméstica en su sentido clásico aspira al buen orden dentro de la comunidad intentando mantener los conflictos y los debates dentro del marco de la coexistencia pacífica. En consecuencia, el propósito del Estado como unidad política es el relativizar los antagonismos, las tensiones y los conflictos domésticos para facilitar debates pacíficos así como soluciones y, en última instancia, decisiones que sean conformes con los estándares procedimentales de la argumentación y el discurso público.[87]

La reformulación de Böckenförde podría ser caracterizada como liberal y centrista. Una alternativa distinta desde la izquierda radical la ofrece la politóloga belga Chantal Mouffe [1943–]. Mouffe rebate a Schmitt, cuya preocupación a su juicio "no es la participación democrática sino la *unidad política*",[88] apropiándose de sus categorías:

[L]a oposición amigo/enemigo no es la única forma que puede adoptar el antagonismo… éste puede manifestarse de otro modo. Esta es la razón de que proponga distinguir entre dos formas de antagonismo, el antagonismo propiamente dicho –que es el que tiene lugar entre enemigos, es decir, entre personas que no tienen un espacio simbólico común–, y lo que yo llamo "agonismo", que es una forma distinta de manifestación del antagonismo, ya que no implica una relación entre enemigos sino entre "adversarios", término éste que se define de un modo paradójico como "enemigos amistosos", esto es, como personas que son amigas porque comparten un espacio simbólico común, pero que también son enemigas porque quieren organizar este espacio simbólico común de un modo diferente.[89]

Mouffe plantea, entonces, que la categoría de adversario es fundamental "para concebir la especificidad de la política pluralista

---

87   The concept of the political. A key to understanding Carl Schmitt's constitutional theory: 39.

88   La paradoja democrática: 59.

89   La paradoja democrática: 30.

y democrática moderna".[90] Por ello cuestiona los intentos realizados durante los 90' por dar por acabada la distinción entre izquierdas y derechas, específicamente por parte del sociólogo inglés Anthony Giddens [1938–] en su obra *Beyond Left and Right* [1994], y cuya obra *The Third Way* [1998] sirviera de inspiración al gobierno del Laborista Tony Blair como Primer Ministro de Inglaterra. Mouffe critica como ilusorio el presupuesto detrás de los esfuerzos por sepultar la distinción entre izquierdas y derechas, presupuesto que caracteriza como la creencia de que "actualmente vivimos en una sociedad que ha dejado de estar estructurada por la división social", ignorando "[l]as relaciones de poder y su papel constitutivo en la sociedad".[91] En contraste, Mouffe afirma que "el carácter específico de la democracia moderna reside en el reconocimiento y en la legitimación del conflicto, así como en la negativa a suprimirlo mediante la imposición de un orden autoritario".[92] Por esto, "[u]na democracia que funcione correctamente exige una confrontación entre las posiciones políticas democráticas, y esto requiere un debate real sobre las posibles alternativas".[93] Por esto, "[e]l consenso es necesario, pero debe ir acompañado del desacuerdo".[94] Su ausencia no sólo obstruye las dinámicas políticas y dificulta la "constitución de las identidades políticas distintivas", sino que también genera "desinterés hacia los partidos políticos" y desalienta "la participación en el proceso político".[95] Lo que es peor, alienta la canalización del antagonismo por otras vías, específicamente a través de "identidades colectivas agrupadas en torno a formas de identificación religiosa, nacionalista o étnica".[96] Eventualmente la violencia callejera, la xenofobia e incluso la delincuencia pueden ser vistas como mecanismos de expresión del conflicto social que emergen ante la supresión del conflicto político.

Como se ve, es importante para efectos de comprender la política

---

90   La paradoja democrática: 30.

91   La paradoja democrática: 123.

92   La paradoja democrática: 126.

93   La paradoja democrática: 126.

94   La paradoja democrática: 126.

95   La paradoja democrática: 126.

96   La paradoja democrática: 126.

en la sociedad moderna comprender la emergencia de los conceptos de izquierda y derecha como referentes del posicionamiento político de los actores, es decir de sus alineamientos frente a los conflictos específicos que estructuran el ámbito de lo público. Esta distinción se ha convertido desde la Revolución Francesa en un componente central del discurso político. Dicha contraposición, como señala el iusfilósofo italiano Norberto Bobbio [1909–2004], "representa una típica forma de pensar por díadas"[97]. "No hay disciplina que no esté dominada por alguna díada omnicomprensiva", afirma Bobbio, y si bien "[e]n la esfera política, derecha-izquierda no es la única", al menos "podemos encontrarla en todas partes".[98]

Definir qué es izquierda y qué es derecha es difícil por varios motivos. En primer lugar porque, como señala Bobbio, el lenguaje político "es ya de por sí poco riguroso" pues "está compuesto de palabras ambiguas y quizás incluso ambivalentes, respecto a su connotación de valor" y respecto de las "distintas cargas emotivas" asociadas a sus términos.[99] Mal que mal, nuestras opiniones políticas a menudo hunden "sus raíces en un estado de ánimo de simpatía o de antipatía, de atracción o de aversión, hacia una persona o hacia un acontecimiento", sentimientos cuya presencia "es ineliminable, y se insinúa en todas las partes, y si no se percibe siempre es porque intenta esconderse y permanecer escondido a veces incluso para quien lo manifiesta".[100] Todo ello, desde luego, afecta la precisión descriptiva del lenguaje. Adicionalmente, señala Bobbio, estos conceptos no son absolutos; no son "conceptos substantivos y ontológicos"[101] que por sí solos tengan un significado preciso, sino que son conceptos relativos, debido a que son "lugares del *espacio político*".[102] Por esto, hay que tener claro "que derecha e izquierda son dos conceptos espaciales, que no son conceptos ontológicos, y que no tienen un contenido determinado, específico y constante en el tiempo".[103]

---

97   Derecha e Izquierda: 50.

98   Derecha e Izquierda: 50.

99   Derecha e Izquierda: 122-123.

100   Derecha e Izquierda: 123.

101   Derecha e Izquierda: 128.

102   Derecha e Izquierda: 128.

103   Derecha e Izquierda: 131.

Así y todo, Bobbio concluye que dentro de todas las variaciones que en la modernidad hay de estos términos, hay un tema que reaparece constantemente: "la contraposición entre visión horizontal o igualitaria de la sociedad, y visión vertical o no igualitaria".[104] Dado que a su juicio el primer término de esta contraposición "ha mantenido un valor más constante",[105] Bobbio se atreve a sugerir que históricamente "el binomio gira alrededor del concepto de izquierda y que sus variaciones están principalmente de la parte de las distintas contraposiciones posibles al principio de igualdad, entendido bien como principio no igualitario bien como principio jerárquico o autoritario".[106] En ese sentido, "como principio fundador, la igualdad es el único criterio que resiste al paso del tiempo, a la disolución que han sufrido los demás criterios".[107]

Los desafíos de la dogmática del texto constitucional (o "derecho constitucional")

El fenómeno constitucional es, sin duda, un fenómeno jurídico. Por ello participa de muchos de los rasgos generales de este último. Respecto de aquel es relevante, por ejemplo, la distinción de H.L.A. Hart [1907–1992] entre reglas primarias y reglas secundarias, siendo la profusa presencia de estas últimas lo que caracterizaría a las Constituciones. Por otro lado, quizás es en el derecho constitucional donde más se ha notado el impacto de la propuesta de Ronald Dworkin [1931–2013] sobre el rol que los principios juegan en el razonamiento judicial. Por último, y como veremos al hablar sobre la supremacía constitucional, la Constitución juega un rol central en toda teoría sobre la validez de las normas, ya que como hemos dicho ella suele ser el punto de atribución última de validez para los ordenamientos jurídicos monistas.

Pero el fenómeno constitucional también tiene ciertas especificidades que lo distinguen respecto del fenómeno jurídico en general. En primer lugar, mantiene ciertas relaciones con lo político que son cualitativamente distintas de aquellas que se presentan en lo jurídico de manera general.

104　Derecha e Izquierda: 131.

105　Derecha e Izquierda: 131.

106　Derecha e Izquierda: 132.

107　Derecha e Izquierda: 132.

Esto significa que, en lo constitucional, lo político no sólo está presente en cuanto al papel que nuestras concepciones sobre lo políticamente adecuado juegan, a veces declaradamente y en otras ocasiones de manera subrepticia, en la intepretación que de lo constitucional hacemos. Lo político también se halla presente en su condición de principal objeto regulado por lo constitucional. Es decir, lo constitucional, en cuanto fenómeno regulatorio o normativo, tiene por principal objeto la regulación del proceso de formación de la voluntad colectiva, así como las titularidades que detentan en dicho proceso tanto autoridades públicas (sus potestades) como ciudadanos (sus derechos de participación), y los límites substantivos (por ejemplo, derechos constitucionales y prohibiciones perentorias) y procedimentales (por ejemplo, condiciones de validez) que condicionan al mismo. Para esta perspectiva, la norma constitucional es una precondición del orden político. Ahora bien, si consideramos la relación de lo político con lo constitucional desde otro ángulo, también podremos llegar a la conclusión de que lo constitucional no es sino una consecuencia de lo político; lo constitucional es el resultado, la consecuencia, de un despliegue de ejercicios de carácter político que se traducen en la conformación de una Constitución. Desde esta otra perspectiva, el orden político es una precondición de la norma constitucional.

Tal como ocurre respecto de otras áreas o ramas del derecho, también existe una actividad interpretativa orientada a dar aplicabilidad sistemática y razonada a las normas del texto constitucional, y a la que podemos llamar dogmática jurídica del texto constitucional o, más simplemente, derecho constitucional. Se trata de una actividad realizada asumiendo la perspectiva interna de las normas; es decir, la perspectiva de quien las acepta como válidas y las emplea para guiar su conducta según ellas. Es apropiado llamarle ciencia en la medida en que problematice reflexivamente los presupuestos de dicha actividad; esto es, en la medida en que sean identificadas y examinadas críticamente las condiciones de posibilidad del uso prescriptivo de los contenidos normativos. Si dichos presupuestos no son problematizados, sencillamente estaremos frente a la aplicación intuitiva de las normas por parte de un sujeto tal como al mismo se le aparecen. Esta última posibilidad, por cierto, es la que prevalece socialmente; la obediencia espontánea y difusa a las normas constituye la principal forma de existencia de la práctica social que conocemos como 'el derecho', y tan sólo una pequeña parte de los hechos sociales cotidianos es objeto de un tratamiento científico por parte de profesionales del derecho.

Una importante función de la dogmática jurídica consiste en la identificación y determinación de *conceptos jurídicos*, consistentes en tecnicismos y locuciones ubicados en los materiales jurídicos ("Presidente de la República") o bien elaborados por la propia dogmática ("bloque de constitucionalidad") que realizan diversas funciones, tales como estipular premisas de actuación ("competencia"), identificar fines ("respeto a los derechos"), señalar criterios ("libertad de conciencia") o delinear estándares ("igual protección"), adscribir consecuencias ("es nulo"), establecer relaciones ("son ciudadanos"), entre otras funciones vinculadas a la aplicación de los materiales jurídicos. Los conceptos jurídicos cumplen una función fundamental: determinan qué segmentos de la realidad cuentan como información para efectos de las operaciones del sistema jurídico; esto es, qué es jurídicamente relevante y qué no lo es.

La materia prima de la dogmática está constituido por las normas contenidas en el sistema jurídico, normas que la teoría del derecho clasifica habitualmente en reglas primarias, reglas secundarias, y principios. Ahora bien, la determinación de cuáles son aquellas normas contenidas ya involucra un ejercicio de selección reflexiva; de razonamiento. Dicho razonamiento buscará reconstruir los criterios de pertenencia al sistema jurídico, en general, y al área específica del derecho de que se trate, en particular. A primera vista, esto podría ser innecesario en el caso del derecho constitucional, pues en nuestro caso contamos con un documento, la Constitución Política de la República, que comprende todas las normas de carácter constitucional. Los conceptos 'Constitución Política de la República' y 'derecho constitucional' serían, entonces, coextensivos. Sin embargo, existen dos posibles objeciones a esta sinonimia.

La primera es que es posible que existan normas que merezcan rango constitucional sin que haya una remisión expresa a ellas en el texto constitucional. Esta es la idea expresada por el concepto dogmático de *bloque de constitucionalidad*, acuñado por el constitucionalista francés Louis Favoreu [1936-2004] para describir al conjunto de normas que, sin estar contenidas en la Constitución francesa de 1958, han sido incorporadas debido a su valor substantivo por el Consejo Constitucional francés en su labor de revisión de la constitucionalidad de la ley. Estas normas, en el caso francés, incluyen disposiciones del preámbulo de la Constitución de 1946, de la Declaración de los Derechos del Hombre y el Ciudadano de 1789, así como ciertos principios fundamentales reconocidos por las leyes vigentes y declarados como tales por el propio Consejo. En el caso chileno, donde parte de la doctrina ha 'importado' dicho concepto, el bloque constitucionalidad incorporaría las normas sobre derechos fundamentales contenidas en determinados tratados internacionales; 'importación' conceptual que, respecto de su contexto de origen, tiene la diferencia de que en nuestro caso la remisión a dichas normas de derecho internacional es explícita, como tendremos oportunidad de comprobarlo más adelante.

Por añadidura, las normas de rango constitucional requieren prácticamente siempre de normas de rango legal para su integración; es decir, para la determinación de sus contenidos. Así, por ejemplo, la comprensión del artículo 3º, inciso 2º, de la Constitución Política de la República, que señala que la administración del Estado será funcional y territorialmente descentralizada, o desconcentrada en su caso, requiere el conocimiento de los artículos 29, 30, y 33 de la Ley de Bases Generales de la Administración del Estado, que explicitan el significado de los conceptos de descentralización y desconcentración funcional y territorial. Esto es particularmente importante en aquellos casos en los que la Constitución reenvía la regulación de un determinado asunto al legislador, cuya producción legislativa será entonces el medio cognoscitivo fundamental para la comprensión de los contenidos normativos de la propia Constitución. Tal remisión es interesante, pues terminan siendo las mayorías legislativas quienes le dan concreción y especificación a normas constitucionales que, por lo general, admiten múltiples lecturas o interpretaciones debido a su textura abierta; debido a su generalidad y abstracción. La remisión al legislador facilita la sincronización entre los contenidos constitucionales y las comprensiones socialmente prevalecientes sobre los mismos, sin que sea necesario modificar constantemente el propio texto constitucional.

Ahora bien, la Constitución de 1980 constituye un caso complejo al respecto. Algunas de sus remisiones se producen hacia leyes con un quórum superior supermayoritario, las leyes orgánicas constitucionales, cuya conformidad con el texto constitucional está encomendada de manera especial al Tribunal Constitucional, el que debe revisar dicha correspondencia como parte del proceso mismo de producción de la legislación respectiva. Esto despierta en abstracto un particular problema de política constitucional: ¿tienen rango constitucional las determinaciones realizadas mediante la ley orgánica constitucional? En concreto, es decir, teniendo a la vista las leyes orgánicas constitucionales tal como ellas se presentan al intérprete de la Constitución de 1980, este problema se incrementa debido a que casi la totalidad de dichas leyes fueron dictadas por la Junta Militar durante la dictadura. Ya volveremos más adelante sobre este asunto.

La segunda objeción es que, en virtud de una determinada concepción de lo constitucional –asunto al cual nos referiremos más adelante–, el intérprete podría llegar a la conclusión de que una determinada norma contenida en el texto constitucional carece de rango constitucional, conclusión que podría servir como solución a un aparente conflicto o colisión entre normas, en este caso entre normas del texto constitucional. Esto ocurrió en la sentencia N° 33 del Tribunal Constitucional, dictada en 1985. En ella, este órgano determinó que la disposición 10ª transitoria del texto constitucional original, que establecía que el Tribunal Calificador de Elecciones comenzaría a funcionar con ocasión de la primera elección parlamentaria, "está en pugna o contradice" tanto el artículo 18 de la Constitución, que determina la existencia de un sistema electoral público, como la disposición 27ª transitoria, que determinaba la realización de un plebiscito en 1988 sobre la persona que ejercería el cargo de Presidente de la República. El Tribunal concluyó que "la especial trascendencia de esa acto plebiscitario y la letra y espíritu de la Constitución, confirman plenamente que éste debe ser regulado por las disposiciones permanentes y no por normas especiales", privando de su pretendido rango constitucional a la disposición 10ª transitoria.

Esta última sentencia nos facilita también la comprensión de las consideraciones pragmáticas y teóricas que toma en cuenta el razonamiento dogmático. Hay quienes, en efecto, recomiendan dejar de lado el formalismo jurídico (es decir, la preocupación por las formalidades del derecho) para decidir de manera consecuencialista (es decir, tomar como principal preocupación las consecuencias extrajurídicas que la decisión judicial en cuestión tendrá), mientras hay quienes reivindican el carácter formal del derecho como un elemento de neutralización de los conflictos sociales, de desactivación de los antagonismos a través de su juridificación.

Dicha oposición también puede ser vista como una oposición no entre concepciones totales sobre la manera genérica en que los jueces deben decidir, sino más sutilmente como argumentos contrapuestos a ser usados en contextos específicos.

De todas maneras, la oposición recién apuntada no debe oscurecer el hecho de que dicha conciencia a las consecuencias de nuestra comunicación caracteriza en general a la conducta humana reflexiva. El razonamiento dogmático no puede ser visto como una excepción a ello. Existe una razón profunda para ello: el propósito del razonamiento dogmático es la utilización de las normas en la determinación de la legalidad o ilegalidad de la conducta humana. El razonamiento dogmático tiene un carácter profundamente pragmático en el sentido de que constituye una forma de razonamiento orientado de manera instrumental hacia la realidad. Esto significa que debe incorporar diversas consideraciones sobre el contexto social en el que lleva a cabo sus operaciones.

Entre estas consideraciones se encuentra, por ejemplo, el significado mismo de las palabras. Ya hemos visto que los conceptos jurídicos cumplen una función epistemológica determinante en las operaciones jurídicas. A ello se suma que el derecho, en cuanto discurso técnico o tecnolecto, emplea diversos términos que poseen un significado distinto, potencialmente incluso opuesto, al que los usuarios no profesionales del lenguaje le atribuyen. Así y todo, el significado coloquial del lenguaje sigue jugando un papel muy importante en el derecho, pues respecto de todo aquello que no constituya un concepto técnico, el derecho preservará dicho significado coloquial. Al decir del artículo 20 del Código Civil, las palabras de la ley se entenderán en su sentido natural y obvio, según el uso general de las mismas palabras, salvo en aquellos casos en los que el legislador –o el intérprete, agregaríamos nosotros– las haya definido expresamente para ciertas materias, entregándoles un significado legal, técnico.

Junto a esta preocupación por las palabras, existe también una preocupación por aquello que podríamos denominar, en sentido amplio, como *cultura*. Así, por ejemplo, Robert C. Post ha sostenido que el derecho constitucional, entendido como el resultado de la actividad judicial de interpretación de dichas normas, y la cultura, entendida como las creencias y valores de los actores no judiciales, "están trabados en una relación dialéctica, de tal manera que el derecho constitucional simultáneamente surge de la cultura y la regula".[108] En otras palabras, "el derecho constitucional no podría plausiblemente ser llevado a cabo sin incorporar los valores y creencias de los actores no judiciales. Una necesaria consecuencia es que el derecho constitucional será tan dinámico y polémico como lo sean los valores y creencias culturales que inevitablemente forman parte de la substancia del derecho constitucional".[109] Entender esta relación entre cultura y derecho como una relación dialéctica, por cierto, nos permite evitar el simplismo de creer que el derecho constitucional debe simplemente reproducir –o, más bien, dar forma jurídica– a las creencias y valores socialmente prevalecientes. En ocasiones, y a la luz de sus propios valores, el derecho constitucional deberá contrariar ciertas creencias y conductas sociales; el punto es que, incluso para llevar a cabo dicha censura, el derecho deberá en primer lugar tomar conocimiento de su existencia, de la estructura de significado que allí existe. Esta preocupación no sólo ha sido expresada en una cultura jurídica tremendamente influenciada por el pragmatismo, como ocurre con la norteamericana, sino también en otras habitualmente consideradas como más próximas a la nuestra. Así lo evidencia el siguiente texto del constitucionalista alemán Peter Häberle [1934-]:

> El concepto de interpretación o exégesis constitucional debemos entenderlo, pues, de la forma más amplia posible ya que abarca en sentido estricto no sólo los procesos jurídicos 'corrientes', es decir, los ventilados ante los tribunales, sino 'los más amplios', en los que 'los ciudadanos se hallan presentes de forma activa y pasiva'… tomaremos conciencia también de la importancia de la susodicha exégesis en el más amplio sentido, entendiéndola como 'la interpretación por antonomasia'. Terminológicamente, pretende ésta crear puentes entre la ciudadanía y los juristas especializados en el ámbito científico, es decir, entre las actuaciones y actitudes más relevantes del ámbito jurídico –que no son sino interpretación viva de la ciudadanía– y todo aquello que técnicamente saben o conocen los propios juristas por su oficio, es decir, los propios

---

108   Fashioning the legal constitution. Culture, courts and law: 8.

109   Fashioning the legal constitution. Culture, courts and law: 10.

'conceptos jurídicos básicos racionalizados y consensuados', datos ya preexistentes en el gremio de las profesiones jurídicas. El resultado final de todo ello es lo que podemos llamar 'interpretación constitucional o exégesis pluralista'.[110]

Desde luego, como sugieren las palabras de Post, la recepción de las comprensiones sociales en el razonamiento dogmático no es un asunto carente de complejidades. Ello, debido a que, en general, el derecho utiliza criterios o conceptos de carácter político-moral que admiten múltiples lecturas o interpretaciones y cuya discusión siempre es controversial. Como queda ya señalado, este uso se intensifica en el caso del derecho constitucional. Cuando la reconstrucción reflexiva y sistemática de los textos jurídicos involucra alguno de estos conceptos, ella arroja múltiples posibles lecturas o interpretaciones de éstos, cuya administración exige la concurrencia de otros presupuestos normativos. En estos casos, y como observara Kelsen, los métodos de interpretación habitualmente tenidos por propios de la ciencia jurídica "sólo conducen a una solución posible y no a una solución que sea la única correcta," por lo que el problema de cuál es la opción a seguir "no es de la competencia de la ciencia del derecho sino de la política jurídica".[111] Así, ante la diversidad de posibles interpretaciones, el intérprete toma posiciones valorativas últimas que sirven de sustento, de punto de apoyo a la reconstrucción formulada por él. Afirmar, en cambio, que es posible "desentrañar con objetividad mediante un sistema de interpretación" los alcances del sistema jurídico, separando tal operación del "debate sobre la justicia política",[112] no conlleva la construcción de una plataforma epistemológicamente sólida –"objetiva"– para la interpretación constitucional, sino simplemente la invisibilización teórica de presupuestos axiológicos que de todas maneras existen. En última instancia, la necesidad de articular una teoría de moralidad política para justificar adecuadamente el razonamiento jurídico –y, por tanto, la decisión judicial– surge de una teoría sobre la interpretación jurídica según la cual la implementación sin mediaciones de las normas contenidas en las fuentes textuales del derecho es imposible.

---

110   Pluralismo y Constitución. Ensayos de teoría constitucional de la sociedad abierta: 89-90.

111   Teoría pura del derecho: 133.

112   La píldora del día después. Aspectos normativos: 92- 93.

Las consideraciones pragmáticas que el intérprete debe tomar en cuenta, en resumidas cuentas, apuntan a lograr el cometido del propio razonamiento jurídico, el cual busca impactar en la realidad a través de la regulación normativa de la conducta humana. Este propósito le exige al razonamiento jurídico tomar en consideración el contexto humano en el cual actúa. Esto conlleva un proceso, a menudo poco teorizado por la dogmática jurídica, de comprensión de dicho entorno y de sus elementos, los cuales van desde los significados del lenguaje a los resultados esperados o consecuencias de la regulación normativa, pasando por las creencias y valores de los regulados.

Al hablar más arriba de *consideraciones teóricas*, hemos querido referirnos a la preocupación característica de la dogmática jurídica por alcanzar sistematicidad en su interpretación de las normas. Dicha sistematicidad busca dos propósitos. El primero consiste en la articulación de todas las normas identificadas como relevantes, preocupación que ya hemos considerado. Ahora bien, la sistematicidad de la dogmática involucra algo más. Que la síntesis interpretativa contenida en la doctrina tenga pretensiones de sistematicidad implica que ella siempre supone una reconstrucción total del sistema normativo en cuestión. La razón de ello es que el derecho, tal como el lenguaje, es un sistema caracterizado por su pretensión de poder describirlo todo en todo momento, es decir es autocontenido y sincrónico, por lo que el conocimiento de parte de éste presupone el conocimiento del todo. El intérprete puede no estar consciente de ello; y, desde luego, nunca hará el ejercicio completo de formular tal reconstrucción total. Pero el intérprete debe estar preparado para formular tal reconstrucción total debido a que siempre se le podrá preguntar de qué manera su interpretación es compatible con el resto de los preceptos contenidos en el ordenamiento jurídico.

El segundo propósito perseguido por la sistematicidad consiste en asegurar la coherencia interna de la doctrina producida por el razonamiento dogmático. Esto podría eventualmente involucrar, en algunos casos, la resolución de antinomias o contradicciones entre normas. La antinomia recibe un distinto tratamiento según si estemos frente a reglas o a principios. En el primer caso, señala Alexy, el *conflicto* entre reglas "sólo puede ser solucionado o bien introduciendo en una de las reglas una cláusula de excepción que elimina el conflicto o declarando inválida, por lo menos, una de las reglas".[113] En el segundo caso, esto es, cuando dos principios entran en *colisión*, "uno de los dos principios tiene que ceder ante el otro", pero ello "no significa declarar inválido al principio desplazado ni que en el principio desplazado haya que introducir una cláusula de excepción", sino que sencillamente ocurre que "bajo ciertas circunstancias uno de los principios precede al otro".[114] Los planteamientos de Alexy, cabe observar, son herederos de una larga tradición de elaboración teórica de soluciones a las aparentes contradicciones de textos presupuestos como 'dogma', soluciones tales como la primacía de la norma superior por sobre la inferior, de la posterior por sobre la anterior, de la norma más favorable para cierto sujeto (el reo, el trabajador, el menor) por sobre la menos favorable, entre muchos otros cánones interpretativos.

Este punto nos permite abordar la discusión existente respecto a los métodos de interpretación adecuados para la elucidación de los contenidos constitucionales. ¿Es posible realizar dicha interpretación de igual forma que la interpretación de la ley ordinaria? ¿En qué consistiría, de existir, la especificidad o distinción de la interpretación constitucional? Desde luego, tanto en uno como en otro caso la actividad de interpretar tiene una identidad común, consistente en el esfuerzo por atribuir significado a una disposición normativa. Pero si no es la actividad misma la que implica una diferencia, la especificidad de la interpretación constitucional puede estar dada porque los intérpretes de las normas constitucionales son órganos especiales; porque las técnicas interpretativas que se requieren para la interpretación de las normas constitucionales tienen un carácter especial; o porque los problemas interpretativos que nacen de la interpretación de las leyes constitucionales son diversos a los que nacen del resto de las normas del sistema jurídico. Si bien existen desacuerdos en relación a estos tres asuntos, quizás el problema más acuciante sea si la interpretación constitucional echa mano a técnicas de interpretación distintas de la interpretación de las demás normas del sistema jurídico.

En el sistema jurídico chileno existen ciertas normas, contenidas en los artículos 19 a 24 del Código Civil, que regulan la interpretación de la ley. La primera cuestión, entonces, es determinar si tales normas sobre la

---

113   Teoría de los derechos fundamentales: 88.

114   Teoría de los derechos fundamentales: 89.

interpretación son aplicables a la interpretación de la Constitución Política de la República. Una respuesta negativa a esta pregunta podría adoptar diversas formas. En primer lugar, ella enfatizaría que dichas normas no pueden servir para interpretar una norma jerárquicamente superior, pues eso conllevaría la subordinación de las normas constitucionales a las normas legales. En segundo lugar, que las normas constitucionales normalmente están redactadas en un lenguaje especialmente vago, lo que a menudo hace que las normas establecidas para interpretar normas precisas como las contenidas en el Código Civil no resulten útiles para la interpretación constitucional. Por último, resulta discutible que las normas fundamentales del derecho público sean interpretadas mediante herramientas interpretativas establecidas precisamente para interpretar el derecho privado, que se ocupa de problemas entre individuos que velan por sus intereses particulares.

No obstante existir buenos argumentos para rechazar la vinculación del intérprete constitucional a la reglas del Código Civil, esto no puede implicar su total abandono. La razón es que aquellas disposiciones contienen reglas generales sobre interpretación jurídica. Si bien puede que no tengan el valor de obligar a determinada interpretación, es decir de eliminar la discreción del intérprete, reflejan un cierto consenso sobre las formas a través de las cuales se lleva a cabo la actividad de interpretar. Eso no obsta a que existan buenas razones para apartarse de ellas en ciertas circunstancias. La creación de métodos, reglas o principios especiales de la interpretación constitucional apunta a determinar esas circunstancias que justificarían apartarse de las reglas generales de interpretación jurídica.

Ahora bien, existe un último problema específico que, respecto a la interpretación constitucional, ha tenido especial relevancia en Chile. Este es el de la posibilidad de los intérpretes de la ley constitucional de recurrir a la "historia fidedigna de su establecimiento", según lo prescrito por el artículo 19 inciso 2° del Código Civil. En particular, se ha discutido si es posible el recurso a las actas de la Comisión de Estudios de la Nueva Constitución (CENC), con la finalidad de esclarecer el sentido de las normas constitucionales, con una referencia a la intención que tenían sus autores al formularlas. Dicho organismo, también conocido como Comisión Ortúzar por el nombre de quien la presidiera, el entonces ex Ministro de Justicia Enrique Ortúzar [1914-2005], elaboró entre 1973 a 1978 un anteproyecto de lo que después se convertiría en la Constitución de 1980, reemplazando al texto constitucional vigente al día 11 de septiembre de 1973. Las actas de sus 417 sesiones recogen la totalidad de las discusiones y reflexiones que se dieron en esta Comisión, y fueron recopiladas en once tomos, disponibles en algunas de las principales bibliotecas del país. Es en esta recopilación y en la disponibilidad de ella donde yace, en parte, la importancia que la CENC logró en la comprensión del texto constitucional. Con ocasión de una ceremonia por la entrega de los últimos cuatro volúmenes de realizada el 11 de marzo de 1983, Augusto Pinochet firmó un decreto supremo que declaraba dichas mencionadas actas como material de consulta de la Corte Suprema, el Tribunal Constitucional, la Secretaría de la Junta de Gobierno y el Ministerio de Justicia. Ahora bien, el influjo que dichas actas han tenido pareciera deberse no a este 'acto de autoridad', sino más bien a la autoridad como 'prestigio' o 'reconocimiento social' que detentaran quienes han hecho de ellas una fuente de interpretación constitucional a través de sus publicaciones, incluyendo a personas que participaron de la propia CENC como los tratadistas Alejandro Silva [1910-2013] y Enrique Evans [1924-1997].

El uso que se ha hecho de dichas actas para ilustrar la interpretación constitucional en textos de docencia y, ocasionalmente, en sentencias de tribunales, genera diversos problemas que no pueden ser obviados por los estudiosos del derecho constitucional. En primer lugar, mencionemos el hecho de que estamos ante el resultado del trabajo de una comisión asesora de la Junta Militar, carente de potestades, cuyo valor intrínseco simplemente consiste en ilustrar al intérprete sobre posibles exégesis o lecturas del texto, función bastante irrelevante. Difícilmente podría identificarse al *constituyente* con la Comisión Ortúzar, como hacen coloquialmente algunos abogados y profesores. Emplear el adjetivo de *constituyente* para refirse a dicha Comisión "es un error, que no por ser común deja de ser tal" pues "los juicios vertidos en la Comisión Ortúzar o en el Consejo de Estado", "no dejan por ello de ser la opinión de asesores jurídicos".[115]

En segundo lugar, y como consecuencia de ello, nos enfrentamos al problema práctico de que el anteproyecto elaborado por la CENC no fue acogido en su totalidad por la Junta Militar. Dicho documento fue alterado a la revisión de otro cuerpo asesor denominado Consejo de Estado, cuyas

---

115 La jurisprudencia del Tribunal Constitucional: 43.

actas durante un largo tiempo no estuvieron disponibles para el público, y no fueron objeto de la misma exégesis por parte de los autores de derecho constitucional recién señalados. Finalmente, el anteproyecto fue modificado por la propia Junta Militar en aspectos bastante relevantes, tales como el estatuto de la propiedad minera o la propia duración del período que mediaría entre la entrada en vigencia del texto constitucional en 1981 y la plena vigencia de las reglas sobre generación democrática del Ejecutivo y el Congreso Nacional, período que la propia dictadura denominaba eufemísticamente como el 'período de transición' y que, de durar cinco años en el proyecto del Consejo de Estado, pasaba a durar ocho en el texto plebiscitado en 1980, con posibilidad de extenderse a nueve, como finalmente ocurrió, si en el plebiscito programado para 1988 la propuesta presidencial de la Junta Militar no obtenía la mayoría de los votos.

Un tercer problema del uso de las actas de la CENC, a la luz de una interpretación democrática y republicana de la tradición constitucional, es la profunda ilegitimidad que caracterizó la labor de quienes intervinieron a lo largo de la redacción del texto que entró en vigencia en 1980. Indudablemente quienes no concebían ni conciben a la democracia como un valor substantivo no se ven afectados por esta objeción. Ahora bien, para quienes aspiren a situarse dentro de la corriente del constitucionalismo democrático y republicano, es muy difícil encontrar la *mejor versión posible* de nuestro texto constitucional en fuentes documentales contrarias a dichos principios. Para tales intérpretes, la Constitución Política de la República debe ser objeto de una reinterpretación racional que no sea neutral ni imparcial ante las instituciones contramayoritarias de nuestra Constitución, sino que las vea como déficits que han de ser corregidos interpretativamente y, en última instancia, modificados a través del ejercicio de las potestades constituyentes de reforma o bien a través de un ejercicio democrático del poder constituyente propiamente tal.

Cabe observar que el uso exegético de las actas de la CENC coincide, hasta cierto punto, con el así llamado *originalismo* en materia de interpretación constitucional. Este consiste en la tesis que sostiene el único método aceptable en materia de interpretación constitucional es, en palabras de Edwin Meese, Ministro de Justicia de Ronald Reagan, aplicar "el texto y el significado original de las varias disposiciones constitucionales".[116] Esta estrategia permitiría, en opinión de los originalistas, minimizar la discrecionalidad judicial, evitando que los jueces impongan sus preferencias políticas. Sin embargo, dicho método interpretativo dista de estar confinado a la imparcialidad del limbo teórico; como han señalado Post y Siegel, "aprovechando el trabajo de académicos conservadores como Robert Bork y Raoul Berger, el originalismo se convirtió en un principio organizador central para el ataque del Departamento de Justicia de Reagan contra aquello que veía como una judicatura liberal", para posteriormente ser "orgullosamente adoptado por jueces agresivamente conservadores como William H. Rehnquist, Antonin Scalia, y Clarence Thomas" y seguir "siendo un poderoso instrumento de movilización conservadora".[117] A este deseo de preservar una comprensión original de la Constitución subyace una comprensión estática de las normas que, si bien epistemológicamente hace caso omiso de las consideraciones pragmáticas que hemos señalado, políticamente revela una aguda conciencia de las mismas, pues, como señalan Post y Siegel, le ha permitido al conservadurismo norteamericano la elaboración de una eficaz agenda política y electoral en materia constitucional.

Estado y Sociedad

El derecho constitucional asume la existencia de una distinción entre la sociedad o sociedad civil, entendida como el conjunto de quienes están sometidos a una autoridad política común, y el estado, entendido como el conjunto de funcionarios que ejercen dicha autoridad política en diversas funciones y de acuerdo a diversas fuentes de legitimación.

El contraste entre el Estado y la sociedad civil gira en torno a aquello que Bobbio calificó como otra de las "grandes dicotomías" de las que las disciplinas jurídicas, sociales e históricas "se sirven tanto para delimitar, representar y ordenar su campo de investigación":[118] la dicotomía público/ privado. Ella, tal como otras "grandes dicotomías", permite "dividir un universo en dos esferas" que son "conjuntamente exhaustivas" pues "todos

---

116   Toward a Jurisprudence of Original Intent: 7.

117   Originalism as a Political Practice. The Right's Living Constitution: 546.

118   Estado, Gobierno y Sociedad: 11.

los entes de ese universo quedan incluidos en ellas sin excluir a ninguno" y "recíprocamente exclusivas" en cuanto "un ente comprendido en la primera no puede ser al mismo tiempo comprendido en la segunda".[119] Para Bobbio, "la dicotomía clásica entre derecho privado y derecho público muestra la situación de un grupo social en el que se manifiesta ya la distinción entre lo que pertenece al grupo en cuanto tal, a la colectividad, y lo que pertenece a los miembros, específicos, o más en general entre la sociedad global y grupos menores (como la familia), o también entre un poder central superior y los poderes periféricos inferiores que con respecto a él gozan de una autonomía relativa, cuando no dependen totalmente de él".[120]

La distinción entre lo público y lo privado, observa Bobbio, puede dar forma a "dos concepciones diferentes de la relación entre público y privado que pueden ser definidas así: la supremacía de lo privado sobre lo público, o la superioridad de lo público sobre lo privado".[121] Ambas concepciones diferentes se entretejen en el discurso jurídico occidental moderno, y el estudioso del derecho podrá reconocer distintos ejemplos de ambas en distintas áreas del derecho. En esta materia, en sistemas jurídicos como el chileno es posible detectar gradaciones y matices entre distintas áreas del ordenamiento jurídico. Así, por ejemplo, en la Constitución de 1833, al ser promulgada, mientras que en materia religiosa y política primaba lo público (el catolicismo como religión oficial, el orden público por sobre las libertades individuales), en materia económica primaba lo privado ("la inviolabilidad de todas las propiedades" como garantía). También es posible encontrar transformaciones que se suceden con el paso del tiempo dentro de una misma área. El propio ámbito económico, por ejemplo, experimentó una paulatina transformación en esta materia, simbolizada en la consagración en la Constitución 1925 de "la función social de la propiedad" como fuente de limitaciones de la propiedad; y, a su vez, la Constitución de 1980 volvió a efectuar múltiples transformaciones en este plano que, sin llegar a eliminar el rol de la función social como fuente de limitaciones, se ven reflejadas tanto en el incremento de la protección constitucional a la propiedad como en la consagración de un "derecho a

---

119   Estado, Gobierno y Sociedad: 11-12.

120   Estado, Gobierno y Sociedad: 13.

121   Estado, Gobierno y Sociedad: 22.

desarrollar actividades económicas".

Sin perjuicio de estas transformaciones, Schmitt sostiene que la afirmación de la primacía de lo privado caracteriza al "Estado burgués de Derecho", que se caracteriza por estar estructurado en torno a "una decisión en el sentido de la libertad burguesa: libertad personal, propiedad privada, libertad de contratación, libertad de industria y comercio, etc.".[122] Y señala:

> De la idea fundamental de la libertad burguesa se deducen dos consecuencias, que integran los dos principios del elemento típico del Estado de Derecho, presente en toda Constitución moderna. Primero, un *principio de distribución*: la esfera de libertad del individuo se supone como un dato anterior al Estado, quedando la libertad del individuo *ilimitada en principio*, mientras que la facultad del Estado para invadirla es *limitada en principio*. Segundo, un *principio de organización*, que sirve para poner en práctica ese principio de distribución: el poder del Estado (limitado en principio) se *divide* y se encierra en un sistema de competencias circunscritas.[123]

El principio de distribución que Schmitt describe puede ser desglosado en aquello que habitualmente los juristas califican como los principios fundamentales del derecho privado y del derecho público: esto es, por un lado, que en derecho privado se puede hacer todo aquello que no esté expresamente prohibido, mientras, por el otro, que en derecho público sólo se puede hacer aquello que está expresamente permitido. A estos principios se les denominan respectivamente *principio de autonomía de la voluntad* y *principio de legalidad*. Ellos resumen la lógica de un sistema jurídico como el nuestro, incluso en momentos históricos en los cuales lo público se expande. Piénsese en el caso del derecho laboral, del derecho de la libre competencia, de la regulación de monopolios naturales tales como los servicios en red: todos estos son todos ámbitos en los que la autonomía de la voluntad es suprimida como principio. Pero dicha supresión, operada a través de una *publificación* de dichos ámbitos, se sujeta ella misma a la restricción del principio de legalidad y la lógica contenida en aquel: es

---

122   Teoría de la Constitución: 138.

123   Teoría de la Constitución: 138.

en sí misma excepcional, pues sólo opera si la ley ha hecho explícita esta publificación. Por eso es posible caracterizar el principio de distribución como la gramática profunda de aquel Estado de Derecho que Schmitt califica como *burgués*.

La distinción público/privado ha sido cuestionada desde variadas perspectivas. Una de ellas la ofrece el enfoque conocido como 'estudios jurídicos críticos' (*critical legal studies*), corriente norteamericana de análisis que, a partir de los aportes de distintas tradiciones filosóficas contemporáneas (marxismo, estructuralismo, postestructuralismo, entre otras), somete a cuestionamiento los presupuestos de la ciencia jurídica tradicional. Duncan Kennedy [1942–], un exponente de esta corriente académica, ha sostenido que "[l]a historia del pensamiento jurídico desde el cambio de siglo [XIX a XX] es la historia de la declinación de un conjunto particular de distinciones; aquellas que, tomadas en conjunto, constituyen la forma liberal de pensar el mundo social".[124] Una primera etapa de este proceso de declinación, según Kennedy, consiste en la existencia de casos que caen de manera clara en cada uno de estos ámbitos, lo público y lo privado; a continuación, viene una etapa de desarrollo de términos intermedios entre una y otra categoría; posteriormente, ambas categorías colapsan entre sí, apreciándose que aquello que está en una o la otra invariablemente pertenece a la otra (como por ejemplo, "ya que los derechos de propiedad y los derechos contractuales son protegidos y ejecutados por el Estado, estos así llamados derechos en realidad son mejor comprendidos como poderes públicos delegados"[125]); a continuación, debido a los peligros de la abolición de la distinción, surge como estrategia la declaración de que existe un continuo de casos que conectan una y otra categoría; y, finalmente, llegan dos etapas en las que el desafío de clasificar casos bajo una u otra categoría se soluciona creando situaciones estereotipadas, o en la cual los casos pueden ser dispuestos sucesivamente en la forma de un círculo continuo, cada uno llevando a mayores niveles de publicidad o privacidad según la dirección en la que se avance pero siempre regresando al mismo punto.

Otra perspectiva que ha criticado la distinción público/privado es

---

124 The Stages of the Decline of the Public/Private Distinction: 1349.

125 The Stages of the Decline of the Public/Private Distinction: 1352.

la teoría feminista del derecho. La jurista israelita Ruth Gavison [1945–] clasifica las críticas a la distinción público/privado en cuestionamientos *internos*, consistentes en "críticas a usos específicos de términos como 'público' y 'privado' o a arreglos específicos designados con estas etiquetas", y cuestionamientos *externos*, que "nos invitan a abolir o deslegitimar como un todo tales distinciones".[126] Al respecto, Gavison observa lo siguiente:

> En la superficie, muchos cuestionamientos feministas a la distinción público/privado parecen ser externos, negando que exista alguna diferencia. Estos cuestionamientos, sin embargo, en realidad documentan las formas en que las reales y omnipresentes diferencias entre lo privado y lo público afectan el bienestar de las mujeres en nuestra sociedad. Como resultado, muchas feministas abogan por cambios en las estructuras sociales y políticas existentes con el fin de eliminar la diferencia entre lo público y lo privado, en algunos contextos, y para minimizar su importancia, en otros. Por encima de todo, estas feministas insisten en que la distinción no debe ser invocada como justificación de un trato diferente, ya sea en ámbitos legales o sociales. De esta manera, los argumentos feministas pueden ser cuestionamientos internos, que invocan la distinción y la usan como una herramienta descriptiva y evaluativa fundamental.[127]

La distinción público/privado, específicamente en cuanto al ámbito de impacto del derecho constitucional, también se ve cuestionada mediante un conjunto heterogéneo de desarrollos teóricos, institucionales y jurisdiccionales contemporáneos, que posibilitan que la Constitución sea aplicada ya no sólo a las relaciones entre el Estado y la sociedad civil, sino también a las relaciones entre integrantes de la sociedad civil. Estudiaremos estos desarrollos más adelante, al hablar de la supremacía constitucional.

El Estado y sus elementos

El Estado es una *unidad política*. A la luz de las ideas de Arendt, que el Estado sea una unidad política sugiere que está compuesta de una

---

126   Feminism and the Public/Private Distinction: 2.

127   Feminism and the Public/Private Distinction: 10.

pluralidad de hombres que reconocen su pluralidad pero también su interdependencia (o, al menos, que en esta unidad dicho reconocimiento es posible; que dentro de esta unidad es posible, aun cuando no necesario, el surgimiento de la política). A la luz de las ideas de Schmitt, que el Estado sea una unidad política implica que estamos frente a un grupo humano que carece de antagonismos internos que resulten en la aparición del enfrentamiento entre amigos y enemigos, lo cual permite la convivencia pacífica de este colectivo.

Las ideas de Arendt y Schmitt, por cierto, no buscan definir el fenómeno estatal de la manera en que lo hacen, por ejemplo, la ciencia política o la ciencia jurídica. Para Arendt y Schmitt, cada uno desde luego desde su particular perspectiva filosófica, lo interesante está en aquello que distingue al fenómeno político, y junto con ello al fenómeno estatal, de otros ámbitos de la experiencia humana, tales como la violencia (Arendt) o el mercado y la ética (Schmitt). La ciencia política y la ciencia jurídica, en cambio, están interesadas en dimensionar lo político y lo estatal de una manera que permita su análisis comparativo, esto es la comparación cuantitativa y cualitativa de distintos Estados. Por ello para estas disciplinas es necesario identificar elementos o atributos precisos que se encuentren en todos aquellos casos que pertenezcan a lo estatal. Dichos elementos o atributos están, desde luego, vinculados a aquello que según la filosofía arendtiana y schmittiana caracteriza a lo político y a lo estatal; pero lo proyectan en un plano epistemológico que, en contraposición al enfoque *fenomenológico* que caracteriza a Schmitt y Arendt, podríamos caracterizar como *empírico* (más adelante nos referiremos a la discusión sobre el estatus epistemológico de la ciencia jurídica).

Los elementos que según la ciencia política y la ciencia jurídica caracterizan al Estado son los siguientes: la existencia de un grupo humano, el *pueblo*; la existencia de un *territorio*; y la existencia de un cierto tipo de *poder*, de importantes proyecciones tanto en la relación con otros Estados como respecto de su ordenamiento interno. Estos tres elementos parecen ser esenciales para todo Estado; esto es, son elementos sin los cuales una organización no puede alcanzar el estatus de Estado.

El *pueblo* al que se hace referencia es, por supuesto, un conjunto de individuos de la especie humana. La utilización de la expresión *población*, que es propia de la disciplina de la demografía, es inconveniente pues desvincula a dicho conjunto de individuos de las particularidades que acarrea formar parte del pueblo de un Estado; ella es útil para hablar también de la población de vacas en una hacienda o de abejas en un panal. Es por eso que en el plano de la teoría política y jurídica resulta más conveniente la utilización de la expresión *pueblo*. El *pueblo* es así el conjunto de personas cuya unidad sirve de sustento existencial e histórico para un Estado. La participación individual en este sujeto colectivo se logra mediante el concepto de la *nacionalidad*, cuya regulación en nuestro ordenamiento jurídico estudiaremos más adelante.

El pueblo como sujeto político colectivo hace su aparición en la teoría política de la mano del religioso Emmanuel-Joseph Sieyès [1748–1836], quien poco antes del estallido de la Revolución Francesa argumentó que el tercer estado o estado llano (esto es, el conjunto de franceses que no integraban la nobleza ni el clero) constituía el elemento fundamental sobre la cual se sustentaba materialmente el Estado francés, pues desarrollaba prácticamente la totalidad de las actividades productivas y de las funciones públicas necesarias para sostener a la sociedad.

¿Quién se atrevería, pues, a decir que el Tercer Estado no posee todo lo necesario para formar una nación completa? Es como un hombre fuerte y robusto que tiene todavía un brazo encadenado. Si se suprimiera el orden privilegiado, la nación no iría a menos, sino a más. Así pues, ¿qué es el Tercer Estado? Todo, pero un todo trabado y oprimido. ¿Y que sería sin el orden privilegiado? Todo, pero un todo libre y floreciente. Nada puede funcionar sin él, todo marcharía infinitamente mejor sin los demás.[128]

La idea principal de Sieyès es que no había razón para el establecimiento de órdenes privilegiados de personas. Dichos privilegios no se sustentaban en título legítimo alguno y es más, iban contra el derecho natural. Si los individuos son libres e iguales y ellos se asocian libremente en la nación, ellos pasan a formar parte de una unidad mayor que actúa voluntariamente como una comunidad. No parece haber razón, de esta manera, para que la igualdad que ellos tenían naturalmente, desaparezca.

---

128   ¿Qué es el Tercer Estado?: 90.

El derecho debe, por tanto, ser igual para todos quienes forman la nación y debe ir en interés de la nación misma; debe ir en el interés general y no cautelar intereses particulares. Por supuesto que será necesario instaurar un gobierno; sin embargo, ese gobierno será uno en que los ciudadanos que lo asuman sean representantes de la nación y no actúen sino en interés de ella. De esta manera, el poder del Estado derivaba de una decisión de la nación, y todos los órganos del Estado, incluido el rey, no eran más que sus representantes.

En Alemania, la Revolución Francesa proveyó la inspiración –y la invasión napoleónica los incentivos– para el surgimiento de una generación de pensadores que perfilaron y dotaron de contenido a la idea de pueblo. Así, el filósofo Johann Gottfried Herder [1744–1803] planteó que la unidad del pueblo se sustenta en el lenguaje, las tradiciones, y las mentalidades compartidas por dicho grupo humano. Según Herder, en su *Carta sobre el Progreso de la Humanidad* [1792], "[e]n el Estado existe una única clase, el *pueblo* (no la plebe), a la cual pertenecen tanto el rey como el campesino, cada uno en su lugar, en el círculo a él destinado".[129] Adicionalmente, para Herder el hombre, simultáneamente "criatura del lenguaje"[130] y "criatura de la multitud",[131] crea "distintos lenguajes nacionales"[132] en los cuales se expresa la especificidad de cada pueblo, su *cultura*; en sus propias palabras,

> Cada raza llevará a su lenguaje *el sonido perteneciente a su casa y su familia*; esto se vuelve, en términos de su pronunciación, un dialecto diferente. El clima, el aire y el agua, la comida y la bebida, tendrán influencia en los órganos lingüísticos y naturalmente también en el lenguaje. La ética social y la poderosa diosa Costumbre introducirán pronto ciertas peculiaridades y tales diferencias en conformidad a la conducta y la decencia.[133]

En esto se apoya el jurista Karl Friedrich von Savigny [1779–1861] para crear su teoría sobre el derecho del pueblo o *volksrecht*. Según Savigny,

---

129 Philosophical Writings: 364.

130 Philosophical Writings: 127.

131 Philosophical Writings: 139.

132 Philosophical Writings: 147.

133 Philosophical Writings: 148.

en todas las naciones vemos al derecho "revestir un carácter determinado, peculiar de aquél pueblo, del propio modo que su lengua, sus costumbres y su constitución política".[134] Todas estas manifestaciones, asevera Savigny, "no tienen, en verdad, una existencia aparte, sino que son otras tantas fuerzas y actividades del pueblo, indisolublemente ligadas, y que sólo aparentemente se revelan a nuestra observación como elementos separados".[135] Desde esta perspectiva, sostiene Savigny, el derecho "debe ser mirado con buenos ojos en el caso en que promueva ó sea apto para promover el sentimiento y la inteligencia popular, del propio modo que debe despreciarse cuando, siendo producto del mero arbitrio, sea un elemento perfectamente heterogéneo, en el cual el pueblo no ha tenido ni tiene participación verdadera".[136]

A menudo se entiende al Estado y al pueblo como dos entidades distintas; así, el Estado es identificado con el gobierno y sus órganos (gobernantes), frente a los cuales se encuentra un conjunto de súbditos (gobernados). Tal separación proviene de la identificación, durante el Antiguo Régimen, del Estado con el monarca absoluto. Ella es inadmisible desde el punto de vista de la soberanía popular, desde cuya perspectiva el pueblo es al mismo tiempo titular y destinatario de la soberanía estatal. En virtud de la primera condición, el conjunto de los integrantes del pueblo se gobiernan a sí mismos en su calidad de *ciudadanos*. En virtud de la segunda condición, las instituciones estatales y sus mandatos (el Derecho) obligan a los de manera irresistible (coactiva), por lo que los integrantes del pueblo pueden ser caracterizados también como *súbditos*, como personas sujetas a una autoridad. Así hoy, y a diferencia del Antiguo Régimen, los súbditos son al mismo tiempo ciudadanos, idea que Schmitt caracteriza definiendo a la democracia como *la identidad entre gobernantes y gobernados*.[137]

Es interesante comprender la noción de pueblo a la luz del concepto que Schmitt ofrece de *igualdad democrática*, sin perjuicio de que dejemos una discusión más profunda de este concepto para más adelante. Schmitt afirma que, como todo concepto propiamente político, el concepto

---

134   De la vocación de nuestro siglo para la legislación y para la ciencia del derecho: 23.

135   De la vocación de nuestro siglo para la legislación y para la ciencia del derecho: 23.

136   De la vocación de nuestro siglo para la legislación y para la ciencia del derecho: 54.

137   Teoría de la Constitución: 231.

democrático de igualdad se sustenta en una *distinción*, lo cual excluye a la *humanidad*, indistinta, como posible sustento de la democracia. Por eso, afirma Schmitt, la democracia sólo puede basarse "en la pertenencia a un *pueblo determinado*, si bien cabe que sea determinada esa pertenencia a un pueblo por muy diversas notas (ideas de raza, de fe comunes, de destino y tradición comunes)".[138] La pertenencia a dicho pueblo se sustenta, entonces, en la participación, común a los miembros de dicho pueblo, de algún rasgo identitario. "La igualdad democrática es, en esencia, homogeneidad, y, por cierto, homogeneidad del pueblo".[139] Ahora bien, es muy tentador imputarle a Schmitt con esto un cierto afán propagandístico, imputación según la cual su 'agenda' sería aquí promover la existencia de Estados racialmente homogéneos. El problema con esta interpretación no sólo es que es equívoca: Schmitt identifica, en la historia de las ideas y en la praxis política occidental, diversas fuentes de homogeneidad, incluyendo la homogeneidad física y moral entre los griegos, la homogeneidad en la virtud en el pensamiento republicano de la temprana modernidad, la homogeneidad en la fe de diversos estados de la temprana modernidad, y la homogeneidad nacional del Estado-nación posterior a la Revolución Francesa. El principal problema es que, al interpretar en un sentido racialmente propagandístico la idea de homogeneidad del pueblo, nos estaríamos privando de un concepto analítico útil, que nos interroga sobre qué es aquello que constituye a un pueblo como tal, y sobre qué ocurre cuando tal factor desaparece. Propuestas contemporáneas tales como la idea de *patriotismo constitucional* buscan proveer de una identidad compartida, de una cierta homogeneidad, a Estados que se consideran culturalmente fragmentados, postnacionales; en dichos Estados, la común lealtad a un mismo texto constitucional y a los valores allí contenidos provee al pueblo de la unidad necesaria para imaginarse a sí mismo como unido, como un proyecto transgeneracional abierto a perpetuarse hacia el futuro. Por último, vale la pena atender a dos comentarios de Mouffe sobre la idea schmittiana de homogeneidad del pueblo, en contraposición con la idea –que califica como *liberal*– de la igualdad de toda la humanidad; en primer lugar, que "[e]s por la intermediación de su pertenencia al *demos* por lo que los ciudadanos de una democracia obtienen la garantía de unos derechos iguales, no porque participen de la idea abstracta de

---

138   Teoría de la Constitución: 224.

139   Teoría de la Constitución: 230.

humanidad";[140] segundo, y como advertencia contra las esperanzas cifradas en la globalización como fundamento de una ciudadanía cosmopolita, que "sin un *demos* al cual puedan pertenecer, esos ciudadanos cosmopolitas peregrinos habrían perdido en realidad la posibilidad de ejercer su derecho democrático de confeccionar leyes".[141]

El Estado necesita también un *territorio*; esto es, un ámbito espacial dentro del cual ejercer su monopolio legítimo de la violencia. Como observa Schmitt,

> La historia de todo pueblo que se ha hecho sedentario, de toda comunidad y de todo imperio se inicia, pues, en cualquier forma con el acto constitutivo de una toma de la tierra. Ello también es válido en cuanto al comienzo de cualquier época histórica. La ocupación de la tierra precede no solo lógicamente, sino también históricamente a la ordenación que luego le seguirá. Contiene así el orden inicial del espacio, el origen de toda ordenación concreta posterior y de todo derecho ulterior. La toma de la tierra es el arraigar en el mundo material de la historia.[142]

La territorialidad como elemento del Estado surge de un hecho central: la escasez o finitud de los recursos, en este caso de la superficie habitable. Esto no significa, desde luego, que el territorio esté definido por su materialidad; es un concepto normativo que circunscribe el espacio geográfico dentro del cual existe un determinado ordenamiento político y jurídico. Por ello, incluso puede que el territorio en cuestión no sea contiguo, sino que esté desmembrado en diversas extensiones territoriales. En palabras del filósofo del derecho austríaco Hans Kelsen [1881–1973],

> El Estado, concebido como una unidad social efectiva, parece implicar igualmente una unidad geográfica: un Estado-un territorio. Un examen más detenido revela, sin embargo, que la unidad del territorio estatal en modo alguno es geográfica. El territorio de un Estado no consiste necesariamente en una

---

140   La paradoja democrática: 58.

141   La paradoja democrática: 58.

142   El Nomos de la Tierra en el Derecho de Gentes del "Jus publicum europaeum": 28.

porción de tierra [unitaria]… La unidad del territorio estatal y, por ende, la unidad territorial del Estado, es una unidad jurídica, no geográfica natural. Pues el territorio del Estado no es en realidad sino el ámbito espacial de validez del orden jurídico llamado Estado.[143]

Dicho ámbito espacial está separado materialmente del ámbito espacial de los demás estados, separación que a su vez se proyecta en la prohibición que en el derecho internacional pesa sobre cada Estado de ejercer su poder dentro del ámbito espacial de los demás Estados. Esa idea –que, sin embargo, cuenta con numerosas excepciones en el derecho internacional moderno– es descrita como un principio de *impenetrabilidad*. El anverso de esa idea de exclusividad o impenetrabilidad consiste en la idea de la *jurisdicción territorial*, en cuya virtud todos aquellos individuos que se hallan en el territorio de un Estado determinado quedan sometidos por ese hecho al ejercicio de su poder, no importando para estos efectos su vínculo de ciudadanía o nacionalidad con un Estado extranjero.

La idea de que los individuos que integran un pueblo constituyen un destinatario permanente de sus respectivos mandatos estatales con independencia del lugar en que se encuentren –lo que se denominará *jurisdicción personal*– pareciera ser contradictoria con la idea de la jurisdicción territorial. Si damos crédito a la idea de jurisdicción territorial, una vez que un individuo sale del territorio del Estado e ingresa a otro territorio, el poder que el primer Estado tenía sobre él se extingue. Pero esta solución parece restar toda importancia a la idea de jurisdicción personal, que constituye una expresión del vínculo entre los individuos que conforman el pueblo y el Estado. Si, por el contrario, se da crédito a la idea de la jurisdicción personal, se debe, necesariamente, considerar que la idea de jurisdicción territorial y por tanto de territorio estatal pierde relevancia a la hora de explicar cuáles son los elementos esenciales del Estado.

La contradicción entre jurisdicción territorial y jurisdicción personal evidencia que ambas no son sino esciones de una única jurisdicción históricamente articulada en épocas donde las sociedades humanas eran esencialmente sedentarias, donde las circunstancias tecno-económicas a menudo hacían impracticable mantener un vínculo a la distancia entre el

---

143   Teoría General del Derecho y del Estado: 247.

individuo y la comunidad política a la cual pertenecía. Es precisamente en sociedades como estas donde surge la conquista de territorios distantes como solución (violenta, y por lo tanto tecnológica) al problema (económico) de la distancia entre la comunidad política de proveniencia y el territorio de destino del súbdito viajante.

Hoy en día, la jurisdicción territorial debe ser aceptada como la regla general. Todos los individuos que permanecen en el territorio de un Estado están sometidos a sus mandatos; en el caso del pueblo, de manera autónoma, y en el caso de los meros súbditos, es decir de los individuos que carecen de vínculos de nacionalidad o ciudadanía con el Estado en cuestión, de una manera heterónoma coactivamente garantizada. Por otro lado, el principio de la jurisdicción personal, según el cual el Estado puede dirigir mandatos a sus ciudadanos o nacionales, aún cuando éstos no se encuentren dentro del territorio del Estado, es incorporado de manera parcial en ciertos asuntos como las herencias, el sufragio o los crímenes más graves, con lo cual los individuos quedan sometidos a un doble dominio estatal. Ello no significa una alteración respecto del principio de impenetrabilidad, pues la aplicación del Derecho del Estado de origen del individuo requerirá esperar a que este interactúe con él de alguna manera, aun cuando sea a la distancia; por ejemplo, votando desde el extranjero en los procesos electorales a través de los mecanismos dispuestos por el Estado.

El elemento territorial denota que el ámbito espacial de un Estado es una unidad geográfica. Ello tiene su justificación funcional en la necesidad de un espacio para la vida de las personas que componen el pueblo del Estado, erigido sobre una organización social sedentaria. Sin embargo, tiene también una justificación espiritual importante, que descansa en que la construcción de una identidad colectiva se hace probable a través de la identificación del pueblo en cuestión con un lugar geográfico, al cual reconoce como su lugar de origen común. Esta es la idea expresada en la noción de *patria*. Ello muchas veces explica por qué pueblos enteros están dispuestos a morir a costa de defender un territorio, o por qué existen pueblos que desarrollan su vida común en territorios inhóspitos en los que la vida es más difícil, como por ejemplo los pueblos que viven en el desierto.

Respecto de la unidad geográfica llamada territorio, sus límites, ya sean naturales (por ejemplo, la cordillera o el mar) o convencionales (por ejemplo, las líneas imaginarias fijadas por tratados de límites entre Estados) se llaman *fronteras*. Ellas determinan cuál es el ámbito espacial de vigencia del poder del Estado. El territorio del Estado no sólo consiste en una porción de la superficie de la *tierra*, sino está compuesto también del *subsuelo* y del *espacio* que está sobre ella, lo que resulta importante, por ejemplo, para la industria de la minería y el tráfico aéreo respectivamente. Se suman al territorio del Estado, lo que normalmente se ha denominado como *aguas* territoriales, que son las adyacentes a la superficie terrestre.

Resulta interesante pensar cuál es el tipo de relación que tiene el Estado con su territorio. Ello es especialmente útil para entender cómo los Estados adquieren y pierden su territorio y, en ese sentido, si, por ejemplo, un Estado puede ceder o vender su territorio a otro, o si un Estado puede usar la fuerza contra otro para apoderarse de un territorio que considera que le pertenece.

La primera imagen que se presenta cuando se piensa en el Estado como un sujeto, es la de su territorio como una propiedad de la que el Estado es dueño. Esta idea intuitiva coincide con lo que muchos teóricos del derecho público sostuvieron tenazmente en el pasado. Ella permite explicar la idea de la cesión y la adquisición de territorios de la misma manera en que se explica la adquisición de propiedad inmobiliaria por parte de los individuos en las relaciones del derecho privado. Sin embargo, hoy en día la doctrina mayoritaria tiende a considerar al territorio como una parte integrante, esto es, un elemento más, de la personalidad del Estado.

La teoría del territorio como elemento del Estado se basa en la idea de que el Estado necesita imperativamente un territorio para existir; necesita un ámbito espacial dentro del cual ejercer su poder respecto de los individuos. Por ello, la propuesta del fundador del sionismo Theodor Herzl [1860–1904] dirigida a los judíos esparcidos por Europa de constituir una unidad política, es decir un Estado, tuvo como correlato inmediato la discusión de en qué territorio se haría realidad dicho proyecto. Por ello, también, el dilema del pueblo palestino consiste hoy en día en asegurar para sí un territorio donde hacer realidad su deseo de constituirse estatalmente.

Sin un ámbito espacial propio la posibilidad del Estado desaparece, dado que el principio de impenetrabilidad impide ejercer la acción estatal dentro del ámbito espacial de otro Estado. Todo esto tiene importancia para entender las relaciones territoriales entre Estados. Lleva a entender una cesión territorial, no como una transferencia de propiedad, sino como una modificación del ámbito territorial de ejercicio del poder estatal; y lleva a entender el ataque por parte de un Estado al territorio de otro como un ataque al Estado mismo, no sólo a su territorio.

Debido a la importancia de esta materia, nuestros primeros textos constitucionales asumieron como un asunto constitucional la delimitación de nuestro territorio. El primer texto en referirse a ello fue la Constitución de 1822, seguida en prácticamente los mismos términos por los textos de 1823, 1828, y 1833. Este último establecía:

> El territorio de Chile se extiende desde el desierto de Atacama hasta el Cabo de Hornos, i desde las cordilleras de los Andes hasta el mar Pacífico, comprendiendo el Archipiélago de Chiloé, todas las islas adiacentes, i las de Juan Fernández (art. 1).

Se entenderá que esta delimitación tiene el inconveniente de ser poco precisa. Ello no sería quizás tan problemático si uno considerara que la función de estas menciones en la Constitución es más simbólica que georeferencial. Sin embargo, la circunstancia de que Chile ha mantenido numerosas disputas fronterizas con sus vecinos vuelve problemática tal referencia, pues ella puede ser utilizada contra Chile en tribunales internacionales en todos aquellos casos en los cuales se pueda argumentar que un determinado espacio fronterizo no está contemplado en tal delimitación. Estos inconvenientes llevaron a la eliminación de tal referencia de la Constitución de 1925. Posteriormente, haciéndose cargo de la necesidad de contar con un organismo especializado a cargo de esta materia, la Ley N° 16.592 de 13 de diciembre de 1966 la Dirección de Fronteras y Límites del Estado', dependiente del Ministerio de Relaciones Exteriores, cuya misión es "asesorar al Gobierno e intervenir en todo lo que se refiere a los límites internacionales de Chile y a sus fronteras". Según el artículo 2° de dicha ley, este organismo está encargado de:

a) Participar en la demarcación y conservación de los límites de

Chile, y proponer las medidas que deban adoptarse para cumplir tales objetivos; b) Centralizar, armonizar y promover la política que debe seguirse en las regiones fronterizas y en el territorio chileno antártico en relación con su desarrollo y progreso; c) Planear, orientar y coordinar las actividades científicas y técnicas que organismos del Estado o particulares, debidamente autorizados, lleven a cabo en el territorio chileno antártico; d) Organizar y conservar un archivo de libros, mapas, documentos y otros útiles sobre límites y fronteras.

El tercer elemento del Estado es el *poder*. Hemos visto que Arendt entiende la noción de poder por referencia a la capacidad de una pluralidad de personas de actuar conjuntamente. El poder del Estado, que es una unidad política, corresponde a dicha conceptualización; lo distintivo del poder estatal es que en nombre de dicho poder un grupo humano se separa del resto de la humanidad para gobernarse a sí mismo. En la teoría política, el nombre que recibe esta específica forma de poder es el de *soberanía*. La soberanía tiene una importante consecuencia en el plano internacional, que ya hemos visto bajo el nombre de principio de impenetrabilidad: a la luz del ius cogens, los Estados están obligados a respetarse entre sí. También tiene una importante consecuencia en el plano doméstico: en virtud de su poder colectivo, el pueblo se obliga a sí mismo a través de un ordenamiento jurídico respaldado coactivamente.

Una importante expresión del poder soberano del Estado es, en consecuencia, el derecho mismo. Desde el punto de vista jurídico, el Estado es visto como el núcleo en torno al cual se articulan como totalidad un conjunto de normas jurídicas; en palabras de Kelsen, el Estado, "en cuanto sujeto que obra por medio de sus órganos, el Estado como sujeto de imputación o persona jurídica, es la personificación de un orden jurídico".[144] La particularidad de esta relación entre Estado y Derecho es que el Estado es el producto de las normas por él producidas, una paradoja que le da un carácter *autopoiético* al Estado. Esta idea del Estado como Derecho, cabe observar, es una perspectiva más despersonalizada respecto de aquellas que en la temprana modernidad identificaban al Estado con la persona del Monarca.

---

144   Teoría General del Derecho y del Estado: 234.

El jurista alemán Georg Jellinek [1851–1911] caracterizó al orden jurídico estatal señalando que, a diferencia de organizaciones cuyo último recurso ante la desobediencia consiste en la supresión del vínculo que la une con el destinatario de sus mandatos, lo cual lleva implícita la idea de que el sujeto jurídicamente *puede* desobedecer, la obligatoriedad del Estado es *irresistible*: conlleva una prohibición normativa de desobedecerle (sin perjuicio de la discusión que ya hemos visto al respecto). En ese sentido, Jellinek afirmaba respecto a lo irresistible del poder del Estado que "[s]ólo es posible salir de un Estado para someterse a otro".[145] Así, puede formularse el mandato emanado de una organización no estatal como un imperativo hipotético: "Debes seguir mi mandato si quieres pertenecer a esta asociación". Por ejemplo, "Debes llegar temprano al trabajo si quieres trabajar aquí; si llegas tarde, perderás tal posibilidad". Así, el mandato le reconoce a su destinatario la posibilidad deóntica –es decir, la permisión– de negarse a cumplir el mandato, evento ante el cual el mandato se limita a especificar las consecuencias jurídicas que se seguirán de él. Por el contrario, el mandato emanado del Estado es siempre categórico: "Debes seguir mi mandato". Un ejemplo de tal mandato es "Debes abstenerte de matar a otro". Tal mandato no autoriza al destinatario a desconocerlo (no le reconoce tal posibilidad, al margen de que, como sabemos, el propio derecho del Estado a emitir mandatos pueda verse cuestionado en ciertos casos por parte de sus súbditos, ya sea respecto de un ámbito específico o de manera generalizada). Tal imposibilidad a priori está respaldada a posteriori por la amenaza del uso de la violencia estatal u otras consecuencias indeseables, tales como la pérdida de derechos o beneficios. Así, y desde la perspectiva de la lógica, dicho mandato puede al mismo tiempo ser descrito deónticamente como un mandato categórico ("Debes abstenerte de matar a otro") y causalmente como una descripción hipótetica ("Si matas a otro, irás a la cárcel").

El Derecho del Estado, entonces, está respaldado coactivamente. Aquí es conveniente que recordemos las reflexiones de Weber, quien observa que,

el Estado es aquella comunidad humana que, dentro de un determinado territorio –el 'territorio' es un elemento distintivo—

---

145   Teoría General del Estado: 396.

reclama para sí (con éxito) el *monopolio de la violencia física legítima.*
Pues lo específico de nuestro tiempo es que a todas las otras
asociaciones o individuos sólo se les concede el derecho a la
violencia física en la medida en que el Estado, por su parte, lo
permita: él es la única fuente del 'derecho' a la violencia.[146]

La definición de Weber atiende al carácter pacificador del Estado, ya
que según ella el Estado 'estatiza' el uso de la violencia, quitándole a los
individuos este recurso y administrándolo mediante un aparato burocrático
que incluye la redacción de leyes, la fiscalización de su cumplimiento,
y la sanción a los infractores a través del proceso judicial. También es
de gran importancia su énfasis en la *legitimidad socialmente reconocida* a este
monopolio, sobre lo cual hablaremos más adelante.

Por otro lado, el poder del Estado requiere que el ejercicio de la
violencia sea monopólico. En el caso del Estado este monopolio implica
dos cosas. Primero, que en principio solo el Estado puede ejercer la
violencia en dicho territorio. Segundo, que para que otra organización
ejerza la violencia, dicha actuación debe estar *autorizada* expresamente
por el Estado. Así, por ejemplo, por regla general sólo la policía puede
tomar detenido a un individuo; sin embargo, nuestro Código Procesal
Penal autoriza expresamente a cualquier individuo a detener al infractor
cuando se trate de un delito flagrante, esto es, que acaba de cometerse,
para el sólo efecto de ponerlo a disposición de la policía.

Desde la perspectiva sociológica, el monopolio de la violencia se
asienta en la acumulación de los medios para hacerlo una realidad: en la
acumulación de la capacidad de emplear la violencia. Ello explica que el
Estado usualmente tenga el monopolio de la producción y la posesión de
armas o, al menos, ejerza un control estricto sobre ellas. Según observara
Weber, la existencia de un aparato administrativo es necesaria para
garantizar la obediencia de las decisiones gubernamentales. El aparato
administrativo, entonces, está compuesto por aquellos medios materiales
y personales que son necesarios para la aplicación de la violencia. Sólo
cuando puede observarse la acumulación en manos estatales del poder
administrativo –especialmente de las actividades de defensa, seguridad
y la recaudación de los impuestos– es que puede hablarse de que están

---

146   La Política como Profesión: 94.

satisfechas las condiciones de un monopolio estatal de la violencia. Como observa Weber:

> El desarrollo del Estado moderno comienza en todas partes cuando se inicia por parte del príncipe la expropiación de los titulares del poder administrativo "privados", independientes, que existen junto a él: expropiación de los propietarios de los medios administrativos y de la guerra, de los medios financieros o de bienes de todo tipo utilizables políticamente.[147]

Desde esta perspectiva sociológica, desde luego que el monopolio de la violencia del Estado es tan sólo relativo, realidad que el Derecho internaliza contemplando respuestas jurídicas –el derecho penal– al ejercicio de la violencia por parte de individuos contra individuos. La realidad es que ningún Estado puede cumplir cabalmente con el ideal de pacificar monopolizando la violencia. Desde la perspectiva normativa, en cambio, el monopolio estatal es (en principio) completo pues lo es respecto de la violencia legítima y no respecto de toda clase de violencia. El Estado considera, normalmente, que el ejercicio de la violencia por parte de los individuos es un ejercicio ilegítimo, y está dispuesto a hacer funcionar el aparato coactivo del Estado contra aquellos que lo intentan.

Para concluir esta sección, es importante notar que el fenómeno estatal tiene una importante dimensión histórica. Es habitual en la historia de las instituciones políticas y del pensamiento sostener que el Estado, tal como lo conocemos hoy en día, no siempre ha existido; es el resultado de procesos históricos iniciados en Europa durante la Edad Media y exportados colonialmente al resto del mundo. En palabras del constitucionalista alemán Herman Heller [1891–1933], "el Estado, como nombre y como realidad, es algo, desde el punto de vista histórico, absolutamente peculiar y que, en esta su moderna individualidad, no puede ser trasladado a los tiempos pasados".[148] Dicho Estado es, a menudo, caracterizado por la historiografía como Estado Nación debido a la vinculación que se asume –a menudo en calidad no de antecedente histórico sino de desiderátum político– entre un Estado y un pueblo cuya

---

147   La Política como Profesión: 100.

148   Teoría del Estado: 165.

unidad está cimentada en tradiciones culturales compartidas. Para la teoría constitucional contemporánea, la forma más sofisticada de dicho fenómeno es el Estado Democrático de Derecho, el cual se articula política y jurídicamente a sí mismo a la luz de los valores ilustrados de la razón y la libertad. Desde ambas perspectivas, el surgimiento de este Estado es parte de un fenómeno histórico más complejo: la modernidad. Este concepto es descrito por el filósofo canadiense Charles Taylor [1931–] de la siguiente manera:

> [Una] amalgama histórica de prácticas y formas institucionales sin precedentes (la ciencia, la tecnología, la producción industrial, la urbanización); de nuevas formas de entender la vida (el individualismo, la secularización, la racionalidad instrumental); y de nuevas formas de malestar (la alienación, la carencia de sentido, la anticipación de una disolución social inminente)… En el centro de la modernidad occidental se halla una nueva concepción del orden moral de la sociedad. Al principio no era más que una idea en la mente de algunos pensadores influyentes, pero con el tiempo llegó a configurar el imaginario de amplios estratos de la sociedad, y finalmente de sociedades enteras.[149]

La observación de los procesos históricos que conducen a la formación del Estado moderno nos indican que la forma en que el aparato estatal se configura no es arbitraria; más bien, ella obedece al triunfo paulatino de ciertas ideas dentro de la civilización occidental sobre cómo justificar y organizar el poder político. La existencia de una constante relación de influencia mutua entre los hechos y los principios, claramente apunta a la complejidad de la tarea a la que los teóricos del Estado se enfrentan. Así, muchas veces los hechos modifican los principios, y otras tantas veces los principios determinan las elecciones sobre la forma en que en los hechos se organiza el Estado.

Una importante parte de este proceso histórico consiste en la separación entre lo gubernativo y lo sagrado; entre autoridad civil y autoridad religiosa. Esta separación es el resultado de procesos históricos (luchas entre Emperadores y Papas, Guerras Religiosas, disputas en torno

---

149   Imaginarios sociales modernos: 13-14.

a la confesionalidad del Estado o la separación entre éste y la Iglesia) acompañados de la reflexión de diversos pensadores. En este proceso de distinción entre lo político y lo religioso destacan, a través de sus planteamientos contrapuestos, dos teóricos ingleses: Thomas Hobbes y John Locke [1632–1704]. Hobbes observó que las diferencias religiosas se traducen a menudo en conflictos y guerras civiles. Razones para creer esto no le faltaban: entre 1618 a 1648 se libró en Europa continental la Guerra de los Treinta Años, un sangriento conflicto internacional que mezcló asuntos religiosos con problemas de sucesión dinástica y control territorial. A fin de preservar la paz social, Hobbes sugirió que el Estado debe controlar la religión, previniendo el surgimiento de sectarismos. Locke, por su parte, defendió en su *Carta sobre la Tolerancia* [1690] la necesidad de que las distintas denominaciones o corrientes cristianas se aceptaran entre sí, con lo cual estableció los fundamentos para el desarrollo de una concepción liberal del manejo de las diferencias culturales. Podríamos decir que la solución de Hobbes es la que primó en la Paz de Westfalia [1648], conjunto de tratados que impusieron el principio de que cada territorio adoptaría la religión de su gobernante y que cada Estado sería autónomo, evento que lleva a que se hable hoy en día del *modelo westfaliano* de Estado soberano. Sin embargo, a largo plazo, las ideas de Locke sobre la tolerancia conquistaron el sentido común occidental, siendo aplicadas de manera extensiva a una serie de otros conflictos sociales.

Pese a la separación paulatinamente alcanzada entre lo religioso y lo político, hay quienes argumentan que ella no es total; que lo sagrado ha dejado huellas en lo gubernativo. Así, según Carl Schmitt,

> Todos los conceptos significativos de la moderna teoría del Estado son conceptos teológicos secularizados. Y no lo son sólo debido a su evolución histórica, por haberse transferido de la teología a la teoría del Estado –al convertirse el Dios todopoderoso, por ejemplo, en el legislador omnipotente–, sino también con respecto a su estructura sistemática, cuyo conocimiento es preciso para el análisis sociológico de dichos conceptos. En la jurisprudencia, el estado de excepción tiene un significado análogo al del milagro en la teología.[150]

---

150 Teología Política: 43.

Quizás esta continuidad histórica encuentre su explicación en que los seres humanos buscan satisfacer mediante el Estado y los fenómenos que le presuponen o le rodean (la política, el derecho) no sólo necesidades *reales* tales como la provisión de bienes y servicios (educación, salud, seguridad, coordinación), sino también *simbólicas* (reconocimiento, sentido, reparación, representación, reconciliación, castigo, identificación). E incluso para nosotros, modernos, el lenguaje de lo *simbólico* sigue siendo en gran medida un lenguaje de lo *sacro*: un lenguaje que busca *decir lo indecible* para conectar el aquí y ahora con una dimensión trascendental, libre de limitaciones, plena. El estudio de lo simbólico dentro de lo político-estatal, en consecuencia, establece un puente no sólo con la *teología* sino también con la *antropología*.

La sociedad civil y sus componentes

Al examinar el Estado entendiéndolo como unidad política en la sección anterior, hemos privilegiado el punto de vista que identifica el sustento de dicha unidad en la homogeneidad del pueblo. Sin embargo, es también posible deconstruir dicha unidad, ver a través de ella, identificando las fisuras y alineamientos internos que la atraviesan y que, a juicio de algunos pensadores, de hecho la constituyen.

Para el pensamiento surgido durante el Antiguo Régimen, la idea de que la sociedad está compuesta por distintos grupos no era problemática; de hecho, la concepción misma de sociedad prevaleciente en aquel entonces, que incluía la existencia de estamentos o castas de acuerdo al linaje familiar, estaba estructurada por dicha idea. El desafío ocurre cuando dicha concepción es reemplazada por otra, la republicana, que en nombre de la igualdad democrática proclama la unidad del pueblo. Tomará un cierto tiempo que el pensamiento político cuestione seriamente dicha proclama, y no será sino hasta el desarrollo del análisis sociológico que tal cuestionamiento alcance la consistencia y profundidad adecuadas.

Un temprano influjo en esta materia lo ofrece el político estadounidense James Madison [1751–1836] en *El Federalista*, obra escrita junto a sus pares Alexander Hamilton [1755–1804] y John Jay [1745–1829] con el propósito de promover la ratificación de la Constitución de 1787, hasta el día de hoy vigente. Allí, Madison critica el efecto que sobre la conducción de los asuntos públicos tienen las *facciones*, es decir aquel "número de ciudadanos, estén en mayoría o en minoría, que actúan movidos por el impulso de una pasión común, o por un interés adverso a los derechos de los demás ciudadanos o a los intereses permanentes de la comunidad considerada en conjunto".[151] Madison creía que el problema de las facciones era insoluble en una democracia mayoritaria, es decir en aquella "sociedad integrada por un reducido número de ciudadanos, que se reúnen y administran personalmente el gobierno", debido a que en ella "la mayoría sentirá un interés o una pasión comunes" y "la misma forma de gobierno producirá una comunicación y un acuerdo constantes; y nada podrá atajar las circunstancias que incitan a sacrificar al grupo más débil o a algún sujeto odiado".[152]

La solución a este problema, a juicio de Madison, debe ser doble: la delegación de las decisiones, por parte de la comunidad, en representantes, de manera tal que exista una intermediación que permita filtrar el influjo directo de las pasiones; y la formación de unidades políticas extensas, que hagan necesaria tal delegación y diluyan el poder de las facciones, confrontando a unas con otras. Esto último además estaba alineado con el programa del Partido Federalista, al cual pertenecían nuestros tres autores, de reducir el poder desde los Estados que conformaban la Unión y transferirlo hacia una unidad mayor, el gobierno federal, hasta entonces casi inexistente. Como veremos más adelante, los planteamientos en esta materia de Madison proveen de sustento a una influyente concepción sobre el rol de control o fiscalización mutua que los órganos constitucionales deben jugar.

La preocupación de Madison con las facciones, es decir con grupos que actúan en el espacio público buscando satisfacer sus intereses privados, hoy recibe dos formas de tratamiento. Por un lado, la estructura institucional de las democracias modernas busca disminuir la probabilidad de la 'captura' del interés público por parte del interés privado a través de diversos mecanismos, muchos de los cuales constituyen el objeto de nuestro estudio (principio de legalidad, 'pesos y contrapesos', probidad y transparencia en la gestión pública, mecanismos de representación y participación).

---

151   El Federalista N° 10.

152   El Federalista N° 10.

Por otro lado, las mismas democracias modernas reconocen legitimidad a los grupos sociales para presentar sus intereses en el espacio público y trabajar en pos de ellos, pero exigiéndoles que sometan dichas demandas a los mecanismos antes señalados. Dado que dichos mecanismos no son perfectos, una parte importante de la discusión pública en las democracias modernas está orientada a la evaluación de mejoras institucionales que permitan alcanzar de mejor manera el propósito de hacer prevalecer el interés público en un contexto de respeto por el interés privado. Así, las discusiones que en nuestro país han existido en los últimos años sobre sistemas electorales, sobre acceso a la información pública, sobre regulación del *lobby*, sobre financiamiento público de la política, son en última instancia discusiones sobre cómo compatibilizar institucionalmente el interés privado con el interés público.

En el pensamiento europeo, un interesante cuestionamiento del carácter unitario del Estado, y del pueblo al cual aquel representa, proviene de Engels, quien sostiene que el Estado es

> un producto de la sociedad cuando llega a un grado de desarrollo determinado; es la confesión de que esa sociedad se ha enredado en una irremediable contradicción consigo misma y está dividida por antagonismos irreconciliables, que es impotente para conjurar. Pero a fin de que estos antagonismos, estas clases con intereses económicos en pugna no se devoren a sí mismas y no consuman a la sociedad en una lucha estéril, se hace necesario un poder situado aparentemente por encima de la sociedad y llamado a amortiguar el choque, a mantenerlo en los límites del 'orden'. Y ese poder, nacido de la sociedad, pero que se pone por encima de ella y se divorcia de ella más y más, es el Estado.[153]

Engels formula en este párrafo una teoría del Estado que se hace cargo de la tesis central del marxismo: esto es, la existencia de clases sociales cuyos intereses están en conflicto. Frente a dicha escisión fundamental, Engels ve al Estado como un instrumento de contención del conflicto social, un pacificador violento; idea que prepara el camino para las reflexiones sobre la relación entre Estado y violencia de Weber, Schmitt y Arendt. Ahora, lo

---

153   El Origen de la Familia, la Propiedad Privada y el Estado: 212.

que a nosotros interesa ahora es destacar el énfasis de Engels en el carácter descentrado, internamente fragmentado, del pueblo o, en su terminología, de la sociedad.

Este mismo enfoque será adoptado por Heller, quien elabora una teoría que está en tensión con el normativismo kelseniano, pero que también elude al decisionismo schmittiano, sacando inspiración del pensamiento historicista y sociológico. En sus palabras, "el Estado no es otra cosa que una forma de vida humano-social",[154] lo que transforma a la teoría del Estado en una "ciencia sociológica de la realidad" cuya misión es "investigar el Estado en cuanto realidad".[155] Ello se expresa, por ejemplo, en su crítica a la idealización que otras teorías hacían de la sustancia o identidad del pueblo:

> Los pensadores románticos, nacionales y demoliberales elaboraron con los más varios matices políticos, y en evidente oposición con la realidad social, la ficción de una comunidad del pueblo homogénea social y políticamente, con un espíritu y una voluntad política unitaria, cuyo producto más o menos automático o aun mero epifenómeno, se decía que era la unidad estatal… La realidad del pueblo y de la nación no revela, empero, por lo general, unidad alguna, sino un pluralismo de direcciones políticas de voluntad… Es inadmisible, sobre todo en la actual sociedad de clases, hablar de unanimidad política, capaz de obrar, de la conexión nacional de voluntad. Numerosos antagonismos políticos se producen a causa del aspecto político que presenta también el vínculo clasista, y asimismo, dentro de cada clase, por las varias oposiciones de naturaleza económica, espiritual, confesional, dinástica, etc., que en ella se dan… No puede aceptarse que el pueblo o la nación sean una unidad en cierto modo natural, anterior a la del Estado, que viniera a constituir a ésta en virtud de su propia efectividad. Muy frecuentemente fue la unidad del Estado la que, al contrario, cultivó y creó la unidad "natural" del pueblo y de la nación.[156]

154　Teoría del Estado: 69.

155　Teoría del Estado: 70.

156　Teoría del Estado: 212-213.

El pensamiento de Heller en esta materia se encuentra relativamente cerca de aquello que ha sido denominado como *pluralismo*. El concepto de pluralismo hace referencia a dos tesis descriptivas distintas, pero estrechamente vinculadas entre sí. Por un lado, aquella que sostiene que en la sociedad moderna coexisten distintas concepciones sobre el bien, que dan lugar a distintos programas sobre cómo conducir los asuntos de la comunidad; como observara Madison, "[m]ientras la razón humana no sea infalible y tengamos libertad para ejercerla, habrá distintas opiniones".[157] Por el otro, aquella que sostiene que en la sociedad moderna coexisten distintos grupos que compiten entre sí en diversas esferas y por toda clase de bienes. Este planteamiento ha sido desarrollado por el cientista político norteamericano Robert Dahl [1915–2014] en diversas obras. Uno de sus primeros estudios consistió en analizar de manera empírica el proceso de toma de decisiones en la ciudad de New Haven, ubicada en Connecticut, Estados Unidos. Dahl describió la transición histórica del gobierno de dicha ciudad como el paso de una sociedad agraria igualitaria, en sus orígenes coloniales, a una sociedad urbana jerárquica gobernada por una oligarquía patricia, durante la primera mitad del siglo XIX, y de ahí a una sociedad industrial, caracterizada por una desigualdad dispersa; es decir, por la existencia de no una única élite, sino diversas élites en constante competencia entre sí. En tal modelo, al que Dahl denominó como democracia pluralista, habrían coexistido una clase política relativamente competitiva con diversas asociaciones o grupos de interés y una voluble opinión pública, todos los cuales habrían estado permanentemente interactuando entre sí para tomar decisiones: "un proceso recurrente de intercambio entre los profesionales políticos, el estrato político, y la gran mayoría de la población".[158]

La comprensión de las relaciones sociales que integran la sociedad civil le debe buena parte de su gramática a los conceptos acuñados a principios del siglo XX por diversos autores. Uno de dichos aportes proviene del sociólogo alemán Ferdinand Tönnies [1855–1936], quien articula una de las díadas conceptuales más fructíferas en esta materia: aquella que distingue entre *comunidad* y *sociedad*. Tönnies proponía entender la relación entre voluntades humanas, así como la asociación resultante, "bien como

---

157   El Federalista: N° 10.

158   ¿Quién gobierna? Democracia y poder en una ciudad estadounidense: 358.

vida orgánica y real –característica que es esencial en la *Gemeinschaft* (comunidad)–, bien como estructura imaginaria y mecánica –es decir, concepto de *Gesellschaft* (sociedad o asociación).

Toda convivencia íntima, privada, excluidora, suele entenderse, según vemos, como vida en *Gemeinschaft* (comunidad). *Gesellschaft* (sociedad) significa vida pública, el mundo mismo. A través de la *Gemeinschaft* (comunidad) que uno mantiene con la propia familia, se vive desde el nacimiento en unión con ella tanto para bien como para mal. Sin embargo, se accede a la *Gesellschaft* (sociedad o asociación) como se llega a un país extraño. A un joven se le previene contra la mala *Gesellschaft* (sociedad o asociación), pero hablar de mala *Gemeinschaft* (comunidad) viola el significado del término.[159]

Las comunidades, para Tönnies y quienes nutren su pensamiento de él, son agrupaciones humanas que surgen espontáneamente del orden social, en las cuales los individuos a menudo se encuentran ya insertos al momento de adquirir plena conciencia, y que por lo tanto a menudo constituyen una parte más bien estática del paisaje humano y de la experiencia de vivir en un determinado lugar y tiempo. Las asociaciones o sociedades, en cambio, son agrupaciones que deben su membresía a decisiones voluntarias y deliberadas de los individuos, a ejercicios de la libertad de los mismos a pertenecer o no pertenecer. La pregunta de interés, frente a esta clasificación, es qué lleva a que un mismo fenómeno –la religión, por ejemplo– se exprese en un determinado momento y lugar como un hecho comunitario, mientras que en otro contexto se translade al ámbito de la asociatividad. La respuesta provendrá del estudio de las transformaciones socio-culturales propias de la modernidad, que paulatinamente sustrae más y más espacios de interacción humana de lo comunitario y los traspasa al dominio de lo asociativo.

Otro importante aporte en esta materia proviene del marxista italiano Antonio Gramsci [1891–1937], quien pone atención al espacio de lo social como espacio de poder paralelo al poder estatal:

Es posible, por ahora, establecer dos grandes "planos" superestructurales, aquel que se puede llamar "de la sociedad

---

159   Comunidad y asociación: 5.

civil", o sea del conjunto de organismos vulgarmente llamados "privados", y el de la "sociedad política o Estado" y que corresponden a la función de "hegemonía" que el grupo dominante ejerce en toda la sociedad y al de "dominio directo" o de mando que se expresan en el Estado y en el gobierno "jurídico".[160]

Gramsci efectúa esta distinción a efectos de comprender el rol que desempeñan en esta última esfera, la de la sociedad política, los intelectuales. Según Gramsci, ellos colaboran en la formación de hegemonía social, esto es "del 'consenso' espontáneo que las grandes masas de la población dan a la dirección impuesta a la vida social por el grupo fundamental dominante, consenso que históricamente nace del prestigio (y por lo tanto de la confianza) que el grupo dominante deriva de su posición y de su función en el mundo de la producción", y en el desempeño del gobierno político, esto es "del aparato de coerción estatal que asegura 'legalmente' la disciplina de aquellos grupos que no 'consienten' ni activa ni pasivamente, pero que está preparado para toda la sociedad en previsión de los momentos de crisis en el comando y en la dirección, casos en que no se da el consenso espontáneo".[161]

Gramsci delinea así tres espacios: la sociedad civil, equivalente al espacio privado; la sociedad política hegemónica, equivalente al espacio público no estatal; y la sociedad política propiamente estatal. Todos estos espacios reciben atención y protección por parte del derecho constitucional: la sociedad civil, fundamentalmente en la forma del derecho de propiedad y el derecho a la intimidad, reforzados en nuestro texto constitucional mediante la retórica de la 'autonomía de los grupos intermedios'; la sociedad política no estatal, fundamentalmente en la forma de la libertad de expresión y de asociación con fines políticos; y la sociedad política estatal, en la forma del tradicional principio de legalidad, reformulado por nuestro texto constitucional como la sujeción de los órganos del Estado a "la Constitución y a las normas dictadas conforme a ella".

---

160   Quaderni del Carcere: 1518-1519.

161   Quaderni del Carcere: 1519.

Capítulo II:

CONCEPTOS FUNDAMENTALES DE LA TEORÍA CONSTITUCIONAL

A continuación abordaremos el estudio de los conceptos fundamentales de la teoría constitucional. Dos conceptos en particular atraerán nuestra atención: los conceptos de *constitución* y de *poder constituyente*, vinculados entre sí en una profunda relación dialéctica; la existencia de cada uno de ellos depende, de alguna manera, de la existencia del otro. Toda constitución, para existir en la historia, depende de que un sujeto al que denominamos poder constituyente le haya dado vida y continuidad; todo poder constituyente, por su parte, es tal únicamente en la medida en que haya dado origen y permanencia en el tiempo a una constitución. A fin de enfrentar estos conceptos con la realidad política del poder constituyente, examinaremos posteriormente la manera en que aquel ha sido ejercido en términos efectivos en nuestra propia historia constitucional.

El concepto de constitución

¿Qué es una constitución? La respuesta intuitiva consiste en sostener que es un texto jurídico que positiviza y codifica —es decir, que pone por escrito de manera sistemática— las instituciones de derecho público fundamentales. Esta respuesta enfatiza la materialidad de la constitución tal como la percibimos cotidianamente: como un documento. Pero, ¿qué ocurre con sociedades como Inglaterra, donde la constitución está en gran medida positivizada —escrita— pero dispersa en una gran cantidad de textos promulgados en distintas épocas, así como hay una parte de ella que no está positivizada sino que consiste en costumbres? ¿Es que ahí no hay constitución? Por otro lado, ¿tiene carácter constitucional todo aquello que pongamos en una constitución? ¿Si incorporamos a nuestra constitución el contenido de todos nuestros códigos, será constitución todo ese contenido?

Una descripción meramente intuitiva de lo que la constitución es impide responder satisfactoriamente a estas preguntas, pues en definitiva ella carece de una conceptualización reflexiva sobre el fenómeno constitucional. Superar los problemas de tal descripción supone elaborar un determinado concepto de constitución que delimite el objeto de nuestro interés a la luz de consideraciones metarreflexivas o teóricas; es decir, a la luz de la revisión de los fundamentos de nuestro conocimiento del objeto, y de la preocupación por la posibilidad de generalizar de manera sistemática los resultados de nuestra observación.

Ahora bien, debemos prevenirnos contra la expectativa de que es posible dar con *un* concepto del objeto de nuestro interés, igualmente valedero para todos los efectos y propósitos posibles. Es incorrecto esperar dar con un concepto universalmente útil de los fenómenos objeto del conocimiento. Para efectos de lograr nuestro objetivo, entonces, haremos uso de una distinción prominente en la filosofía de las ciencias sociales consistente en diferenciar el término *concepto* del término *concepción*. La necesidad metodológica de diferenciar conceptualmente –valga la redundancia– entre ambos términos fue detectada por el filósofo escocés Walter Bryce Gallie [1912-1998], quien llamó la atención sobre ciertos "conceptos esencialmente controversiales" (*essentially contested concepts*), consistentes en "conceptos cuyo uso inevitablemente envuelve controversias sin fin sobre su uso adecuado por parte de sus usuarios".[1] Dichos conceptos, observa Gallie, pertenecen particularmente a "la estética, la filosofía política, la filosofía de la historia y la filosofía de la religión",[2] disciplinas científicas que combinan consideraciones descriptivas, evaluativas y metarreflexivas o teóricas tanto en la propia descripción de sus objetos como, naturalmente, en la evaluación de los mismos. Los conceptos son, entonces, objeto de controversia. Pero eso no los hace ni insignificantes ni irrelevantes. Su importancia es que constituyen el objeto de la controversia; ellos proveen los términos en los cuales ella se conduce, estabilizando y a

---

1   Essentially contested concepts: 169.

2   Essentially contested concepts: 168.

menudo predeterminando el resultado de la misma. Los conceptos son, en ese sentido, tecnologías, en apariencia imparciales a los resultados de las controversias –'neutrales'– pero a menudo actores importantes en la concesión de victoria a uno u otro bando en pugna. Por ello, la selección de los conceptos que sirven de eje a las discusiones juega un discreto pero importantísimo papel en la determinación de sus resultados.

No existe, entonces, un único concepto de, por ejemplo, la constitución; y, ciertamente, dicho concepto no podrá ser definido *desde fuera* de las premisas y saberes compartidos que caracterizan a una disciplina y que están presupuestos por su tecnolecto, o *desde fuera* de los postulados que sustentan y los intereses que estructuran el discurso de un determinado estudioso. La concepción que se tenga de constitución, por ejemplo, está íntimamente ligada con los presupuestos filosóficos que se tengan. Alguien que suscriba el iusnaturalismo –es decir, quien aspire a que los ordenamientos jurídicos se sustenten en principios morales que se tienen como objetivos, naturales, y existentes con independencia de lo que crean los sujetos– tenderá a incorporar en su concepción de constitución la conformidad con determinados contenidos. Alguien que se aproxime al fenómeno constitucional desde el existencialismo, el cual reivindica la primacía conceptual de las experiencias concretas por sobre lo trascendental, verá la constitución como la ordenación concreta de un determinado grupo humano. Alguien que adhiera a alguna forma de idealismo, como por ejemplo el idealismo kantiano, entenderá la constitución como un conjunto de relaciones lógicas.

La concepción política de la Constitución

Para Carl Schmitt, la manera más apropiada de entender la noción de constitución es, según la denominación que emplea, entenderla en un sentido positivo como un acto afirmativo de un sujeto político; como una decisión, fundacional y fundamental, sobre el modo y forma de la unidad política. Schmitt elabora su concepto positivo de constitución de manera polémica; es decir, como crítica de una forma bastante frecuente de entender la constitución que la entiende como una ley: la *ley constitucional*. Para Schmitt, esta forma de entender la constitución ofrece un *concepto relativo* de la misma, pues ella "hace indistinto todo lo que está en una

'Constitución'; igual, es decir, igualmente relativo".[3] Tal concepto relativo de la Constitución determina la identidad de este fenómeno en función de "*características* externas y accesorias, llamadas formales".[4] Y, ¿cuáles son tales características externas y accesorias?

Por un lado, su carácter *escrito*. Schmitt observa que, en ciertos contextos de conflicto político entre monarquía y burguesía, la escrituración de la constitución consistía en una reivindicación política burguesa por mayores niveles de certeza y, con ello, de control del poder. En tal caso histórico, la constitución aparecía como un *pacto* escrito entre el monarca y cierta clase social. "Pero una vez que ha aparecido así, podrá ser cambiada en vía *legislativa*, y aparece como *ley* escrita… Constitución se convierte, pues, en = ley, si bien, es cierto, ley de una clase especial, y se coloca como *lex scripta*, en contraposición a Derecho consuetudinario".[5] Pero con esta conceptualización, opina Schmitt, "nada de específico se gana para la determinación del concepto de Constitución", pues ella lleva a hacer de la constitución "una multitud de prescripciones legales externamente caracterizadas".[6]

A esta característica se suma, a menudo, el hecho de que "los cambios constitucionales están sometidos a un procedimiento especial con condiciones más difíciles".[7] Ahora, caracterizar teóricamente a la constitución según este criterio es inconducente, debido al hecho de que la presencia de *condiciones de reforma dificultadas* es un hecho, si bien frecuente, totalmente contingente, que además pierde relevancia cuando un partido o coalición de partidos está en situación de satisfacer los requisitos más exigentes de reforma.[8] Ahora, esta dificultad de reforma produce una reversión de lo constitucional: si en un principio era en consideración al contenido de la constitución que se le garantizaba una cierta duración y estabilidad a través de su reforma dificultada, "tal consideración perdió

---

3   Teoría de la Constitución: 37.

4   Teoría de la Constitución: 37.

5   Teoría de la Constitución: 39.

6   Teoría de la Constitución: 41.

7   Teoría de la Constitución: 41.

8   Teoría de la Constitución: 43.

peso"[9] cuando el concepto de constitución se disolvió en sus características formales.

Entonces surgió un punto de vista muy sencillo, de táctica partidista: la reforma dificultada no era ya la consecuencia de la cualidad constitucional, sino al contrario: se convertía en constitucional una prescripción para protegerla por cualesquiera razones prácticas (ajenas a cuanto tenga que ver con norma fundamental, etc.) frente al legislador, es decir, frente a las cambiantes mayorías parlamentarias.[10]

"Al relativizar la Constitución en ley constitucional y hacer formal la ley constitucional, se renuncia por completo a la significación objetiva de Constitución",[11] observa Schmitt. "Si realmente consistiera en esto el definitivo concepto de constitución, la prescripción sobre reforma constitucional", concluye, "sería la médula esencial y el único contenido de la Constitución".[12] Pero tal conclusión es absurda. ¿Sería la constitución, se pregunta Schmitt, aquella disposición de reforma dificultada que puede ser modificada según sus propias disposiciones? Y, todos lo demás contenidos de la constitución, ¿serían legítimamente reformables en su totalidad?

Estas reflexiones llevan a Schmitt a sostener que sólo es posible construir un concepto de Constitución cuando se distinguen, se contrastan polémicamente, *constitución* y *ley constitucional*. Mientras la ley constitucional –el *concepto relativo* de constitución– viene definido por características externas y accesorias, la constitución –el *concepto positivo* de constitución, o como le hemos denominado aquí, el *concepto decisionista* de constitución– está definida en atención a su contenido y al sujeto que le da tal contenido. Así, para Schmitt, la constitución es la *decisión de conjunto sobre el modo y forma de la unidad política*, y es producto de un *acto del poder constituyente*.[13] Dejaremos el análisis de dicho sujeto, el poder constituyente, para el siguiente capítulo,

---

9   Teoría de la Constitución: 43.

10   Teoría de la Constitución: 43.

11   Teoría de la Constitución: 43.

12   Teoría de la Constitución: 43-44.

13   Teoría de la Constitución: 45.

para centrarnos aquí en el contenido de dicha decisión.

La constitución es una decisión política del titular del poder constituyente mediante la cual se da forma estatal a la comunidad política. Que la constitución sea una *decisión* implica que no es algo que siempre haya estado ahí. La política está caracterizada por la contingencia, por el hecho de que las cosas siempre podrían haber sido distintas en el pasado, y podrían ser distintas en lo sucesivo. En esto, la noción de constitución es heredera de la caracterización de *artificial* que de lo político hace Hobbes. Por añadidura no es una decisión hipotética sino *histórica*: se expresa en guerras de independencia, revoluciones, golpes de Estado, procesos de cambio político y constitucional, mediante los cuales la comunidad política adquiere sus características. Así, el poder constituyente puede crear algo de la nada, *ex nihilo*, como por ejemplo una república allí donde había un reino.

Dentro de una gama enorme, quizás infinita, de posibilidades de configuración del orden político, el sujeto del poder constituyente escoge una determinada alternativa a través de un acto de su *voluntad*; a través de "la determinación consciente de la concreta forma de conjunto por la cual se pronuncia o decide la unidad política".[14] Esto produce un dilema interesante desde una perspectiva moderna del derecho constitucional, que haga eco de los ideales ilustrados de organización política; es decir, de ideales tales como la deliberación y la justicia. ¿No debe ser tal determinación, entonces, resultado de la *razón* antes que de la *voluntad*, es decir, de una reflexión cuidadosa y circunspecta sobre cuál es la forma de gobierno que más favorece a la satisfacción de dichos ideales? Esta pregunta permite hacer varias distinciones.

La primera distinción es que, en estricto rigor, si bien ello puede ser así, ello no es así de manera conceptualmente necesaria. Como observa Schmitt, la determinación en cuestión "se puede cambiar. Se pueden introducir fundamentalmente nuevas formas sin que el Estado, es decir, la unidad política del pueblo, cese".[15] La continuidad del sujeto del poder constituyente libera conceptualmente a la constitución del constreñimiento de la razón, dejando dicha decisión en el ámbito de su voluntad. Esto nos

---

14   Teoría de la Constitución: 46.

15   Teoría de la Constitución: 46.

dice dos cosas. La primera, que la decisión fundamental en la que consiste la constitución refleja la identidad del titular del poder constituyente. La constitución es un acto de autoconstitución política colectiva de un sujeto que preexiste. La segunda, que la pregunta sobre la permanencia o cambio de la constitución es siempre una pregunta sobre la permanencia o cambio del sujeto titular del poder constituyente, asunto que tendrá importantes consecuencias tanto teóricas como históricas, en el caso de Chile.

La segunda distinción es que la tesis de que el ejercicio constituyente debe estar sujeto a los contenidos de la razón juega un papel importantísimo no sólo en la retórica constituyente histórica, sino también en ciertas corrientes de la teoría constitucional. El punto es que cuando dicha retórica y dicha teoría deben identificar cuáles son los contenidos imperativos de la razón, la respuesta diverge sustantivamente dependiendo de las concepciones de lo bueno y de lo justo que cada quien profese. Esto lleva a Schmitt a distinguir entre el *concepto positivo* de constitución, que es la decisión que efectivamente toma el pueblo y que siempre es resultado de un acto de voluntad, y el *concepto ideal* de constitución, correspondiente a "un cierto ideal de Constitución" que se tenga "por razones políticas".[16]

> La terminología de la lucha política comporta el que cada partido en lucha reconozca como verdadera Constitución sólo aquella que se corresponda con sus postulados políticos. Cuando los contrastes de principios políticos y sociales son muy fuertes, puede llegarse con facilidad a que un partido niegue el nombre de Constitución a toda Constitución que no satisfaga sus aspiraciones.[17]

Así, por ejemplo, "[p]ara el lenguaje del liberalismo burgués, sólo hay una Constitución cuando están garantizadas propiedad privada y libertad personal",[18] concepto ideal de constitución –el del liberalismo– que Schmitt reconocía como "dominante" en su época y que hasta el día de hoy mantiene dicha posición.[19] Ahora bien, este uso polémico –político– de la idea de la "verdadera" o "auténtica" constitución no necesariamente

---

16   Teoría de la Constitución: 58.

17   Teoría de la Constitución: 58.

18   Teoría de la Constitución: 59.

19   Teoría de la Constitución: 62.

da los mejores resultados en un contexto cognitivo –científico–, donde el propósito no es otro sino comprender el fenómeno constitucional en toda su amplitud. Por ello es conveniente distinguir el concepto positivo de constitución, que existe en el ámbito de la acción libre del titular del poder constituyente, del concepto ideal de constitución, que permanece en el plano de las concepciones de lo bueno y de lo justo que cada quien tenga y que, naturalmente, desearía que fuera recogido por la totalidad del pueblo.

Ahora bien, ¿significa eso que el concepto positivo de constitución elaborado por Schmitt está desvinculado de cualquier constreñimiento substantivo? La pregunta nos remite a dos asuntos. El primero, si la identidad del sujeto del poder constituyente está conceptualmente indeterminada en la teoría de Schmitt, así como sobre si es posible que, en ausencia de tal determinación, ella reciba de manera teóricamente consistente una identidad conceptualmente estable. Esta interrogante será respondida al discutir sobre el poder constituyente en el siguiente capítulo. El segundo asunto versa –nuevamente– sobre si el ejercicio del poder constituyente encuentra en definitiva algún límite substantivo, así como si es posible que el propio poder constituyente proclame la existencia de dicho límite, autoconstriñiéndose. Esta segunda interrogante la discutiremos cuando hablemos del concepto teórico de soberanía y del principio de soberanía limitada como principio fundamental del orden político constitucional chileno. En ambos casos, veremos que si bien las respuestas de Schmitt ante estas interrogantes insisten en un librealbedrismo radical del poder constituyente consistente con su teología política, ellas pueden ser reformuladas a la luz de una integración de su teoría con aportes provenientes de otras concepciones filosóficas.

Otro importante aspecto relacionado con la concepción decisionista de la constitución aquí estudiada es que, para ella, la constitución es una decisión que *da una forma estatal a la comunidad política*. En palabras de Schmitt, dicha decisión "*constituye* la forma y modo de la unidad política, cuya existencia es anterior".[20] Dado que la comunidad existe antes de su constitución específicamente política, ésta no debe ser confundida con la constitución de la comunidad en cuanto tal, la cual está constituida por una red extensa de relaciones que no quedan ni pueden quedar

---

20   Teoría de la Constitución: 46.

englobadas por la dimensión política de su vida en común. Es por eso también que, en un sentido político, los pactos forales medievales o las declaraciones de derechos inglesas no fueron constituciones, pues ellas no involucraban una opción fundamental de una comunidad que fijaba su propio destino, sino que fueron tan sólo arreglos de intereses entre algunos actores sociales. La dimensión política de la comunidad coexiste con la vida de las asociaciones privadas y de los proyectos individuales de vida; coexistencia cuyas fronteras son, desde luego, inestables y en permanente mutación, como hemos visto al hablar de la distinción entre lo público y lo privado. Por ello, la cuestión de determinar cuál es la dimensión política y cuál la dimensión no política de la vida de la comunidad es algo complejo, que no puede ser abordado en términos generales, ni tampoco puede ser dado por sentado y por indiscutible. En la medida que se expanda la esfera de cuestiones sociales que quedan dentro de la esfera de lo que se decide en el espacio público, la constitución se trasforma de una constitución política en una constitución social, fenómeno que efectivamente ha sido observado y evaluado, tanto positiva como negativamente, desde distintas perspectivas analíticas y posiciones políticas.

La constitución contiene la decisión sobre cuál es la forma estatal particular que el poder constituyente se dará; forma que se diferencia de otras posibles formas estatales. Al darse así una estructura, el poder político se institucionaliza, y la comunidad política organizada en el Estado le delega parte de su *poder* en el sentido arendtiano; parte de su capacidad de acción. Este es el fenómeno de la representación, que es consustancial a toda forma institucionalizada de orden político y al cual nos referiremos más adelante. A partir de ese momento, el ejercicio del poder político pasa a corresponder al Estado, quien actúa de acuerdo con la forma en que ha sido constituido. La constitución, por esto, tiene un carácter ontológico inmediatamente político, y sólo indirecta y mediatamente un carácter jurídico.

La constitución sólo dice relación con la opción fundamental de una comunidad y no atañe a otras cuestiones que una comunidad ya organizada estatalmente puede regular mediante el derecho o dejar de regular, sin que eso implique que la comunidad pierda su identidad y su sentido de unidad. Así, si quisiésemos identificar el núcleo más propiamente constitucional contenido en la *Constitución Política de la República*, debiéramos concluir que aquel se encuentra en su artículo 4°, el cual expresa el modo y la forma de la existencia de nuestra comunidad política: Chile es una república democrática.

Por último, ¿qué relación existe entre la *Constitución* y las *leyes constitucionales*? En primer lugar, hay que señalar que corresponden a fenómenos distintos. La primera supone opciones básicas acerca de la organización política y acerca de la posición en que los ciudadanos se encuentran frente al derecho y al Estado. Estas opciones conllevan principios de convivencia que sólo parcialmente se reflejan en la *ley constitucional*. Principios como la democracia, la soberanía popular o su limitación mediante el respeto a los derechos fundamentales van más allá de su establecimiento en una norma jurídica. La norma jurídica, la ley constitucional, lo que hace simplemente es reflejar dicha decisión política, como ocurre con el ya referido artículo 4° de la Constitución Política de la República.

La distinción entre constitución y ley constitucional no siempre fue tan metodológicamente útil como ahora. Dentro de la tradición jurídica europea, y a diferencia de Estados Unidos, la constitución no fue entendida sino hasta a mediados del siglo XX como una norma jurídica. Las disposiciones de aquel documento llamado constitución o declaración de derechos eran consideradas meramente como una constancia escrita de la decisión constitucional, la que no pretendía tener el alcance de una norma jurídica. Con la asimilación entre constitución y ley constitucional que se produce en el imaginario colectivo y profesional, la diferenciación explícita se vuelve metodológicamente necesaria. Como observa Schmitt, "para la Teoría constitucional la distinción entre Constitución y ley constitucional es el comienzo de toda discusión ulterior".[21] La principal diferencia entre la constitución y una ley constitucional es su naturaleza: en el caso de la primera, es una decisión política, en el caso de la segunda es una norma jurídica adoptada por la decisión política previa del acto de voluntad del poder constituyente. En una ley constitucional puede, y generalmente así sucede, constar la decisión política de la constitución, pero ello no trasforma a la norma constitucional en constitución. La norma contenida en el artículo 4 de la norma 'Constitución Política de la República' no *es* la constitución, sino que es una norma que da cuenta de

21   Teoría de la Constitución: 45.

la constitución.

La concepción normativista de la Constitución

Junto al concepto positivo, relativo e ideal de Constitución, Schmitt identifica otra forma de entender a la Constitución a la que denomina como el concepto *absoluto* de Constitución. Dentro de esta denominación, Schmitt incluye varias concepciones. Así, por ejemplo, caracteriza con esta etiqueta a aquella concepción que entiende la Constitución como "la concreta *manera de ser* resultante de cualquier unidad política existente"; es decir, la "situación de conjunto de la unidad política y ordenación social de un cierto Estado".[22] Desde esta perspectiva, "el Estado no tiene una Constitución", sino que "el Estado *es* Constitución es decir, una situación presente del ser, un *status* de unidad y ordenación".[23] Esta concepción es *existencialista*; atiende al *modo de existencia* del Estado.

Otra concepción que Schmitt incluye bajo esta denominación, en cambio, es *normativista*: en este caso se refiere a "una *regulación legal fundamental*, es decir, un *sistema de normas* supremas y últimas".[24] Desde esta perspectiva, "el Estado se convierte en una ordenación jurídica que descansa en la Constitución como norma fundamental; es decir, en una unidad de normas jurídicas".[25] La concepción de constitución de Kelsen entra dentro de esta categoría, como el propio Schmitt lo señala.[26] Kelsen explica de esta manera su idea de lo que la constitución es, y el papel que juega en el sistema jurídico:

> La estructura jurídica de un Estado puede expresarse toscamente en los siguientes términos: supuesta la existencia de la norma fundamental, la Constitución representa el nivel más alto dentro del derecho nacional. El término Constitución es entendido aquí no en sentido formal, sino material. La Constitución, en sentido formal, es cierto documento solemne, un conjunto de

---

22   Teoría de la Constitución: 30.

23   Teoría de la Constitución: 30.

24   Teoría de la Constitución: 33.

25   Teoría de la Constitución: 33.

26   Teoría de la Constitución: 34.

normas jurídicas que sólo pueden ser modificadas mediante la observancia de prescripciones especiales, cuyo objeto es dificultar la modificación de tales normas. La Constitución en sentido material está constituída por los preceptos que regulan la creación de normas jurídicas generales y, especialmente, la creación de leyes. La constitución en sentido formal, el documento solemne que lleva este nombre, a menudo encierra también otras normas que no forman parte de la Constitución en sentido material. El hecho de que se redacte un documento especial y solemne, y la circunstancia de que el cambio de las normas constitucionales se haga particularmente difícil, tiene por objeto salvaguardar las normas que señalan a los órganos legislativos y regulan el procedimiento de la legislación. La existencia de una forma especial para las leyes constitucionales, o forma constitucional, se debe a la Constitución en sentido material. Si existe una forma constitucional, entonces las leyes constitucionales tendrán que ser distinguidas de las ordinarias. La diferencia consiste en que la creación, y esto significa la promulgación, la reforma y la abrogación de las leyes constitucionales, es más difícil que la de las ordinarias.[27]

Para Kelsen la constitución consiste, materialmente, en aquellas reglas que regulan la creación de las normas jurídicas, particularmente las leyes. Kelsen reconoce que la constitución, formalmente hablando, usualmente contiene también otras normas, las cuales no forman parte materialmente de la constitución tal como él la ha definido; pero señala que es en orden a salvaguardar las normas que determinan los órganos y los procedimientos que integran el proceso legislativo que un documento solemne y especial –la Constitución– es elaborado y que el cambio de sus reglas se hace especialmente dificultoso. Para Kelsen, en consecuencia, lo propiamente constitucional en nuestra constitución sería la distribución de potestades nomogenéticas –es decir, de potestades para la creación de normas–, particularmente la regulación sobre el proceso legislativo establecida en el título sobre *Formación de la Ley* incluido en el capítulo V de la Constitución Política de la República.

---

27   Teoría General del Derecho y del Estado: 146-147.

Para Kelsen, la constitución en un sentido *formal* es aquello que Schmitt denomina como ley constitucional; es aquel conjunto de normas que tienen una jerarquía superior dentro del ordenamiento jurídico y que por tanto tienen la particularidad de tener un procedimiento de modificación diferente al de la legislación ordinaria. La diferencia en la creación o reforma de la ley constitucional en sentido formal, dice relación con los órganos que participan y las particularidades del procedimiento de creación o modificación, que normalmente presentan una dificultad mayor de reforma. Pero el hecho de estar tales o cuales normas incorporadas a la constitución, en su sentido formal, no prejuzga su carácter materialmente constitucional. En ese sentido, todas las normas incorporadas a la *Constitución Política de la República* tienen el carácter de formalmente constitucionales; no así, necesariamente, el carácter de constitucionales en sentido material.

Así, es posible decir que hay normas que sólo son formalmente constitucionales o, viceversa. Por ejemplo, la edad mínima para convertirse en Presidente de la República, actualmente fijada en 35 años por el artículo 25 de la *Constitución Política de la República*, no parece ser una norma materialmente constitucional, pese ser indudable su carácter formalmente constitucional. Correlativamente, también cabe concluir que pueden existir normas que son sólo materialmente constitucionales, sin que estén contenidas en la *Constitución Política de la República*. Así, la determinación del sistema binominal parece ser una de las cuestiones más relevantes para el proceso nomogenético en Chile, y sin embargo ella no está contenida en la *Constitución Política de la República* sino que en una ley. Podría decirse, en consecuencia, que el artículo 109 bis de la Ley Orgánicas Constitucional N° 18.700, sobre Votaciones Populares y Escrutinios, tiene un carácter materialmente constitucional. El hecho de que, por añadidura, dicha disposición esté resguardada por quórums y procedimientos de modificación especiales, permite incluso situarla en un lugar dentro de la estructura normativa más próximo a lo formalmente constitucional que a la legalidad ordinaria; anomalía en nuestro sistema constitucional a la que nos referiremos más adelante.

El concepto kelseniano de *norma fundamental*, es importante observar, no tiene nada que ver con su concepto de Constitución: con la idea de norma fundamental, Kelsen intenta conceptualizar un presupuesto lógico de todo ordenamiento jurídico, incluyendo dentro de este a la propia constitución, según el cual *es necesario obedecer al ordenamiento jurídico*. La norma fundamental es un presupuesto conceptual, una condición de posibilidad de la idea misma de ordenamiento jurídico que debemos asumir o presuponer y que pertenece al plano de las ideas. Por esto se le llama también *norma hipotética fundamental*. En consecuencia, la constitución no es la norma fundamental kelseniana; antes bien, la constitución presupone la existencia de la norma fundamental. Todo esto nos evidencia la influencia de la filosofía idealista, específicamente kantiana, en Kelsen.

Cabe observar, para finalizar este apartado, que la principal preocupación de la ciencia constitucional actual es una preocupación jurídica. Eso tiene que ver con transformaciones de las concepciones preocupadas tanto por los contenidos materiales de la constitución como por sus relaciones formales con el resto del ordenamiento jurídico y con su entorno normativo internacional. En todo ello, el discurso de los derechos fundamentales, tanto en su variante externa o internacional como interna o constitucional, tiene mucho que ver. Con esto, la disciplina central en el ámbito del derecho político y constitucional deja de ser la teoría constitucional propiamente tal para abrir paso a la dogmática constitucional, que justamente estudia la constitución como norma jurídica. Para la dogmática constitucional, la constitución es considerada como la norma fundamental del ordenamiento jurídico, esto es, la norma que establece su marco básico. A este énfasis en su carácter jurídico y fundamental, hace referencia el nombre propio que recibe la constitución alemana actualmente vigente: *Ley Fundamental de Bonn*. Por su carácter de ley, la constitución se transforma en una norma jurídica aplicable; por su carácter fundamental, todas las otras leyes deben estar sometidas a ella, existe entre ellas una relación de supremacía. Ya se señaló antes, el objeto de la Constitución Política, ahora, el objeto fundamental de las leyes constitucionales, es determinar la forma y organización del poder estatal. En ese sentido, la constitución establece y organiza los órganos a través de los que el Estado actúa y determina cuál es la relación que tiene éste con los individuos que conforman el pueblo.

El concepto normativo de constitución es objeto habitualmente de una serie de clasificaciones que distinguen entre constituciones *flexibles* y *rígidas*, constituciones *codificadas* y *consuetudinarias*, y constituciones *extensas* y *breves*, así como distinguen dentro de la constitución la existencia de una *parte dogmática* y una *parte orgánica*.

La distinción entre constituciones *flexibles* y *rígidas* dice relación con la dificultad que presentan dichos cuerpos normativos para su modificación por los órganos estatales competentes. Una constitución flexible es aquella cuyas reglas secundarias sobre la producción de normas constitucionales no pueden ser diferenciadas de sus reglas secundarias sobre la producción de normas de rango legal. Para dicha constitución, elaborar normas constitucionales equivale formalmente a producir normas legales. Una constitución rígida, en cambio, es aquella que contempla reglas secundarias sobre la producción de normas constitucionales más exigentes que las reglas secundarias sobre la producción de normas de rango legal. Ya que existen múltiples requisitos que las reglas secundarias de producción de normas constitucionales pueden exigir, es posible hablar de la existencia de diversos grados de rigidez.

La Constitución de 1925, por ejemplo, disponía en su artículo 108 que la "reforma de las disposiciones constitucionales se someterá a las tramitaciones de un proyecto de ley", con la excepción de que "[e]l proyecto de reforma necesitará para ser aprobado en cada Cámara, el voto conforme de la mayoría de los Diputados o Senadores en actual ejercicio", regla más exigente que aquella aplicable respecto de los proyectos de ley, los cuales requerían simplemente "el voto [favorable] de la mayoría de los miembros [de cada Cámara] presentes" en la sesión respectiva, al decir del artículo 50. Dado que el quórum de funcionamiento de la Cámara de Diputados era de la quinta parte de sus miembros, y la del Senado, la cuarta parte de los suyos, entonces un proyecto de ley podía ser hipotéticamente aprobado por la décima parte más uno de los miembros de la Cámara de Diputados y por la octava parte más uno de los miembros del Senado; mientras que los proyectos de reforma constitucional siempre exigían la mitad más uno de los miembros de la Cámara de Diputados y la mitad más uno de los miembros del Senado. En tal caso, estábamos frente a una constitución moderadamente rígida.

Distinto era el caso de la Constitución de 1833, la cual, hasta antes de su modificación en 1882, exigía en su artículo 167, como requisito para la reforma de cualquier disposición constitucional, que los dos tercios de los integrantes de ambas Cámaras acordaren "que el artículo o artículos propuestos exigen reforma", tras lo cual su artículo 168 disponía que "se aguardará la prósima renovación de la Cámara de Diputados, i en la primera sesión que tenga el Congreso, despúes de esta renovación, se discutirá i deliberará sobre la reforma que haya de hacerse, debiendo tener origen la lei en el Senado". En tal caso, estábamos frente a una constitución marcadamente rígida.

Existe la posibilidad de que una constitución prohíba expresamente cualquier modificación a su contenido, práctica hoy en día totalmente ajena a las democracias liberales. En este ámbito político-cultural, es frecuente, en cambio, que las constituciones prohíban la modificación de algunas de sus disposiciones que sean particularmente importantes para la comunidad política en cuestión. En este caso, se dice que estamos frente a *cláusulas pétreas*. Ello ocurre con la Constitución de los Estados Unidos de América, que en su Artículo V establece que ningún estado integrante de la Unión, "sin su consentimiento, será privado de su igual sufragio en el Senado" mediante reforma constitucional; así como con la Ley Fundamental de la República Federal de Alemania, cuyo artículo 79.3 determina que "[n]o está permitida ninguna modificación de la presente Ley Fundamental que afecte la organización de la Federación en Länder, o el principio de la participación de los Länder en la legislación, o los principios enunciados en los artículos 1 y 20", es decir, el principio de dignidad humana y de respeto a los derechos humanos, y el carácter federal, democrática, social y sometida a Derecho de la forma de gobierno del Estado alemán.

Por último, se presenta el problema de determinar qué tan insuperable para la potestad legislativa constitucional resulta la existencia de cláusulas pétreas. Si bien el establecimiento de normas constitucionales que establezcan prohibición de reforma de otras determinadas normas constitucionales parece ser superable mediante la modificación y derogación de las normas prohibitivas, ciertas opiniones consideran que también la norma prohibitiva participa de la inmodificabilidad que ella establece. Ello supone, sin embargo, considerar a dicha norma como una norma supraconstitucional que se erige como un límite a la potestad legislativa constitucional. Si bien se presenta una paradoja normativa, la cuestión no plantea tantos problemas prácticos cuando se advierte que la mayoría de las normas que establecen decisiones fundamentales sobre la forma del Estado pueden ser argumentadamente reconducidos a límites a la potestad de reforma de la constitución. Ese es el caso de la democracia, la soberanía popular y el Estado de Derecho.

La distinción entre constituciones *codificadas* y constituciones *consuetudinarias* en realidad nos remite a dos clasificaciones distintas. La primera opone las constituciones *positivizadas*, es decir, aquellas que han sido elaboradas por la autoridad política a través de explícitos actos legislativos, con las constituciones *consuetudinarias*, esto es, aquellas que comprenden no sólo *textos* sino también *prácticas* y *costumbres* elaboradas de manera más o menos espontánea por la comunidad política y que, si bien no están positivizadas, están reconocidas socialmente como parte de la constitución, situación por la cual a menudo también se habla de constituciones *escritas* y constituciones *no escritas*. El caso paradigmático de constitución consuetudinaria ocurre en Gran Bretaña; país que, además contar con numerosos instrumentos jurídicos que tienen material y políticamente el carácter de constitucionales, reconoce, a través de sus tribunales, sus autoridades políticas y su comunidad jurídica, dicho carácter a diversos pronunciamientos jurisprudenciales, prácticas y costumbres. La segunda clasificación contrasta las constituciones *codificadas* con las constituciones *no codificadas*, es decir, aquellas que han sido recogidas en un único texto con aquellas que constan en una multiplicidad de textos. Esta situación ocurre en Israel, cuya Constitución comprende once Leyes Fundamentales, aprobadas entre 1958 a 1992.

Tanto las constituciones consuetudinarias como las constituciones no codificadas suelen ser constituciones flexibles. Respecto de ellas surge entonces la siguiente pregunta: ¿qué relación normativa existe entre la constitución y las leyes ordinarias? Si bien la constitución puede ser modificada o derogada por una ley ordinaria, dado que ambas están sometidas al mismo procedimiento de reforma y tienen la misma jerarquía normativa, lo habitual es que las normas escritas o consuetudinarias de carácter constitucional sean modificadas por actos legislativos que establezcan expresamente que la disposición que se pretende modificar es una de aquellas que tiene carácter constitucional. Concluir lo contrario llevaría al absurdo de que cada vez que pretenda determinarse el contenido de la Constitución se debería examinar toda la legislación en busca de disposiciones que la hayan modificado implícitamente. Entonces, pese a que no exista una reforma dificultada, y que las normas constitucionales carezcan de un rango superior al resto del ordenamiento jurídico, al momento de ejercer sus potestades constituyentes las autoridades políticas normalmente expresarán su voluntad de dictar una norma de carácter constitucional.

Respecto a la distinción entre constituciones *breves* y *extensas*, es posible señalar que ella surge del hecho de que el texto constitucional puede gozar de una extensión mayor o menor. Si bien esta distinción es en sí irrelevante, debemos anotar aquí que a ella subyace una distinción más interesante entre constituciones *programáticas*, por un lado, y constituciones *reglamentarias*, por el otro. Mientras las primeras delegan en los órganos constitucionales, particularmente en el legislador, un amplio ámbito de discrecionalidad, las segundas introducen una gran cantidad de detalles que reducen dicho espacio. También podría dicho contraste enfatizar el carácter *procedimental* de ciertas constituciones y el carácter *substantivo* de otras. Detrás de todas estas alternativas se encuentran, por un lado, la voluntad de determinar constitucionalmente el contenido del ordenamiento jurídico, dejando así resueltas cuestiones que pueden ser objeto de conflictos políticos, y, por el otro lado, una confianza mayor hacia la administración de los conflictos políticos por parte de la comunidad misma a través del proceso electoral y legislativo.

Por último, como hemos dicho, habitualmente los tratados y manuales de derecho constitucional clasifican los contenidos de la constitución distinguiendo entre su *parte dogmática*, compuesta de los principios y valores que dan sustento a la constitución contenidos en los capítulos I, II y III, y su *parte orgánica*, integrada por los órganos y procedimientos constitucionales establecidos en los capítulos IV a XV. Detrás de esta clasificación está la idea de que la parte orgánica concretiza los principios proclamados en la parte dogmática. Esta idea, además de ser poco útil, es confusa porque puede sugerir la falsa impresión de que toda constitución está caracterizada por su coherencia interna. En el caso de la Constitución de 1980 eso nunca fue así. Así, el artículo 4º todavía vigente estaba en abierto conflicto con el artículo 8º original, que proscribía a los partidos de izquierda, y sigue estando en contradicción con la distribución de poderes entre Presidente y Congreso y con el establecimiento de quórums supermayoritarios para la aprobación de leyes. Lo mismo ocurre con el artículo 1º incisos 3º y 4º, que establecen para el Estado deberes de asistencia solidaria y protección social que los artículos 19 N°s 9, 10 y 11, 12, 16, 18, 19, 21, 23 y 24 le impiden cumplir satisfactoriamente. El texto constitucional no necesariamente es coherente; la coherencia se la da el intérprete, quien debe tomar opciones interpretativas y a la luz de ellas elaborar una reconstrucción racional del conjunto de normas.

La teoría del poder constituyente

La teoría moderna del poder constituyente nace al calor del estallido de la Revolución Francesa. En 1788, y con el propósito de discutir soluciones al serio déficit fiscal que afectaba al reino, el Rey Luis XVI convoca por primera vez desde 1614 a los Estados Generales, una asamblea estamental que congregaba a representantes de la nobleza, el clero y el tercer estado o estado llano. En dicha asamblea, cada uno de los tres estamentos era considerado colectivamente como una única voluntad, con el resultado de que para obtener el parecer de los Estados Generales bastaba con contar con el asentimiento de la nobleza y el clero, cuyos intereses eran más cercanos a los de la monarquía que a los del estado llano.

En este contexto, Emmanuel-Joseph Sieyès publica en 1789 *¿Qué es el Tercer Estado?*, un breve escrito que cuestiona la estructura política, jurídica y social de la Francia monárquica y llama a la asunción del poder político por parte del Tercer Estado. Su planteamiento contiene dos argumentos nítidamente distinguibles y mutuamente independientes. El primero de ellos consiste en reivindicar la importancia del Estado Llano, al punto de equipararlo con la nación misma. Sieyès llega a esa conclusión identificando los oficios particulares o privados y las funciones públicas que una nación necesita para subsistir y prosperar, y argumentando que en la Francia de aquella época prácticamente la totalidad de dichos oficios y funciones eran desempeñadas por el Tercer Estado. "¿Quién se atrevería, pues, a decir que el Tercer Estado no posee todo lo necesario para formar una nación completa? Es como un hombre fuerte y robusto que tiene todavía un brazo encadenado".[28]

---

28   ¿Qué es el Tercer Estado?: 90.

El segundo argumento de Sieyès consiste en la afirmación del autogobierno colectivo en la forma de poder constituyente. "En toda nación libre, y toda nación debe ser libre, sólo existe una manera de terminar con los litigos relativos a la Constitución. No hay que recurrir a los notables, sino a la propia nación. Si no tenemos Constitución, hay que hacer una; sólo la nación tiene tal derecho",[29] escribe Sieyès. El revolucionario establece con claridad la distinción entre el poder de la nación y el poder de las autoridades constitucionalmente establecidas. "La nación existe ante todo, es el origen de todo. Su voluntad es siempre legal, ella es la propia ley";[30] las leyes que organizan los poderes públicos, explica, "son llamadas fundamentales, no porque puedan llegar a ser independientes de la voluntad nacional, sino porque los cuerpos que existen y actúan a través de ellas no pueden modificarlas".[31] La Constitución, concluye Sieyès, "no es obra del poder constituido, sino del poder constituyente".[32]

Sieyès, elegido representante ante los Estados Generales, tiene la oportunidad de poner en práctica su argumento: ante el descontento de los representantes del Tercer Estado, cuya voluntad cuenta como un voto en los Estados Generales y por lo tanto es irrelevante frente al voto de la Nobleza y el Clero, propone a sus pares abandonar los Estados Generales y constituirse como Asamblea Nacional, cosa que ocurre el 17 de junio de 1789. Los representantes del Tercer Estado se reunen en la Sala del Juego de la Pelota de Versalles y juran, el 20 de junio, no separarse hasta haberse dado una Constitución.

El gran mérito teórico de Sieyès fue poner la discusión en términos que la monarquía no podía ganar. La idea del poder constituyente como una manifestación del poder del pueblo de gobernarse a sí mismo es incompatible con la idea de un orden tradicional y eterno; es incompatible con la filosofía política de la monarquía absoluta, que se sustenta en una apelación al derecho divino del Rey para gobernar. Esta representa una pretensión ahistórica, que apela a lo eterno e imperecedero para legitimarse; el poder constituyente del pueblo, en cambio, se reconoce

---

29   ¿Qué es el Tercer Estado?: 90.

30   ¿Qué es el Tercer Estado?: 90.

31   ¿Qué es el Tercer Estado?: 90.

32   ¿Qué es el Tercer Estado?: 90.

a sí mismo como una construcción histórica, como un *acontecimiento*; a tal punto, que puede dejar de existir en cuanto es producto de un acto voluntario, de una decisión.

La fórmula de Sieyès presenta la teoría del poder constituyente como una argumentación que se preocupa de tres afirmaciones: (1) el poder constituyente es el sustento último del orden político y, en consecuencia del derecho que el pueblo se da; (2) el poder constituyente no esta regulado por el derecho, luego, se distingue de los poderes constituidos; y (3) el poder constituyente es el fundamento de la supremacía constitucional.

Veamos primero la condición del poder constituyente de *fundamento último del orden político y jurídico*. La teoría del poder constituyente pretende explicar cómo la constitución puede ser puesta y configurada por determinadas fuerzas políticas de las cuales toma su validez. Por otro lado, pretende explicar también cómo esa fuerza política puede invalidarla. La teoría del poder constituyente, por tanto, pretende explicar tanto el origen como la validez de la constitución.

La teoría del poder constituyente puede ser comprendida como una fórmula para afirmar la legitimidad de la constitución y del Estado, sin recurrir a una justificación jurídica, que no es posible sostener cuando las normas que se tratan de justificar son las que están en la máxima jerarquía del orden estatal. Así, como sostiene Böckenförde, el poder constituyente es un *concepto límite* del derecho constitucional, dado que es aquello que sirve de bisagra entre el derecho y aquello que está más allá del derecho, que es el único lugar donde la constitución puede encontrar su validez. Por esto, el concepto de poder constituyente nos ofrece una alternativa al normativismo de la teoría pura del derecho kelseniana, que en su esfuerzo por depurar al derecho de toda referencia a conceptos extra-normativos se ve en la necesidad de justificar la validez de la constitución en un mero supuesto lógico, la norma fundamental hipotética.

La definición más concisa, analíticamente correcta e históricamente comprensiva que podemos dar de poder constituyente hace referencia al concepto positivo de constitución formulado por Schmitt. En virtud de aquel, podemos identificar al poder constituyente como aquel sujeto, sea individual o colectivo, que es autor de la decisión concreta sobre el tipo y forma de la comunidad política. En otras palabras, el poder constituyente es el autor de la constitución *stricto sensu*. Respecto de dicho poder constituyente, todo otro poder es un poder constituido; es decir, un poder que actúa dentro de los parámetros establecidos por aquél. Poder constituyente, en el sentido anteriormente expresado, ha existido en cada comunidad políticamente organizada. Sin embargo, debido a que nuestro estudio se orienta a la comprensión de los fundamentos del Estado democrático de Derecho, el concepto que atrae específicamente nuestro interés es el de *poder constituyente del pueblo*. Este último puede ser definido como "la fuerza y la autoridad que corresponden al pueblo (en el sentido de una competencia preconstitucional) para establecer una Constitución con pretensión normativa de vigencia, para mantenerla y cancelarla".[33]

El poder constituyente es, entonces, la capacidad del pueblo de darse una constitución. Antes del ejercicio del poder constituyente el pueblo es un sujeto sin forma y que no se sujeta a formas a la hora de actuar. Con la implantación de la constitución, el pueblo se da forma estatal y así queda formalizada la actuación de la comunidad política. El orden jurídico estatal que la constitución implanta constituye una renuncia (temporal) del pueblo a actuar de manera diferente a la establecida en la constitución. Una vez establecida la constitución, son las potestades allí establecidas y reguladas las que ejercen el poder político con base en la constitución. Al ejercicio de dichos poderes es que se llama potestades o poderes constituidos. Como afirma Schmitt:

> En el poder constituyente descansan todas las facultades y competencias constituidas y acomodadas en la Constitución. Pero él mismo no puede constituirse nunca con arreglo a la Constitución. El pueblo, la Nación, sigue siendo el basamento de todo el acontecer político, la fuente de toda la fuerza, que se manifiesta en formas siempre nuevas… no subordinando nunca, sin embargo, su existencia política a una formulación definitiva.[34]

De la descripción anterior pueden recogerse las siguientes características del poder constituyente del pueblo.

---

33   Estudios sobre el Estado de Derecho y la democracia: 50.

34   Teoría Constitucional: 97.

a) Es un poder fundacional. La teoría del poder constituyente significa un nuevo comienzo y por tanto ocurre fuera del horizonte constitucional, porque pretende justamente redefinir radicalmente sus contornos y contenido. En palabras de Andreas Kalyvas, "Si el poder constituyente estuviera determinado por el orden legal anterior, o si derivara su legalidad de una constitución preexistente, no sería un poder constituyente, sino un poder constituido. Esto explica una imposibilidad lógica que borra el propio significado y la existencia del término poder constituyente"[35].

Ello implica que el poder constituyente no puede estar sometido por reglas y procedimientos preestablecidos. Las razones más concretas que sustentan dicha afirmación son: (i) que si la excepción, como expresión de la soberanía, es la condición del ejercicio del poder constituyente, es lógico que el orden estatal no ejerza vinculación alguna, dado que está suspendido; y (ii) que justamente mediante el establecimiento de una nueva constitución tal orden estatal es dejado atrás. Ello dice estrecha relación con la asociación que puede hacerse entre la actuación del poder constituyente y el fracaso o colapso del orden estatal anterior[36].

b) Es el ejercicio de la actividad humana. Un elemento fundamental de la teoría del poder constituyente es que comprende a la constitución como una creación humana. Representa una instancia de autodeterminación de la propia comunidad, que deja atrás formas impuestas por voluntades ajenas o por la naturaleza: "Una constitución representa un intento tentativo y precario de organizar libre y conscientemente la forma política de una existencia colectiva. No es dada por la naturaleza, ni una necesidad ineludible, ni un lamentable simulacro de una ley natural eterna y ficticia que proporciona el prototipo transhistórico ideal para todas las constituciones"[37].

En la medida que ningún orden estatal puede restarse de la tarea de justificarse, la afirmación que imputa dicha justificación al poder constituyente hace depender el orden estatal de la voluntad del pueblo, que no se presenta como un mero hecho sino como "una magnitud que

---

35　Soberanía popular, democracia y el poder constituyente: 99-100.

36　Soberanía popular, democracia y el poder constituyente: 100-101.

37　Soberanía popular, democracia y el poder constituyente: 101.

precede y aparece como un poder o autoridad especial"[38]

La particularidad de la teoría del poder constituyente es que no deja la cuestión del fundamento del orden estatal en manos de la presuposición de una norma hipotética, ni obtiene determinado fundamento normativo ideal de orden iusnaturalista, que pueda actuar como norma fundamental, sino que entrega dicho fundamento a una voluntad política sustentada por el pueblo; los ideales propios del constitucionalismo "sólo cobran fuerza configuradora y legitimadora para la vida en común de los hombres cuando son mantenidas por hombres o grupos de hombres como una convicción viva, y se integran en una fuerza o una magnitud política que las sostiene".[39]

c) Es un poder que no obedece a formas. Al igual que la soberanía, el poder constituyente no obedece a formas preestablecidas. Especialmente porque dichas formas legales están establecidas en el orden estatal que el poder constituyente reemplazará. Sin embargo, la manera radical en que el ejercicio del poder constituyente es espontáneo y extrainstitucional, supera con creces el baremo de la ilegalidad, en la medida que su finalidad es desafiar directamente la estructura de poder sobre la cual se sostiene el orden estatal existente[40]. Para ese objetivo, al igual que la soberanía, "es él mismo quien es capaz de buscar y crear sus propias formas de manifestarse"[41]. En ese sentido se distingue categóricamente de los poderes constituidos.

Pasemos ahora a la relación entre *poder constituyente* y *poderes constituidos*. Los poderes constituidos tienen como característica la formalidad. Ellos están sometidos y disciplinados por las normas constitucionales que los constituyen. La constitución se concibe como parámetro de validez del ejercicio de esos poderes. Entre esas potestades constituidas por el poder constituyente, se encuentra, junto con la potestad legislativa, ejecutiva y judicial, la potestad de modificar la constitución. También la potestad constituida de reformar la misma constitución es, entonces, un poder

---

38   Estudios sobre el Estado de Derecho y la democracia: 162.

39   Estudios sobre el Estado de Derecho y la democracia: 164.

40   Soberanía popular, democracia y el poder constituyente:102-3

41   Estudios sobre el Estado de Derecho y la democracia: 167.

sometido a las formas jurídicas de la propia constitución, es una potestad y no un poder. El único poder constituyente es el que se ejerce directamente por el pueblo, sin la mediación de la forma jurídica estatal.

Así las cosas, lo que interesa para determinar los contornos del poder constituyente, es distinguir entre el poder de crear una constitución *desde la nada* y el poder de modificar esa constitución recurriendo a los procedimientos establecidos en la misma constitución[42]. La base sobre la cual debe construirse esta distinción es que el poder constituyente, esto es, el que constituye el orden jurídico estatal, no puede estar determinado por ese mismo orden estatal, sino que debe preceder a las potestades estatales que son constituidas, organizadas y limitadas por él: el poder constituyente no es una manifestación del poder estatal, sino que es anterior a él[43].

En ese sentido, hay que señalar que todo orden político es inconstitucional desde el punto de vista del orden político que le precede. Desde luego, hay una razón práctica para que el ejercicio del poder constituyente signifique un rompimiento con la legalidad preestablecida: son muy pocos los casos en que un texto constitucional contiene procedimientos para realizar específicamente el reemplazo total de dicho texto. En consecuencia, lo habitual será que al momento de ejercer su poder constituyente, el pueblo se enfrentará a la necesidad de dictarse sus propias reglas de procedimiento. Sin embargo, incluso en aquellos casos en que una ley constitucional contemple dichos procedimientos, como ocurre con la Constitución de Colombia en sus artículos 374 y 376, el pueblo puede perfectamente resolver desconocer dichas formalidades en virtud precisamente de su poder constituyente originario. Esto no significa que el poder constituyente se realice de manera ilegal. El ejercicio del poder constituyente es espontáneo y extrainstitucional, pero supera con creces el baremo de la ilegalidad puesto que desafía abiertamente la estructura jurídica que sustenta al orden político vigente. Más que incurrir en la ilegalidad, lo que hace el poder constituyente es destruir la constitucionalidad preexistente.

Hablemos ahora sobre la relación entre *poder constituyente* y *supremacía constitucional*. El poder constituyente no puede ser regulado por la

---

42   Teoría Constitucional: 114.

43   Estudios sobre el Estado de Derecho y la democracia: 163.

constitución misma y en ese sentido la constitución no establece una forma de actuación para un poder que se caracteriza, justamente, por no estar sometido a formas.

Con la distinción entre poder constituyente y poder constituido, surge la duda en relación a qué ocurre con el poder constituyente una vez que éste se ha dado una constitución. La respuesta que se dé a esta pregunta dependerá de si se entiende que la fuerza y validez de la constitución se basa en un acto de establecimiento constitucional o si dicha validez se basa en una decisión permanente del pueblo como titular de la soberanía y el poder constituyente[44].

Si se concibe que el poder constituyente se agota en el acto de establecimiento de la constitución, la soberanía se extingue en la normalidad constitucional y puede concluirse que en el Estado constitucional no existe un soberano o que el soberano deja de ser el pueblo para constituirse en el Estado mismo. En la sección siguiente se abordará esa hipótesis.

Si se concibe, en cambio, que el poder constituyente sigue presente de una forma latente tras el establecimiento de la constitución, de manera que volver a manifestarse es una cuestión posible, se está confiriendo una validez permanente a la constitución, mediante la decisión de su mantenimiento. En este caso, el soberano es y sigue siendo el pueblo, inclusive en el Estado constitucional. Si se considera, como Böckenförde, que "el poder constituyente del pueblo tiene por sí mismo la fuerza de legitimar la Constitución jurídica – y se puede apelar a él para ello –, entonces hay que reconocer que tiene también la fuerza de cancelar esta legitimación"[45].

El ejercicio del poder constituyente es algo permanente, no es algo que se ejerza en un acto que tiene una entidad temporal determinada. "La fuerza normativa de la Constitución depende de ello" en la medida que lo que determina el fundamento y la cohesión del orden político queda a disposición plena del pueblo. Cuando el pueblo es titular del poder constituyente, la constitución, el Estado y el orden jurídico vigente descansan sobre su decisión de mantener la normalidad. En este

---

44   Estudios sobre el Estado de Derecho y la democracia: 168.

45   Estudios sobre el Estado de Derecho y la democracia: 169.

sentido, si bien debe concluirse que el Estado constitucional no está libre de un nuevo ejercicio del poder constituyente, puede advertirse que las disposiciones de la constitución pueden intentar dar un cauce que no necesariamente desemboque en un quiebre institucional. Esa es la idea sobre la que se construye el sistema de modificación de la constitución por la potestad constituyente derivada y la adopción de un sistema de gobierno democrático. Las expresiones directas del poder constituyente quedan, de esta manera, reducidas a las situaciones extraordinarias: a la excepción[46].

Soberanía popular, poder constituyente y democracia

La relación entre soberanía y democracia es quizás una de las más confusas entre principios constitucionales. Una manera adecuada de abordar esa relación se encuentra en la distinción entre formas de Estado y formas de gobierno elaborada por el jurista francés Jean Bodin [1530–1596].

Para Bodin, en congruencia con su tesis sobre la soberanía a la que nos referiremos más adelante, que la titularidad de la soberanía correspondiera al rey no implicaba necesariamente que su ejercicio también correspondiera a éste. Las formas de Estado, correspondientes a los regímenes de atribución de la soberanía, podían ser monárquico, aristocrático y democrático. Las formas de gobierno, cuyo criterio definitorio era el órgano que ejercía el gobierno, también podían ser monárquicas, aristocráticas o democráticas. Era concebible, por ejemplo, una forma de Estado democrática con un gobierno monárquico, si es que la soberanía residía en el pueblo pero el gobierno era encomendado a un rey.

En el caso de la soberanía popular, si ella atribuye el poder fundamental respecto a la configuración del orden político y social al pueblo, esto es, el pueblo es el origen del poder del Estado y es su portador último, la democracia como forma de gobierno implementa la idea de la soberanía popular de una manera más radical aún.[47] Si la soberanía es el fundamento

---

46   Estudios sobre el Estado de Derecho y la democracia: 169-76.

1   47   Estudios sobre el Estado de Derecho y la democracia: 52.

del ejercicio del poder estatal por parte del Estado, la democracia como la forma de gobierno de un Estado, exige que sea el pueblo el que ejercite, de manera más o menos relevante, dicho poder.

Ello tiene dos implicaciones dignas de señalar. En primer lugar, la democracia es la forma en la cual la soberanía popular puede desencadenarse en el Estado constitucional, en la medida que el mismo titular de la soberanía será quien ejerza el poder del Estado. Pero, en segundo lugar, y de manera casi contradictoria, la democracia es la decisión constitucional que permite limitar la expresión excepcional del poder constituyente del pueblo. La democracia comprende la regulación de la expresión de las manifestaciones políticas de la comunidad, sirviendo como una válvula de escape. Dicho de otra manera, en la medida que la expresión de voluntad del pueblo puede canalizarse a través de los órganos representativos, el estándar para la actuación del poder constituyente se elevará de forma que sólo podrá manifestarse en una situación excepcional. Puede usarse la siguiente metáfora para explicar esa función de la democracia: la democracia funciona, respecto al poder constituyente, como la compuerta de una presa, que deja pasar el agua sólo en la medida racionalmente necesaria para su utilización, estando al mismo tiempo, sirviendo de barrera al cauce natural del río.

Examinemos ahora las críticas a la teoría de la soberanía popular y del poder constituyente del pueblo. Las críticas que la teoría de la soberanía del pueblo y del poder constituyente han recibido, dicen relación, en su mayoría, con la incomprensión liberal de que el derecho no puede someter totalmente a la política; la política no puede ser neutralizada por el derecho y sus instituciones. Por otro lado, las críticas vienen de la incomprensión metodológica de algunos autores, de la necesidad de encontrar un fundamento al derecho que vaya más allá del propio derecho. En la medida que el derecho es "decidido" o "puesto", existe un momento en que dicha acción no está sujeta a su vez a un procedimiento regulado por el propio derecho[48].

Es común la utilización del término soberanía en un sentido totalmente distinto del que se viene utilizando. Es común, por ejemplo, la utilización de la soberanía como soberanía del Estado. Ese uso de la

---

48   Derecho constitucional. Sistema de fuentes: 20-22.

soberanía puede tener dos explicaciones que, como veremos, no están del todo justificadas. Ellas son: (1) la soberanía no existe en el Estado constitucional y (2) la soberanía es, en realidad, un atributo del Estado. Esta última afirmación es susceptible de dos lecturas diversas, que recaen sobre las ideas de soberanía del Estado hacia el interior y soberanía del Estado frente a los demás estados.

a) En el Estado constitucional no hay soberano. La primera posición descrita es sostenida por el jurista alemán Martin Kriele [1931–]. Si bien Kriele adhiere a las premisas de la soberanía popular como fundamento de la constitución y el Estado, considera que la subsistencia de la soberanía del pueblo es incompatible con el Estado constitucional. El Estado constitucional y la afirmación de los principios constitucionales que implican separación de poderes, derechos fundamentales, legalidad y, en especial, supremacía constitucional, son incompatibles con la mantención del pueblo como soberano, es más, "constituyen su negación"[49]. La soberanía no puede, entonces, reconocerse en el orden constitucional. En él, sólo son reconocibles los poderes constituidos. Luego, la soberanía del pueblo no significa que el pueblo ejerza el poder, sino que el poder del Estado proviene del pueblo. Incluso cuando la constitución le atribuye competencias al pueblo, esa referencia toma al pueblo como un poder constituido sometido a la constitución. En ese sentido es que Kriele entiende que en el Estado constitucional no hay soberano: "[l]a soberanía del pueblo sólo aparece al comienzo o al final del Estado constitucional, cuando éste es creado y cuando éste es abolido [… e]l soberano democrático renuncia a su soberanía al hacer uso del poder constituyente"[50].

Ello, se contrapone a lo que se ha afirmado aquí respecto de la presencia necesaria e inevitable de la soberanía y del poder constituyente. El pueblo que se ha dado la constitución tiene, inalienablemente, como se ha dicho más arriba, el poder para abolirla, más allá que el Estado constitucional sea la expresión de la limitación de dicho poder. El soberano y su poder constituyente sólo pueden estar en suspenso, pero nunca ser

---

49   Introducción a la teoría del Estado. Fundamentos históricos de la legitimidad del estado constitucional democrático: 316.

50   Introducción a la teoría del Estado. Fundamentos históricos de la legitimidad del estado constitucional democrático: 318.

eliminados[51].

Adicionalmente, se puede señalar que al eliminarse el poder constituyente del pueblo del horizonte constitucional, surgen las ambiciones soberanas que podrían tener las diferentes ramas del Estado, en especial la legislativa, lo que reduciría la soberanía a la representación y en definitiva al poder de los órganos estatales[52].

b) La transformación de la soberanía del pueblo en la soberanía del Estado. Hobbes comprendía la soberanía como un atributo del Estado. Ello era así en la medida que existía una identidad personal entre el monarca soberano y el Estado. Ello resulta incompatible con la idea de la soberanía popular. Sin embargo, la afirmación de que no es el pueblo sino el Estado quien ejerce la soberanía es una idea ampliamente difundida.

La idea de que la soberanía reside en el pueblo pero es ejercida por el Estado puede resultar problemática si no se toma con cuidado. Se señaló que la soberanía no reside, que su titular no es, el Estado. Se afirmó que si bien la soberanía reside en el pueblo, el pueblo como sujeto unitario no tiene capacidad de acción, por lo que la acción del pueblo siempre será una imputación a la acción de cierto individuo o facción. Así las cosas, es perfectamente coherente la idea de que la soberanía reside en el pueblo pero es ejercida por el Estado.

Sin embargo, esta afirmación no se toma en serio el concepto de soberanía y disuelve la soberanía en el imperio del derecho y el monopolio estatal de la fuerza. Si definimos al Estado por la titularidad del monopolio de la violencia legítima, la idea de definir la soberanía como dicha titularidad es, en sí misma, un sinsentido. La negación de la titularidad de la soberanía en estos términos, esto es, la afirmación de que el Estado no es soberano, es equivalente a decir que el Estado no es Estado. Estado soberano, por tanto, es equivalente a decir que el Estado es Estado.

Con todo, si tomamos en cuenta la soberanía del pueblo, como poder de decidir sobre la excepción o la normalidad, es más coherente pensar que el fundamento del ejercicio del poder por parte del Estado tiene su

---

51   Teoría de la Constitución: 108.

52   Soberanía popular, democracia y el poder constituyente: 102.

base en la decisión del pueblo de mantener la normalidad constitucional que él puede suspender, para modificar o cancelar. Esa decisión justifica el poder coercitivo monopólico del Estado, pero sobre todo, justifica el orden constitucional como una decisión de carácter soberano. Es en ese sentido, indirecto por cierto, que es correcto hablar de que el Estado y sus órganos ejercen la soberanía: ejercen el poder que la constitución como decisión del soberano les atribuye.

Puede entenderse por qué algunos sostienen que la noción de soberanía para los periodos normales se reduce al concepto jurídico de ejercicio legítimo del poder por parte de los órganos del Estado. No obstante la plausibilidad de dicha afirmación, no puede aceptarse que se utilice el concepto de soberanía para señalar la actuación de los órganos estatales. Lo que se deposita en los órganos y autoridades que la constitución establece, no es en ningún caso la soberanía, la constitución no delega la soberanía. Lo que delega y lo que deposita en los órganos constitucionales mediante el ejercicio del poder constituyente es sólo el poder de dirigir o gobernar, el que puede radicarse ya sea en un rey, como en la constitución francesa de 1789, como en órganos representativos como una asamblea o un presidente del gobierno. Dicha delegación puede ser hecha de forma temporal o permanente. No obstante la enajenación del ejercicio normal del poder, dicha delegación no cancela el principio de la soberanía popular "mientras la decisión de transferir el poder de gobernar se mantenga jurídicamente como algo revocable"[53]. Con esto, puede entenderse que el ejercicio del poder de gobierno que corresponde a los órganos que la constitución establece no puede ser tomado en serio como el ejercicio de la soberanía popular.

c) La soberanía del Estado como soberanía externa. El concepto de soberanía estatal es estéril para explicar el fenómeno del poder constituyente, que es el principal atributo de la soberanía popular. Sin embargo, el concepto de soberanía del Estado ha permitido afirmar la noción de Estado como sujeto de derecho internacional. Se habla, en ese entendido, de la dimensión externa de la soberanía.

La soberanía externa consiste en un principio de las relaciones entre los estados; principio que afirma la independencia del Estado respecto de

---

1   53   Estudios sobre el Estado de Derecho y la democracia: 50.

otros Estados y el deber de no injerencia de dichas potencias extranjeras en las cuestiones estatales internas, ambas ideas basadas en la igualdad existente entre los Estados.

Es particularmente clara la afirmación de Kriele en referencia a la relación que existe entre el concepto de soberanía del Estado en el derecho internacional y el concepto de soberanía popular: "Si definimos la "soberanía externa" como independencia e igualdad de los Estados, entonces el concepto se ha alejado tanto de su raíz histórica, como de su contenido propio y se ha hecho independiente. Más aún, se ha rendido frente a su propia imposibilidad, al absorber en sí el concepto contrario. Pues independencia e igualdad de los Estados no significan otra cosa que el reconocimiento de la obligatoriedad de las normas básicas del derecho internacional. La soberanía del derecho internacional es, por tanto, una contradicción en sí, pues significa tanto como la no–soberanía"[54].

Sin embargo, no es posible negar la existencia de un vínculo entre el concepto de soberanía popular y el principio de la soberanía externa del Estado, que es una expresión de la libertad o autodeterminación de los pueblos y, de esa forma, además de un principio de derecho internacional es un principio de justicia política. En la medida que la autodeterminación del pueblo se puede entender como una libertad del pueblo respecto del Estado, el derecho establecido y respecto de los individuos que componen tal pueblo, se trata de la afirmación de la soberanía popular como una soberanía interna. Cuando la afirmación se dirige a afirmar la libertad del pueblo respecto de los extranjeros, de otro pueblo y otro Estado que no es reconocido como propio, también puede hablarse de soberanía popular, pero esta vez desde una perspectiva externa.

Veremos ahora algunas críticas dirigidas específicamente a la *teoría del poder constituyente del pueblo*.

a) El carácter ilimitado y arbitrario del poder constituyente. El constitucionalista español Ignacio de Otto [1945–1988] presenta una crítica contra la idea, hasta aquí defendida, de que el poder constituyente del pueblo puede servir de fundamento a la validez de la constitución. De

---

54   Introducción a la teoría del Estado. Fundamentos históricos de la legitimidad del estado
      constitucional democrático: 83.

Otto considera que el fundamento de validez de la constitución podría recaer en un ejercicio del poder constituyente del pueblo únicamente allí donde éste se adapte a las formas democráticas del tipo asamblea constituyente o *referéndum*. En otro caso, no será el pueblo, sino alguien más quien estará ejerciendo ese poder constituyente. Así, en la medida que el poder constituyente debe someterse a formas para la consecución de la legitimidad que persigue, no puede ser considerado como un poder pre-jurídico, y en la medida que el poder constituyente es ejercido por el pueblo, es siempre un poder constituido[55].

A esta crítica puede responderse con algo ya sostenido más arriba. La actuación del pueblo en ejercicio del poder constituyente es desformalizada, porque el pueblo mismo, como unidad política, no tiene forma. La adecuación a procedimientos democráticos es una estrategia para intentar dar legitimidad popular al ejercicio del poder constituyente, pero no es lo que hace que el ejercicio de dicho poder sea posible. La manifestación del poder constituyente es perfectamente posible a través de procedimientos no democráticos, si se enmarca dentro de un proceso político que lleve a que la comunidad política, con posterioridad al reestablecimiento de la normalidad constitucional puede entender que dicha actuación puede serle imputada como una actuación propia.

A esa respuesta, sin embargo, subyace un flanco más débil de la teoría del poder constituyente y de la soberanía considerada como poder de excepción, y se refiere al carácter arbitrario del poder constituyente del pueblo, esto es, a la falta de sujeción a estándares predefinidos para la evaluación de la creación del poder constituyente, el problema comprende la falta de criterios de reconocimiento para determinar cuándo es realmente el soberano el que ha hablado.

La respuesta a esta crítica pasa por entender, en primer lugar, que el poder constituyente es un concepto puramente teleológico y que se realiza a sí mismo mediante la creación de un nuevo orden estatal, esto es, una nueva constitución. Pero, en palabras de Kalyvas, "esto no quiere decir que carezca de leyes o normas por sí mismo, sino más bien que es la única fuente del poder legal, la única voz de razón, que puede producir normas

---

55   Derecho constitucional. Sistema de fuentes: 53-54.

jurídicas en una situación de desorden".[56] En la medida que el objetivo del poder constituyente es constituir un nuevo orden estatal, está imbricado en su concepto mismo el potencial constitutivo y, por tanto, ordenador y legislador.

Por otro lado, hay quienes han entendido que la Constitución es, propiamente hablando, y en cuanto decisión sobre el modo y forma de la unidad política, aquella que "hace posible que una comunidad política sea un agente político".[57] Tal comprensión del concepto positivo de Constitución se vuelve crítica de toda constitución –de toda ley constitucional– que "en vez de habilitar la agencia política del pueblo busca neutralizarla".[58] Tal será un caso de "abuso de la forma constitucional";[59] es decir, consistirá en el empleo de las características exteriores de la ley constitucional con el propósito de impedir la *constitución* del espacio político de la *acción* en lugar de crearlo allí donde no existía. En la medida que el objetivo del poder constituyente es constituir un nuevo orden estatal, está imbricado en su concepto mismo el potencial constitutivo y, por tanto, ordenador y legislador.

En segundo lugar, para descartar la crítica de la arbitrariedad, se debe señalar que ciertos estándares pueden encontrarse dentro del concepto mismo del poder constituyente. La creación de una constitución es un acto de limitación del poder. En esa medida no puede achacársele arbitrariedad al acto de quién, partiendo desde una posición donde tiene el poder de actuar arbitrariamente, se autolimita mediante el acto constituyente. Su poder discrecional pero teleológico constituye el estándar de legitimación del poder constituyente.

De esta característica conceptual del poder constituyente algunos autores, como Habermas, han querido concluir algunas bases de orientación mínimas para poder evaluar la actuación del poder constituyente. Así, entre los principios implícitos, pueden encontrarse la igualdad, la reciprocidad y el diálogo entre los intervinientes en el acto constituyente, llegando incluso

---

56   Soberanía popular, democracia y el poder constituyente: 109.

57   La Constitución tramposa: 38.

58   La Constitución tramposa: 41.

59   La Constitución tramposa: 41.

a afirmar que en dichos principios se contiene todo el contenido de la democracia constitucional.

b) La estabilidad de la constitución frente al poder constituyente. De Otto cuestiona, por otro lado, que el poder constituyente del pueblo pueda ser limitado por la constitución y seguir siendo un poder constituyente. Si el pueblo es el titular del poder constituyente, éste puede en cualquier minuto de la vigencia de la constitución, modificarla sin someterse al procedimiento jurídico establecido para ello. Pero eso sería, al mismo tiempo, violar la constitución. Luego, surge la pregunta de si puede ser el poder constituyente del pueblo fundamento de la validez de la constitución sin que con ello se justifique que el pueblo puede violar la constitución. Esta paradoja hace concluir a De Otto que el poder constituyente del pueblo no es compatible con la idea de la supremacía constitucional: "si el pueblo tiene el poder constituyente, la Constitución no lo limita, y si la Constitución lo limita, el pueblo no tiene el poder constituyente"[60].

Este segundo argumento de De Otto, nuevamente, se basa en su equivocada comprensión de lo que el concepto de pueblo representa en la teoría del poder constituyente. El poder constituyente del pueblo es el poder de la comunidad política informe; por supuesto que no es el poder del pueblo como poder constituido por la constitución (electorado o ciudadanía). La constitución puede entenderse como un límite, especialmente a través de la supremacía constitucional, frente al pueblo dentro del Estado constitucional. Pero una vez que el derecho y la constitución han sido suspendidas por una manifestación de la soberanía, el pueblo como comunidad política es quien tiene el poder constituyente que, por supuesto, no es limitado por la constitución. Sin embargo, no es posible separar diametralmente las dos dimensiones del pueblo: el pueblo constitucional y el pueblo soberano. "Los dos son en último extremo el mismo pueblo"[61].

Ello, sin embargo, no supone, como parece sugerirse por la crítica, que el poder constituyente necesariamente transforme a la constitución en una ilusión. Para ello pueden ofrecerse tres razones. En primer lugar, existen arreglos institucionales que permiten canalizar el poder

---

60 Derecho Constitucional. Sistema de Fuentes: 55.

61 Estudios sobre el Estado de Derecho y la democracia: 173.

constituyente a través de la participación del pueblo en las instituciones constituidas ordinarias. La expresión más importante de dichos arreglos es la instauración de un gobierno democrático.

En segundo lugar, es usual la consagración de un sistema de modificación constitucional que no involucre la manifestación violenta del pueblo frente a las instituciones constitucionales. En la medida que la propia constitución consagra su procedimiento de reforma, en el que la intervención del pueblo y sus representante es considerada, los canales ilegales de manifestación del poder constituyente se harán más gravosos y "las acciones que afectan de modo sustancial a la Constitución se ven de esta forma reducidas a situaciones extraordinarias, y necesitan de una especial energía para hacerse valer frente a la vida constitucional organizada"[62].

Finalmente, debe señalarse que la constitución, que ha sido fruto de la acción del poder constituyente, expresa, como se ha señalado, una voluntad constitutiva. La modificación de la constitución y la expresión insurreccional del poder constituyente sólo se expresarán allí donde la identificación entre constitución y pueblo esté demasiado erosionada. En referencia a esta última instancia, es obligatorio asumir que el objetivo de la estabilidad de la constitución no es algo que pueda ser conseguido de forma absoluta.

La potestad de reforma y otros fenómenos de discontinuidad constitucional

Sieyès, en el marco de su propuesta teórica, argumenta que el poder constituyente, en cuanto acto de autogobierno, es un acto soberano, y que dado que el poder constituyente no está regulado por el derecho, se distingue de aquellas formas de autoridad que sí lo están. Aquí nos ocuparemos de la distinción que de allí emerge entre *poder constituyente* y *potestades constituidas*, particularmente en lo que respecta al cambio constitucional.

Habitualmente, el discurso constitucional distingue dos clases de poder constituyente: el poder constituyente originario, que se manifiesta

---

62   Estudios sobre el Estado de Derecho y la democracia: 170.

al momento de crear una Constitución sin seguir los procedimientos establecidos por algún texto normativo preexistente; y el poder constituyente derivado, que consiste en la reforma parcial de un texto preexistente mediante los mecanismos establecidos en él. Debido al significado específico y preciso que hemos dado al concepto de *poder*, resulta más adecuado aquí distinguir entre *poder constituyente*, entendido por tal únicamente a la dictación incondicionada de una nueva Constitución, y *potestades constituidas*, concepto que abarcaría tanto a la *potestad de reforma* – el así llamado poder constituyente derivado– como a las demás potestades detentadas por los órganos públicos establecidos en la Constitución.

De Otto cuestiona que el poder constituyente del pueblo pueda ser limitado por la constitución y seguir siendo un poder constituyente. Si el pueblo es el titular del poder constituyente, éste puede en cualquier minuto de la vigencia de la constitución, modificarla sin someterse al procedimiento jurídico establecido para ello. Pero eso sería, al mismo tiempo, violar la constitución. Luego, surge la pregunta de si puede ser el poder constituyente del pueblo fundamento de la validez de la constitución sin que con ello se justifique que el pueblo puede violar la constitución. Esta paradoja hace concluir a de Otto que el poder constituyente del pueblo no es compatible con la idea de la supremacía constitucional: "si el pueblo tiene el poder constituyente, la Constitución no lo limita, y si la Constitución lo limita, el pueblo no tiene el poder constituyente".[63]

Este segundo argumento de de Otto se basa en su equivocada comprensión de lo que el concepto de pueblo representa en la teoría del poder constituyente. El poder constituyente del pueblo es el poder de la comunidad política informe; por supuesto que no es el poder del pueblo como poder constituido por la Constitución (electorado o ciudadanía). La Constitución puede entenderse como un límite, especialmente a través de la supremacía constitucional, frente al pueblo dentro del Estado constitucional. Pero una vez que el derecho y la Constitución han sido suspendidos por una manifestación de la soberanía, el pueblo como comunidad política es quien tiene el poder constituyente que, por supuesto, no es limitado por la Constitución. Sin embargo, no es posible separar diametralmente las dos dimensiones del pueblo: el pueblo constitucional y

---

63   Derecho constitucional. Sistema de fuentes: 55

el pueblo soberano. "Los dos son en último extremo el mismo pueblo".[64]

Ello, sin embargo, no supone, como parece sugerirse por la crítica, que el poder constituyente necesariamente transforme a la constitución en una ilusión. ¿Cómo es posible que "la Constitución jurídica, sin desvincularse de su legitimación por el poder constituyente, pueda no obstante proteger el fundamento y la persistencia de su validez frente a las oscilaciones de un poder no vinculado normativamente"?[65] Para ellos pueden ofrecerse tres razones.

En primer lugar, existen arreglos institucionales que permiten canalizar el poder constituyente a través de la participación del pueblo en las instituciones constituidas ordinarias. La expresión más importante de dichos arreglos es la instauración de un gobierno democrático.

En segundo lugar, es usual la consagración de un sistema de modificación constitucional que no involucre la manifestación violenta del pueblo frente a las instituciones constitucionales. En la medida que la propia Constitución consagra su procedimiento de reforma, en el que la intervención del pueblo y sus representante es considerada, los canales ilegales de manifestación del poder constituyente se harán más gravosos y "las acciones que afectan de modo sustancial a la Constitución se ven de esta forma reducidas a situaciones extraordinarias, y necesitan de una especial energía para hacerse valer frente a la vida constitucional organizada".[66]

Finalmente, debe señalarse que la Constitución, que ha sido fruto de la acción del poder constituyente, expresa, como se ha señalado, una voluntad constitutiva. La modificación de la Constitución y la expresión insurreccional del poder constituyente sólo se expresarán allí donde la identificación entre Constitución y pueblo esté demasiado erosionada. En referencia a esta última instancia, es obligatorio asumir que el objetivo de la estabilidad de la constitución no es algo que pueda ser conseguido de

---

64   Estudios sobre el Estado de Derecho y la democracia: 173.

65   Estudios sobre el Estado de Derecho y la democracia: 169.

66   Estudios sobre el Estado de Derecho y la democracia: 170.

forma absoluta.[67]

Los poderes constituidos tienen como característica la formalidad. Ellos están sometidos y disciplinados por las normas constitucionales que los constituyen. La Constitución se concibe como parámetro de validez del ejercicio de esos poderes. Entre esas potestades constituidas por el poder constituyente, se encuentra, junto con la potestad legislativa, ejecutiva y judicial, la potestad de modificar la constitución. También la potestad constituida de reformar la misma constitución es, entonces, un atributo sometido a las formas jurídicas de la propia Constitución; es una *potestad* y no un *poder*. El único poder constituyente es el que se ejerce directamente, sin la mediación de la forma jurídica estatal.

Así las cosas, lo que interesa para determinar los contornos del poder constituyente, es distinguir entre el poder de crear una constitución *desde la nada* y el poder de modificar esa constitución recurriendo a los procedimientos establecidos en la misma ley constitucional. La base sobre la cual debe construirse esta distinción es que el poder constituyente, esto es, el que constituye el orden jurídico estatal, no puede estar determinado por ese mismo orden estatal, sino que debe preceder a las potestades estatales que son constituidas, organizadas y limitadas por él: el poder constituyente no es una manifestación del poder estatal, sino que es anterior a él.

El poder constituyente no puede ser regulado por la Constitución misma y en ese sentido la Constitución no establece una forma de actuación para un poder que se caracteriza, justamente, por no estar sometido a formas.

Con la distinción entre poder constituyente y poder constituido, surge la duda en relación a qué ocurre con el poder constituyente una vez que éste se ha dado una Constitución. La respuesta que se dé a esta pregunta dependerá de si se entiende que la fuerza y validez de la Constitución se basa en un acto único, irrepetible y discontinuo, de establecimiento constitucional o si dicha validez se basa en una decisión permanente del pueblo como titular de la soberanía y el poder constituyente.

El constitucionalista norteamericano Bruce Ackerman [1947–] ha

---

67   Estudios sobre el Estado de Derecho y la democracia: 169.

ofrecido una respuesta en línea con la primera alternativa mediante la noción de *momentos constitucionales*. Ackerman denomina de esta manera a ciertos eventos en la historia constitucional de Estados Unidos donde la voluntad del pueblo políticamente movilizado se expresó a través de un ciclo de cinco etapas: un movimiento político señala su voluntad de cambio en la estructura del poder político, propone una agenda de cambios, desencadena el cambio mediante su acción política y electoral, logra ratificar su propuesta, y consolida los cambios. El término *momento* sugiere que para Ackerman el poder constituyente no está operando constantemente, sino que aparece y desaparece de la vida política. Esto se debe a que, según Ackerman, una sociedad democrática debe enfrentar el problema de la *economía de la virtud*: si bien la mayoría de los integrantes de una sociedad democrática tienen algo de virtud pública, y de hecho una democracia no puede funcionar sin tener una discusión pública constante sobre los asuntos públicos, aun así los ciudadanos no dedican toda su atención ni todo su tiempo a las discusiones públicas. Más que ciudadanos virtuosos, constantemente involucrados en los asuntos públicos, las democracias modernas se caracterizan por la presencia de ciudadanos privados, que habitualmente dedican una atención limitada a lo público, pero que aumentan dicha atención durante aquellos períodos en los que los grandes temas capturan su atención. El término momento alude en sí a este dilema de la virtud pública, pues Ackerman lo toma de los estudios sobre *republicanismo* del historiador inglés John Greville Agard Pocock [1924–]; más específicamente, de su estudio sobre la influencia de la solución propuesta por Nicolás Maquiavelo [1469–1527] a la crisis social y política experimentada por Florencia a principios del siglo XVI, solución consistente en el esfuerzo por revivir los ideales romanos de virtud cívica, solución denominada por Pocock como el *momento maquiavélico*. El momento maquiavélico es, para Pocock, el momento en que una nueva república se enfrenta por primera vez al problema de mantener la estabilidad de sus ideales e instituciones.

Así, la idea de momento constitucional caracteriza a aquellos períodos en los que la ciudadanía estará momentáneamente absorbida en la discusión pública, ocupándose de problemas fundamentales: períodos de *alta política*. El resultado de la deliberación pública alcanzada durante este período de alta política, durante este momento constitucional, tiene el máximo posible de legitimidad al que es posible aspirar dentro del paradigma de la soberanía popular. Durante el resto del tiempo, los ciudadanos estarán parcialmente preocupados de la discusión pública, dejando la solución de sus asuntos en manos de sus representantes: la *política normal*. Esta articulación entrega, además, un rol claro a los tribunales encargados de revisar la constitucionalidad de las leyes: preservar las decisiones fundamentales de la ciudadanía tomadas durante los momentos de alta política.

Si se concibe que el poder constituyente se agota en el acto de establecimiento de la constitución, la soberanía se extingue en la normalidad constitucional y puede concluirse que en el Estado constitucional no existe un soberano o que el soberano deja de ser el pueblo para constituirse en el Estado mismo.

Si se concibe, en cambio, que el poder constituyente sigue presente de una forma latente tras el establecimiento de la constitución, de manera que volver a manifestarse es una cuestión posible, se está confiriendo una validez permanente a la constitución, mediante la decisión de su mantenimiento. En este caso, el soberano es y sigue siendo el pueblo, inclusive en el Estado constitucional. Si se considera, como Böckenförde, que "el poder constituyente del pueblo tiene por sí mismo la fuerza de legitimar la Constitución jurídica – y se puede apelar a él para ello –, entonces hay que reconocer que tiene también la fuerza de cancelar esta legitimación".[68]

El ejercicio del poder constituyente es algo permanente, no es algo que se ejerza en un acto que tiene una entidad temporal determinada. La vigencia de la Constitución depende de ello, en la medida que lo que determina el fundamento y la cohesión del orden político queda a disposición plena del pueblo. Cuando el pueblo es titular del poder constituyente, la Constitución, el Estado y el orden jurídico vigente descansan sobre su decisión de mantener la normalidad. En este sentido, si bien debe concluirse que el Estado constitucional no está libre de un nuevo ejercicio del poder constituyente, puede advertirse que las disposiciones de la constitución pueden intentar dar un cauce que no necesariamente desemboque en un quiebre institucional. Esa es la idea sobre la que se construye el sistema de modificación de la constitución

---

68   Estudios sobre el Estado de Derecho y la democracia: 169.

por la potestad constituyente derivada y la adopción de un sistema de gobierno democrático. Las expresiones directas del poder constituyente quedan, de esta manera, reducidas a las situaciones extraordinarias: a la excepción.

Para Bockenförde el poder constituyente es una fuerza, una magnitud compuesta por hombres y mujeres (es decir, por el pueblo) que no sólo crea la Constitución sino que sigue actuando de diferentes formas: no sólo a través del poder constituyente derivado o poder constituido, el cual actúa mediante el proceso de reforma de la Constitución, sino también a través de formas más cotidianas y sutiles. La voluntad constituyente del pueblo se expresa en la obediencia al derecho emanado de la constitución, en su interpretación y aplicación constante, así como en el ejercicio de sus derechos políticos por parte de quienes integran el pueblo. Detrás de la constitución está el poder constituyente; no solamente en el momento en que la constitución es redactada, sino también está a lo largo del tiempo dándole un sustento sociológico, manteniéndola viva constantemente para que no colapse, caiga en desuso, o sea olvidada. Las palabras fuerza, movimiento y magnitud, cabe observar, son conceptos que "tomamos prestados" de la física; ellos nos permiten hablar metafóricamente de un fenómeno difícil de describir. Otras metáforas usuales lo comparan con el poder divino de crear un orden de la nada, *ex nihilo*.

Esta creación de la nada tiene como correlato la posibilidad de destrucción de la constitución reinante. Esta es una idea que Carl Schmitt extrae a partir de su concepto positivo de constitución. Para Schmitt, la *destrucción de la Constitución* es la supresión de la constitución existente, en el sentido positivo de dicho concepto, acompañada de la supresión del poder constituyente en que se basaba.[69] Schmitt identifica junto a ella otras formas, más sutiles, en las cuales la constitución puede verse alterada a través del tiempo. Entre ellas se encuentran la *supresión de la Constitución*, que consiste en la supresión de la ley constitucional existente, pero manteniéndose el poder constituyente que le dio origen;[70] la *reforma constitucional*, consistente en la modificación del texto de las leyes constitucionales vigentes; el *quebrantamiento*

---

69   Teoría de la Constitución: 115.

70   Teoría de la Constitución: 115.

de las leyes constitucionales,[71] consiste en un desconocimiento momentáneo, y sin pretensiones normativas, del contenido de la constitución; y la *suspensión de la constitución*,[72] en virtud de la cual una o varias prescripciones de la ley constitucional son provisionalmente puestas fuera de vigor. Estos últimos tres fenómenos pueden ser, adicionalmente, inconstitucionales o constitucionales dependiendo de si se realicen con o sin observancia del procedimiento previsto en la respectiva ley constitucional.

Bockenförde reivindica también como un caso de cambio constitucional el cambio en la interpretación de la constitución; es decir, el cambio en la forma en que los órganos del Estado y los ciudadanos entienden las disposiciones de la constitución. Aquí no estamos frente a un cambio del texto de la constitución, sino frente a un cambio de la relación entre la constitución y las fuerzas sociológicas presentes. Ese cambio opera a través de cambios culturales, y particularmente a través de cambios en las interpretaciones jurisprudenciales que se hacen respecto a la constitución, que pueden a su vez ser reflejo de cambios culturales. A esto le podemos llamar *mutación constitucional*.

La pregunta que queda es si dicha *mutación constitucional* podrá afectar a la constitución propiamente tal, en un sentido decisionista, o si bien ella se limitará a afectar los modos de entender, de comprender la ley constitucional; interrogante que no sólo alude a la distinta ontología de cada una de ellas, sino que también se vincula al tipo de cuestiones, materialmente hablando, que podrán ser objeto de tal transformación. Dicha interrogante ganará en claridad si es respondida teniendo a la vista el devenir histórico del constitucionalismo chileno, que a nuestro juicio ofrece ejemplos de mutación constitucional que han afectado no sólo a la ley constitucional, sino que a la propia constitución.

El permanente problema de la legitimidad constitucional

En el lenguaje de los teóricos del derecho, existe una importante distinción entre eficacia, validez y legitimidad de las normas jurídicas. La *eficacia* dice relación con el éxito que tienen las normas jurídicas de motivar

---

71   Teoría de la Constitución: 115.

72   Teoría de la Constitución: 116.

la conducta de sus destinatarios. Allí donde el derecho no es obedecido, ni siquiera generalmente, no puede caracterizarse como una situación estatal. Para la existencia del Estado, el derecho debe ser generalmente obedecido y de lo contrario, debe contar con el respaldo suficiente para su imposición violenta. En el nivel de la eficacia es irrelevante cuáles sean las razones que tengan los individuos para seguir los mandatos del Estado. La *validez* jurídica, por su parte, está relacionada con la sujeción de las actuaciones estatales a normas jurídicas y a los procedimientos por ellas establecidos; sin embargo, la sujeción de la actividad estatal al derecho no garantiza que, para los destinatarios de las normas, dicha sujeción resulte suficientemente convincente a efectos de fundamentar su lealtad en conciencia, su obediencia. La eficacia y la validez, como se ve, son dos propiedades que resultan fundamentales para todo orden jurídico. Pero ellas no responden a la pregunta de por qué debieran los destinatarios de las normas, los individuos sujetos a una determinada legalidad, han de obedecer en conciencia a ella; este es, más bien, un asunto de legitimidad.

La distinción analítica o conceptual entre legalidad y legitimidad es una de las dicotomías fundamentales de la teoría jurídica moderna. Su relación en un primer momento fue polémica; esta distinción surgió, de manos del pensamiento reaccionario decimonónico, como un concepto dirigido a cuestionar la emergente legalidad constitucional en nombre del orden tradicional, es decir la legitimidad dinástica. Posteriormente, Weber acuñó la concepción hoy prevaleciente de la relación entre legitimidad y legalidad, al identificar los siguientes criterios que motivan a los individuos a atribuir legitimidad a un orden social:

(a) en méritos de la *tradición*: validez de lo que siempre existió; (b) en virtud de una *creencia afectiva* (emotiva especialmente): validez de lo nuevo, lo revelado, o lo ejemplar; (c) en virtud de una *creencia racional con arreglo a valores*: vigencia de lo que se tiene un absolutamente valioso; (d) en méritos de lo *estatuido positivamente*, en cuya *legalidad* se cree. Esta legalidad puede ser tratada como legítima (α) en virtud de un acuerdo voluntario de las partes interesadas; (β) en vitud de su imposición por una autoridad considerada como legítima y por tanto encuentre obediencia.[73]

---

73   Economía y Sociedad: 29.

En el análisis weberiano, la legalidad es una de las formas de cumplir con la necesidad de legitimar el orden social y la autoridad política. Esto, sin embargo, simplemente desplaza o posterga la pregunta sobre cómo se adquiere tal legitimidad desde la legalidad misma al sujeto que la instituye, reformulando dicha pregunta así: ¿qué autoriza a la autoridad política a instruir perentoriamente mandatos de conducta? La distinción entre legalidad y legitimidad, así como las relaciones que surgen entre *estos conceptos*, es entonces uno de los temas más complejos, pero también más importantes, en la teoría general del derecho y en particular en la teoría constitucional. Esta distinción, y el análisis de las relaciones entre sus elementos, es necesaria para poder determinar las circunstancias que permiten justificar la obligación política de obedecer al derecho.

En efecto, si se toman en cuenta las perspectivas desde que puede contemplarse el fenómeno estatal, puede advertirse que ni la pura dimensión sociológica ni la pura dimensión jurídica permiten justificar la legitimidad del dominio estatal sobre los individuos, al no justificar una obligación política para los ciudadanos de seguir las órdenes del Estado simplemente por ser tales. Un punto de vista sociológico que se quede en la mera regularidad conductual de la obediencia no será capaz de distinguir, como observó Hart, entre quien reconoce legitimidad a un orden y quien no lo hace. Por su parte, el punto de vista jurídico tampoco es capaz de dar cuenta eficazmente del fenómeno de la legitimidad. Así, los abogados realizan una buena descripción de lo que el Estado es y de por qué los individuos deben obedecer sus órdenes cuando recurren al argumento jurídico tradicional: usted debe obedecer esta orden porque esta orden ha sido producida por el órgano competente mediante el procedimiento preestablecido por el derecho, y a su vez ese procedimiento y ese órgano son el fruto del juicio de otro órgano competente actuando conforme a derecho, y así sucesivamente. Sin embargo, los abogados sólo pueden recurrir a ese argumento hasta que se encuentran con la Constitución, dado que la Constitución no ha sido fruto de la producción jurídica de un órgano competente ni de un procedimiento previamente establecido.

El intento de justificar la legitimidad del Estado es uno de los principales objetos de la especulación filosófica en torno a dicho fenómeno. Esta tarea por supuesto no se diluye en el juicio sobre la justicia o injusticia de las normas estatales particulares, sino que implica un enjuiciamiento general respecto de la legitimidad del Estado como titular de la potestad de crear dichas normas y de respaldarlas con la violencia. Ahora bien, si bien el análisis filosófico ofrece argumentos que justifican la obligación política de los ciudadanos, aquel no provee fórmulas que permita volver operativos los juicios sobre la legitimidad. Esa operatividad sólo puede provenir del fenómeno institucional que es el derecho. Esto, también, permite superar la paradoja de la irrelevancia de la Constitución, discutida por el filósofo del derecho argentino Carlos Nino [1943–1993], y que sugiere que los conceptos constitucionales, al abrir una puerta al razonamiento moral, devienen en irrelevantes para efectos del razonamiento práctico, pues llevan a que los sujetos tomen decisiones a la luz de sus propias concepciones morales. Discutiremos en profundidad este problema más adelante.

El punto aquí es que distinguir analíticamente la cuestión de la legitimidad de la cuestión de la legalidad no implica que se trate de cuestiones sin relación. La pregunta subsecuente, la que ha recorrido una larga trayectoria en el derecho constitucional, es la siguiente: ¿cómo es posible conciliar los dos puntos de vista? ¿Cómo reunir legalidad y legitimidad? La respuesta, evidentemente, pasa por incorporar de alguna manera la legitimidad a la legalidad. Como diremos aquí, la legalidad requiere de la legitimidad como precondición, y muchas veces –y esa es la virtud de las instituciones políticas modernas– la legalidad captura aquellas condiciones de legitimidad requeridas y permite que se pueda desatender, por algún tiempo al menos, el problema de la legitimidad, transformando una cuestión controversial (el cumplimiento de las condiciones últimas que justifican moralmente al Estado) en una cuestión no controversial (el cumplimiento de las reglas de validez que autorizan al Estado a actuar). Por ejemplo, cuando se exige que el Estado respete ciertas garantías procesales consagradas en la Constitución y en la ley al investigar la comisión de un delito, se está transformando un asunto de legitimidad en un asunto de legalidad.

En este sentido, es posible sostener que en la modernidad la legalidad atiende a su necesidad por legitimidad de dos maneras fundamentales: a través de la soberanía popular y a través de los derechos fundamentales. La primera da lugar a una legitimidad procedimental, generada mediante la participación de los destinatarios del poder. Ella plantea que el Estado surge porque le hemos dado una autorización, a través de las elecciones y otros mecanismos, para actuar en nuestro nombre; es nuestro mandatario, en el sentido de que ha recibido un mandato por parte nuestra. La segunda da forma a una legitimidad substantiva, obtenida mediante la satisfacción de las necesidades y expectativas de los destinatarios del poder. La legitimidad substantiva consiste en la satisfacción de necesidades y expectativas sociales. La idea de necesidades, aquí, es empleada en un sentido objetivo: las personas necesitan ciertos objetos (alimentación, protección, educación, trabajo) para poder vivir y prosperar. La idea de expectativas, en cambio, es empleada en un sentido subjetivo: cada sujeto tiene concepciones sobre lo bueno y lo justo, así como preferencias o lealtades de carácter emotivo, todas las cuales influyen en su idea de cómo debe ser gobernada la comunidad. Esta distinción, hay que señalar, es más bien analítica o conceptual, ya que al momento de discutir sobre qué bienes necesitan las personas no podemos dejar de lado nuestras concepciones, preferencias y sentimientos.

Estos dos pilares de legitimidad de la legalidad también pueden ser vistos a partir de la distinción clásica entre legitimidad de origen y legitimidad de ejercicio; es decir, entre la legitimidad del título mediante el cual la autoridad accede al poder, y la legitimidad de la manera en la cual la autoridad ejerce tal poder. La soberanía popular responde a la cuestión de la legitimidad de origen, señalando que todo el poder del Estado proviene del pueblo, el que decide configurar el Estado a través de su poder constituyente. En lo que se refiere a su ejercicio, la legitimidad del Estado está dada por la protección de los derechos fundamentales, los cuales buscan garantizar la realización personal de los integrantes de la comunidad.

Ambos elementos de legitimación de la legalidad, por cierto, están elegantemente expresadas por Thomas Hobbes en la introducción a Leviatán: "gracias al arte se crea ese gran *Leviatán* que llamamos *república* o *Estado* (en latín *civitas*) que no es sino un hombre artificial, aunque de mayor estatura y robustez que el natural para cuya protección y defensa fue instituido".[74] El Estado es el resultado de la suma de voluntades de un conjunto de individuos, instituida con el fin de otorgarles protección. Podría decirse que también nuestra Constitución las identifica a ambas. Por

---

74   Leviatán: 3.

un lado, ella declara que "Chile es una república democrática", identifica a ciertos sujetos como ciudadanos, entregándoles un derecho a sufragio "personal, igualitario, secreto y voluntario", y determina que exista un "sistema electoral público". Por el otro, ella expresa que el Estado "está al servicio de la persona humana y su finalidad es promover el bien común, para lo cual debe contribuir a crear las condiciones sociales que permitan a todos y a cada uno de los integrantes de la comunidad nacional su mayor realización espiritual y material posible", le asigna deberes tales como "dar protección a la población", "promover la integración armónica de todos los sectores de la Nación y asegurar el derecho de las personas a participar con igualdad de oportunidades en la vida nacional", y "asegura a todas las personas" los derechos que allí se indican.

En un Estado democrático son necesarias ambas fuentes de legitimidad. Incluso más, la teoría democrática plantea que allí donde hay un Estado y un Derecho que están sujetos a la voluntad popular, los gobernantes tendrán como preocupación principal la satisfacción de las necesidades y expectativas de los ciudadanos tanto por razones altruistas (hacer el bien) como egoístas (ser reelegidos en sus cargos). Viceversa, un procedimiento electoral y legislativo defectuosos dificultarán que las necesidades y expectativas sociales estén sincronizadas con el actuar de nuestros gobernantes y representantes, generando con ello problemas de legitimidad substantiva.

Capítulo III:

EL PROGRAMA CONSTITUCIONAL

Por *programa constitucional* nos referimos a los valores constitucionales básicos y principios directivos cuya protección y respeto la Constitución Política de la República declara como fundamentos del ordenamiento constitucional. En términos históricos, la inclusión de dichos principios axiológicos en el texto constitucional responde, en lo inmediato, al programa constitucional de la Junta Militar, que a través de una retórica inspirada en el iusnaturalismo católico y el liberalismo económico buscó dar legitimidad política a su proyecto político. Pero detrás de la selección de los valores contenidos en el texto constitucional yacen también aspiraciones más profundas y de mayor amplitud del discurso constitucional liberal.

Es importante señalar que la postura clásica del constitucionalismo liberal, al menos discursivamente, era que la constitución debía ser un instrumento políticamente neutro. Pero la postura contemporánea del constitucionalismo liberal –confirmando la descripción de Schmitt de la constitución *ideal* de la burguesía– es que la constitución debe ser un instrumento comprometido con un orden social libre, es decir, liberal. El tránsito desde el paradigma clásico al paradigma contemporáneo está determinado, a nivel global, por el trauma de la II Guerra Mundial y por el fantasma de la Guerra Fría; es decir, por el surgimiento de unidades políticas construidas sobre proyectos totales opuestos a las manifestaciones económicas y políticas del liberalismo. Ante la realización de que dichos proyectos pueden implantarse no sólo en el seno de sociedades estancadas en la etapa feudal (la Rusia zarista), sino también en sociedades insertas en los procesos de modernización (la Alemania de Weimar) y en vías de desarrollo (el Chile de comienzos de los 70'), los partidarios de una concepción liberal de la sociedad reniegan del reclamo de neutralidad axiológica de sus antecesores y asumen posturas axiológicamente comprometidas, 'militantes'. El liberalismo no sólo desea defender su concepto ideal de constitución a través del instrumental ya visto al hablar de la defensa política de la constitución; también desea proclamarlo explícitamente, darle articulación teórica y consagración constitucional.

Esta tendencia contemporánea del liberalismo toma forma, como es lógico, de acuerdo a las circunstancias locales y a los matices que caracterice a cada grupo dentro de la extensa familia que es liberalismo. Por esto, el liberalismo (con las salvedades que haremos) de Jaime Guzmán y la constitución de 1980 se revela como autoritario y neoliberal en comparación con el liberalismo de Jürgen Habermas o Robert Alexy y la Ley Fundamental de Bonn, compatibles con un Estado de Bienestar y más próximos al republicanismo que a la concepción de la libertad como ausencia de interferencias. El parecido de familia entre tales liberalismos, sin embargo, se mantiene, y gira en torno a la concepción liberal de lo que una 'verdadera' constitución debe hacer: limitar el poder estatal, para permitir el libre florecimiento del individuo y sus relaciones sociales.

Recordemos que según Schmitt, el concepto ideal de Constitución surge allí donde se designe "como 'verdadera' o 'auténtica' Constitución, por razones políticas, la que responde a un cierto ideal de Constitución".[1] Así, por ejemplo, "para el lenguaje del liberalismo burgués, sólo hay una Constitución cuando están garantizadas propiedad privada y libertad personal; cualquier otra cosa no es 'Constitución', sino despotismo, dictadura, esclavitud o como se quiera llamar".[2] La mejor expresión de ello está en el artículo 16 de la Declaración de Derechos del Hombre y el Ciudadano: "Toda sociedad donde no está asegurada la garantía de los derechos, ni determinada la separación de poderes, *no tiene Constitución*". Así, lo que el liberalismo desea que la Constitución sea, y lo único que está dispuesta a reconocer como tal, es *un sistema de garantías de la libertad burguesa*".[3] Para el liberalismo burgués –cuyo concepto ideal de Constitución Schmitt calificara como "todavía hoy dominante" en medio del momento de mayor debilidad histórica del liberalismo– "se adopta una organización del Estado desde un punto de vista crítico y negativo frente al poder del

---

1   Teoría de la Constitución: 58.

2   Teoría de la Constitución: 59.

3   Teoría de la Constitución: 59.

Estado", en la cual se busca la "protección del ciudadano contra el *abuso del poder del Estado*".[4] Observa Schmitt que la "tendencia del Estado burgués de Derecho va en el sentido de desplazar lo político, limitar en una serie de normaciones todas las manifestaciones de la vida del Estado y transformar toda la actividad del Estado en *competencia, limitadas* en principio, rigurosamente circunscritas".[5] El liberalismo, al negar carácter constitucional a los documentos que no satisfagan los criterios por él establecidos –división de poderes y protección de derechos individuales–, se conecta con la tradición filosófica del *iusnaturalismo racionalista*.

Ahora bien, en el caso chileno, hay una salvedad que hacer respecto de las declaraciones axiológicas de nuestra ley constitucional, y que son de relevancia histórica a efectos de entender causalmente su configuración textual. La retórica del Capítulo I de la Constitución, así como de los dos que le siguen, no es principalmente liberal, sino más bien católica y, en algunas partes, nacionalista. Esto se debe a que el influjo principal en estas partes vino de asesores católicos de la Junta Militar como Jaime Guzmán, Alejandro Silva, o Enrique Evans. El Capítulo I de la Constitución, en particular, delata su inspiración en el discurso católico contemporáneo en su selección de palabras como 'persona', 'dignidad', 'familia', 'bien común', 'naturaleza humana'. Esta retórica forma parte de la estrategia más generalizada de la Junta Militar, que acudió discursivamente a instituciones tradicionales y centenarias como la Iglesia Católica o la Corte Suprema para legitimar su destrucción violenta de la institucionalidad democrática y del Estado de Derecho.

Es importante, en todo caso, tener presente que la influencia del catolicismo en nuestro texto constitucional es fundamentalmente retórica, pues las instituciones jurídicas que se envuelven en dicha retórica son fundamentalmente liberales, y, más específicamente, inspiradas en una concepción negativa de la libertad, que entiende a este valor como *ausencia de interferencia*. Así ocurre en nuestro texto constitucional con la libertad de enseñanza, la libertad de expresión, el derecho de propiedad, y, más genéricamente, la libertad económica, titularidades todas que habilitan al individuo a actuar sin interferencias de acuerdo a sus posibilidades.

---

4 Teoría de la Constitución: 62.

5 Teoría de la Constitución: 62.

Una concepción católica de dichos derechos había debido enfatizar la función social de dichas titularidades, así como la posibilidad de que las mismas hubiesen sido detentadas por pequeñas comunidades. Estas contradicciones se encuentran presentes en el discurso y el programa político del propio Guzmán en cuanto articulador político del proceso constituyente de la dictadura; así, se ha observado que "en el caso de la propiedad, el argumento de Guzmán parece fundarse más en el individualismo posesivo de Hobbes y Locke que en la sociabilidad natural humana de Aristóteles y Santo Tomás".[6]

La reflexión sobre los valores constitucionales debe estar animada por una preocupación sobre la capacidad de dichos valores, sean cuales sean ellos, de verse expresados en la práctica constitucional. Esto es particularmente importante en el caso de la Constitución de 1980, que en sí misma contiene disonancias entre la retórica que ofrece en el artículo 1° y la configuración que hace de los derechos constitucionales y del poder político. Si la constitución proclama la dignidad de la persona humana pero no le reconoce autonomía a los individuos para llevar a cabo sus planes de vida, o si declara que Chile es una república democrática e instituye al mismo tiempo cortapisas para la acción política del pueblo, o si valora la igualdad de oportunidades pero protege el privilegio de quien tiene más, entonces la propia constitución ha frustrado sus valores.

En el plano de la teoría constitucional, Loewenstein ofrece la matriz conceptual más usada para analizar la correspondencia entre las declaraciones constitucionales y la realidad de la práctica constitucional. Dicha matriz aparece en la forma de lo que él denomina el *análisis ontológico* de las constituciones, y que explica de la siguiente manera:

> En lugar de analizar la esencia y el contenido de las constituciones, el criterio del análisis ontológico radica en la concordancia de las normas constitucionales con la realidad del proceso del poder. Su punto de partida es la tesis de que una constitución escrita no funciona por sí misma una vez que haya sido adoptada por el pueblo, sino que una constitución es lo que los detentadores y destinatarios del poder hacen de ella en la práctica. En una amplia medida, la cuestión fundamental sobre si se hará realidad

---

6   El pensamiento político de Jaime Guzmán: 77.

la conformación específica del poder prevista constitucionalmente depende del medio social y político donde la constitución tiene que valer.[7]

Loewenstein identifica, desde esta perspectiva, tres posibles modos o formas de existencia de las constituciones: la *constitución normativa*, la *constitución nominal*, y la *constitución semántica*. Cada una de ellas representa un grado decreciente de adecuación entre la norma y la realidad constitucionales.

La *constitución normativa*, explica Loewenstein, es aquella que es "observada lealmente por todos los interesados" y que está "integrada en la sociedad estatal, y ésta en ella", de tal manera que "sus normas dominan el proceso político o, a la inversa, el proceso del poder se adapta a las normas de la constitución y se somete a ellas".[8]

Para usar una expresión de la vida diaria: la constitución es como un traje que sienta bien y que se lleva realmente.[9]

"El carácter normativo de una constitución no debe ser tomado como un hecho dado y sobreentendido, sino que cada caso deberá ser confirmado por la práctica",[10] nos previene Loewenstein.

En el caso de la *constitución nominal*, en cambio, "la situación, de hecho, impide, o no permite por ahora, la completa integración de las normas constitucionales en la dinámica de la vida política".[11] Aún así, plantea Loewenstein, el objetivo de tal constitución "es, en un futuro más o menos lejano, convertirse en una constitución normativa y determinar realmente la dinámica del proceso del poder en lugar de estar sometida a ella".[12]

Y para continuar con nuestro símil: el traje cuelga durante cierto

---

7   Teoría de la Constitución: 217.

8   Teoría de la Constitución: 217.

9   Teoría de la Constitución: 217.

10   Teoría de la Constitución: 218.

11   Teoría de la Constitución: 218.

12   Teoría de la Constitución: 218.

tiempo en el armario y será puesto cuando el cuerpo nacional haya crecido.[13]

La tercera posibilidad es que estemos frente a una *constitución semántica*. Ella se presenta en aquellos casos en los cuales la realidad ontológica del documento constitucional "no es sino la formalización de la existente situación del poder político en beneficio exclusivo de los detentadores del poder fácticos, que disponen del aparato coactivo del Estado".[14]

Mientras la tarea original de la constitución escrita fue limitar la concentración del poder, dando posibilidad a un libre juego de las fuerzas sociales de la comunidad dentro del cuadro constitucional, la dinámica social, bajo el tipo constitucional aquí analizado, tendrá restringida su libertad de acción y será encauzada en la forma deseada por los detentadores del poder… En lugar de servir a la limitación del poder, la constitución es aquí el instrumento para estabilizar y eternizar la intervención de los dominadores fácticos de la localización del poder político. Y para continuar con el símil anterior: el traje no es en absoluto un traje, sino un disfraz.[15]

El juicio sobre la correspondencia entre el proceso político y social y los valores proclamados en la constitución, como hemos sugerido, debe hacerse sobre la base de un análisis no sólo jurisprudencial sino también sociológico y politológico. Dicho tipo de enjuiciamiento es a menudo abandonado por la disciplina del derecho constitucional, situación que la propia disciplina debe intentar corregir con el auxilio de perspectivas teóricas y metodológicas que le permitan evaluar dicha adecuación.

---

13 Teoría de la Constitución: 218.

14 Teoría de la Constitución: 218.

15 Teoría de la Constitución: 218-219.

Bienes fundantes

La constitución funda su estructura de valores en bienes que considera dignos de reconocimiento y de protección. Que un determinado bien funde la estructura de valores de la constitución significa que su importancia es tal que se estima compartido por todos los integrantes de la comunidad y se considere reflejo de sus creencias más arraigadas. Al menos, ese es el papel que como bienes fundantes debieran desempeñar; el problema en nuestro caso es, por un lado, que los redactores de la constitución hicieron dicha evaluación de espaldas a la comunidad política, y por el otro, que la escuela católico-gremialista de interpretación constitucional expande de manera acrítica y, en consecuencia, acientífica el carácter de *bien fundante* no sólo a prácticamente la totalidad de los contenidos de los Capítulos I y III, sino, además, a la particular lectura de dichos capítulos que ella hace. El punto es que el carácter de *bien fundante* se puede predicar, en estricto rigor, de aspectos muy tenues de los respectivos conceptos. Por ello, a menudo dichos bienes fundantes son proclamados en preámbulos constitucionales, enmarcándolos como metas a las que el ordenamiento constitucional aspira a llegar con su propia existencia, pero en ningún caso como valores propiamente tales compartidos con todos. Tal situación sólo puede darse en comunidades culturalmente homogéneas, en ningún caso en una comunidad política moderna.

Lo interesante de los bienes fundantes de un ordenamiento es que, en el sentido que le damos a esa expresión, su proclamación o declaración explícita es del todo innecesaria, pues adquieren dicha condición únicamente en la medida en que ellos efectivamente estructuren, al modo de *ideales regulativos*, el orden concreto en cuestión. Por ejemplo, no fue sino hasta la Constitución de 1980 que se incorporó textualmente, positivamente, la vida como un derecho constitucional. ¿Era necesario? En el caso de este bien fundamental –concepto distinto de bien fundante– ello no era necesario, pues una lectura sistemática de nuestro ordenamiento jurídico habría concluido que la vida siempre tuvo tal carácter. ¿Es necesario declarar constitucionalmente que la persona y sus relaciones sociales son bienes fundantes? Tampoco, pues ello es una conclusión a la que ha de llegar cualquier hermenéutica humanista. Si el artículo 1° fuera borrado mañana de la Constitución, o si nunca hubiese existido, las observaciones que haremos a continuación se mantendrían incólumes, en la medida en que la estructura institucional siguiese estando configurada de manera de darles protección.

Las personas, libres e iguales en dignidad y derechos

Conceptualmente hablando, los derechos fundamentales que constituyen el estatuto de la persona frente al Estado pueden tener su fundamento o bien en la calidad de *ciudadano*, esto es, de miembro de la comunidad política del Estado, o bien en la calidad de *persona* que detentan todos los integrantes de la especie humana. La atribución de derechos en virtud de la primera categoría tiene su fundamento en la igualdad política, que, como veremos, justifica la participación del individuo en el gobierno del Estado como parte del pueblo. La atribución de derechos fundamentales hecha en virtud de la categoría siguiente, esto es, la posesión de la calidad de persona, se fundamenta en la noción liberal de dignidad humana y tiene su principal articulación en los principios del Estado de Derecho como la protección de la libertad individual frente a la intromisión del Estado.

La Constitución Política de la República, en este sentido, opta declarativamente por una justificación liberal del ordenamiento constitucional, a través del *reconocimiento de la libertad e igualdad en dignidad y derechos de todas las personas*. Dicho bien se encuentra en el artículo 1°, inciso 1° de la Constitución Política de la República, que dice así:

Las personas nacen libres e iguales en dignidad y derechos.

Es importante reconocer que, causalmente hablando, esta proclamación debe su localización en el texto constitucional a la cultura católica de quienes redactaron la Constitución. También es importante reconocer que, más allá de nuestras fronteras, la genealogía contemporánea de los conceptos de persona, de dignidad, de libertad y de igualdad de derechos le debe poco al catolicismo y mucho al liberalismo europeo, particularmente a la filosofía ilustrada. En todo caso, ni la génesis remota ni la próxima de estos conceptos son determinantes en la labor del intérprete, que en todo momento está enfrentado a la responsabilidad de responder por sí mismo cuál es la determinación de cada concepto más compatible con la sistematicidad del ordenamiento jurídico y con las necesidades del contexto de aplicación de las normas.

La declaración de que "[l]as personas nacen libres e iguales en dignidad y derechos" hace referencia a la concepción de la persona que la Constitución establece. La persona en la Constitución se concibe, en primer lugar, como sujeto de derecho. Dicho sujeto posee igual estatus frente al Estado que todos los demás sujetos equivalentes llamados personas.

Jurídicamente, la persona es el núcleo de un haz de titularidades deónticas activas y pasivas; de derechos y obligaciones. Esta concepción jurídica se sustenta en un hecho perteneciente al mundo extensional: el carácter social de la persona. En efecto, en su contexto situacional más apropiado, el concepto de persona alude a quien está en condiciones de relacionarse con otros. El fundamento directo de esta condición, de esta capacidad, es el carácter intencional de la persona: la persona tiene cognición y volición, atributos que funcionan como presupuestos de su capacidad de agencia y que en consecuencia le permiten actuar socialmente. Ahora bien, nuestro ordenamiento jurídico reconoce también que la persona humana no es un ente puramente intencional sino que tiene un sustrato biofísico: la persona humana existe en un cuerpo, y ese cuerpo es de carácter orgánico. Estas ideas son el fundamento de la positivización de diversas titularidades o 'derechos' para dichas personas, así como del establecimiento de un orden político y social en el cual dichos intereses se vean satisfechos en la mayor medida posible.

Principios directivos del actuar estatal

El texto de nuestra Constitución, junto a identificar bienes fundantes cuya protección justifica la existencia del ordenamiento constitucional, procede a instruir al Estado a desempeñar dicha función de maneras bien específicas, estableciendo modos de actuación que aquel deberá seguir.

Servicialidad del Estado y bien común

La reflexión nacional sobre la relación entre Estado y sociedad está monopolizada por la afirmación de que nuestro derecho público contemporáneo consagra un Estado 'subsidiario' cuyo rol es secundario respecto de las personas y los grupos intermedios de la sociedad. Sería inoficioso elaborar una lista exhaustiva de los autores que manifiestan tal opinión. Baste transcribir, de manera ejemplar, lo sostenido por uno de los tratadistas constitucionales más reputados:

> La Constitución pretende que se respete el principio de subsidiariedad, el cual implica alternativamente, en un sentido, que el Estado no tome a su cargo lo que pueden en buenas condiciones realizar las personas y los entes colectivos y, a la inversa, la obligación del Estado de proveer a la satisfacción de las necesidades colectivas, en cuanto los particulares no estén en posibilidades de lograrla.[16]

Tal afirmación adolece de tres problemas. El primero es que ella ignora el ineludible rol que juega el Estado en determinar los términos en que dichas personas y grupos intermedios interactúan entre sí. El segundo es que obscurece conceptualmente los fines o propósitos que el Estado paradigmáticamente busca realizar mediante su acción interventora. El tercero es que pareciera sugerirnos que el Estado interviene mediante mecanismos o instrumentos sustancialmente distintos a los que empleaba con anterioridad a 1973; mecanismos entre los cuales, desde luego, se encuentra la provisión directa por parte del Estado de diversos bienes y servicios que no están concebidos como supletorios o subsidiarios sino como componentes centrales del orden social. Todos estos problemas demuestran la insuficiencia descriptiva del concepto de la *subsidiariedad del Estado*, que se plantea como un principio de dirección de la actividad estatal. Ellos sugieren la necesidad de descartar dicho concepto y reemplazarlo por un término que posee mayor poder descriptivo: esto es, el concepto de la *servicialidad del Estado*.

A diferencia de la idea de la subsidiariedad, la dea de servicialidad del Estado sí tiene reconocimiento textual en la Constitución, en el inciso 4° del artículo 1°:

> El Estado está al servicio de la persona humana y su finalidad es promover el bien común, para lo cual debe contribuir a crear

---

16   Tratado de Derecho Constitucional, Vol. 4: 51-52.

las condiciones sociales que permitan a todos y a cada uno de los integrantes de la comunidad nacional su mayor realización espiritual y material posible, con pleno respeto a los derechos y garantías que esta Constitución establece.

Junto a este metadeber, el de promover el bien común, la Constitución identifica una serie de otros deberes estatales específicos:

Es deber del Estado resguardar la seguridad nacional, dar protección a la población y a la familia, propender al fortalecimiento de ésta, promover la integración armónica de todos los sectores de la Nación y asegurar el derecho de las personas a participar con igualdad de oportunidades en la vida nacional.

La propia afirmación de que el Estado está al servicio de la persona humana ha sido leída por algunos autores bien como una afirmación de que el Estado es un ente secundario respecto de las personas en su constitución metafísica ("el hombre es un ser *trascendente*, destinado a la eternidad, en tanto el Estado carece de esa nota esencial y se agota en la historia y perece como todo lo puramente terrenal"[17]), bien como una consagración constitucional de la subsidiariedad del Estado ("[l]a primacía de la persona, y la consecuencial servicialidad del Estado, se manifiesta en la práctica societaria en la *primacía de la iniciativa privada* en las actividades humanas"[18]). Lo paradojal es que a través de tales argumentos un autor de reconocido pinochetismo, como el recién citado, haya intentado apoderarse de un concepto, el de *servicio público*, que debe su configuración ni más ni menos que al administrativista francés León Duguit [1859–1928], reconocido crítico del pensamiento metafísico:

El sistema jurídico de la Declaración de los Derechos del Hombre y del Código de Napoleón, descansa en la concepción metafísica del Derecho subjetivo. [Hoy, en cambio,] el sistema jurídico de los pueblos modernos tiende a establecerse sobre la comprobación del hecho de la función social imponiéndose a los individuos y a los grupos. El sistema jurídico civilista era de orden metafísico; el

---

17   Derecho Administrativo. Bases Fundamentales, Vol. 2: 148.

18   Derecho Administrativo. Bases Fundamentales, Vol. 2: 17.

nuevo sistema que se elabora es de orden realista.[19]

Duguit era también un defensor del rol del Estado en la consecución del bienestar general. Así, Duguit argumentaba que "se ha producido un gran cambio en la noción del Estado; que el Estado no tiene solamente el derecho de mandar, sino que tiene también grandes deberes que cumplir".[20] Su teoría del servicio público sostiene "la existencia de una obligación de orden jurídico que se impone a los gobernantes, es decir, a aquellos que de hecho tienen el poder en un país dado, obligación de asegurar sin interrupción el cumplimiento de una cierta actividad".[21] La explica de la siguiente manera:

> Las actividades cuyo cumplimiento se considera como obligatorio para los gobernantes constituyen el objeto de los servicios públicos. ¿Cuáles son estas actividades? ¿Cuál es su extensión exactamente? Imposible es dar a la cuestión una respuesta general… Se ha hecho notar anteriormente que hay tres actividades cuyo cumplimiento se ha pedido a los gobernantes de todos los tiempos… los tres servicios públicos originarios: la guerra, la policía y la justicia. Hoy no bastan estos servicios… la conciencia moderna desea otra cosa. Quiere otra cosa en el orden intelectual y moral: no admite, por ejemplo, que el Estado no intervenga en el servicio de enseñanza. En el orden material desea otra cosa: no admite, por ejemplo, que el Estado no organice los servicios de asistencia.

> Por otra parte, la profunda transformación económica e industrial, que se realiza desde hace un siglo en todas las naciones civilizadas… ha engendrado muchos deberes nuevos para los gobernantes. La interdependencia estrecha que existe entre los pueblos, la solidaridad de los intereses económicos, los cambios comerciales, que cada día son más numerosos, y el irradiar de las ideas morales, de los descubrimientos y de las doctrinas científicas imponen a todos los Estados la obligación de organizar los servicios públicos que aseguren de una manera permanente

---

19 Las transformaciones del derecho público y privado: 153.

20 Las transformaciones del derecho público y privado: 20.

21 Las transformaciones del derecho público y privado: 23.

las comunicaciones internacionales. Y así se ha constituido un servicio público que en todos los países modernos ocupa el primer lugar: el servicio de correos y telégrafos... En el interior del Estado se ha producido una transformación económica, que hemos tratado de caracterizar diciendo que por todas partes y en casi todos los órdenes de la actividad una economía nacional ha venido a reemplazar a la economía doméstica. Resultando de ahí que los hombres de un mismo grupo social han llegado ser más dependientes unos de otros, y esto para las necesidades más elementales, para las necesidades de cada momento... Se podrían multiplicar los ejemplos. Está ya lejos el tiempo en que cada uno transportaba su persona y sus cosas por sus propios medios... aparece la necesidad, cada día más evidente, de organizar los servicios de transporte como servicios públicos... No solamente el alumbrado público, sino el mismo alumbrado privado se convierte en servicio público... No hay para qué insistir sobre estas consideraciones de orden económico. Sin embargo, no son inútiles. Muestran cómo el Derecho evoluciona ante todo bajo la acción de las necesidades económicas.[22]

El diagnóstico de Duguit coincide en esta materia con el de Schmitt en 1931:

En todo Estado moderno, la relación entre Estado y Economía constituye la materia genuina de las cuestiones inmediatamente actuales de la política interior. No pueden ya éstas ser contestadas con el antiguo principio liberal que propugnaba incondicionalmente, absolutamente, el principio de la no intervención... En semejante situación, la exigencia de la no intervención significaría una utopía y hasta una contradicción con el Estado mismo, pues la no intervención vendría a representar que en los antagonismos y conflictos sociales y económicos, que hoy no se ventilan con recursos puramente económicos, se dejara libre curso a los distintos grupos o potencias. En semejante situación, la no intervención no es otra cosa que una intervención a favor de

---

22   Las transformaciones del derecho público y privado: 26-27.

los que en aquel momento son superiores y más desaprensivos.[23]

Estos diagnósticos mantienen su vigor prescriptivo porque las condiciones históricas en las cuales el Estado ha de llevar a cabo no han variado sustancialmente; condiciones tales como la industrialización de la producción económica, la peligrosidad ambiental y humana de dichos procesos de producción, el surgimiento de un complejo mercado de capitales con relativa autonomía del proceso productivo, la existencia de intereses diferenciados entre los distintos grupos que participan de los procesos económicos, entre otras circunstancias. Frente a dichas circunstancias, el deber del Estado era, y es, buscar que el intercambio satisfaga las expectativas sociales existentes en materia de eficiencia y justicia, objetivo que el Estado paradigmáticamente busca a través de su acción coordinadora y providente. Esto significa que la labor interventora del Estado debe satisfacer dos estándares de racionalidad substantiva: *eficiencia*, entendida como el incremento del bienestar social; y *justicia*, entendida como la distribución equitativa del bienestar social. En una sociedad industrial, la eficiencia como objetivo de la intervención estatal tiene por propósito fundamental la reducción de las externalidades negativas asociadas al intercambio social. Estas externalidades negativas toman la forma de daños concentrados, tales como accidentes en personas u objetos, y daños difusos, tales como la contaminación. La justicia distributiva como objetivo de la intervención estatal, por su parte, tiene por propósito repartir de una manera considerada como correcta los frutos del intercambio social.

Esto no significa necesariamente que cada aspecto concreto del ordenamiento jurídico y del actuar estatal deba responder simultáneamente a la eficiencia y a la justicia, sino más bien que el sistema en su conjunto debe satisfacer estas expectativas y negociar equilibrios entre ambas en los casos concretos. Desde luego, las iniciativas protectoras a menudo son compatibles con la preocupación por la eficiencia. Una regulación más justa de la actividad agrícola, se argumentaba en los 60', resultaría también en un aumento de la producción agrícola. La falta de oportunidades para la mujer o la discriminación étnica u homofóbica en el lugar de trabajo nos privan de la contribución de personas que podrían hacer importantes

---

23   El Defensor de la Constitución: 144-145.

aportes al proceso productivo y al intercambio social en general. De todas maneras, al menos a efectos conceptuales es posible asignarle un lugar protagónico a la justicia en el caso de estas iniciativas. Esto se hace evidente al constatar que los partidarios de la legislación protectora no consideran como una objeción moralmente relevante la reducción en la eficiencia que diversos sectores objetan periódicamente. En esos casos, y asumiendo que en el caso concreto el argumento de los opositores a la legislación protectora sea válido, la justicia y la eficiencia se nos presentan bienes rivales, que no pueden ser realizados simultáneamente. Ahora bien, una importante línea de acción combina tanto la preocupación por la eficiencia con la preocupación por la justicia distributiva.

Estos fines del actuar estatal no son inmanentes ni a la idea de derecho ni a la idea de Estado; son, más bien, valores substantivos inscritos en un ordenamiento concreto (*konkrete Ordnung*) mediante procesos históricos, específicamente a través de significativos conflictos sociales y políticos. En este sentido, nuestro derecho sigue al respecto un recorrido histórico similar al que experimentaron otras sociedades occidentales.

La etapa fundacional de nuestro derecho patrio está marcada por un esfuerzo deliberado por adecuar nuestra legislación a la expectativa de eficiencia en los términos ya indicados mediante la construcción del *Estado de Derecho*. La garantía constitucional de la "inviolabilidad de las propiedades" y su consiguiente regulación civil, incluyendo la abolición de los mayorazgos; la minuciosa regulación del proceso judicial mediante algunas de las así llamadas "leyes marianas", regulación que puede ser entendida como un esfuerzo de generar mayor información y certeza jurídicas mediante las exigencias de fundamentación de las sentencias; incluso el rol del Estado en la coordinación y promoción de la educación, la cultura y las artes, pueden ser vistos como elementos de una concepción productivista y desarrollista por parte de nuestra élite político-jurídica decimonónica. En última instancia, la acción conjunta de Mariano Egaña y Andrés Bello en materias legislativas e incluso educacionales respondió al proyecto portaliano de restablecer el orden político para favorecer el crecimiento económico.

El derecho decimonónico está incapacitado, sin embargo, para hacer frente a las consecuencias negativas del crecimiento económico y de diversos paradigmas culturales y estructuras sociales asociados a él. El antagonismo social resultante de estas contradicciones internas del proceso de desarrollo se expresa mediante conflictos de distinto tipo, que dan lugar a diversas reformas legislativas que desde entonces han modificado la matriz jurídica decimonónica: leyes de protección a los pueblos indígenas, a los trabajadores, al campesinado, a la mujer, a la niñez, al consumidor, a la diversidad sexual. Estas medidas suelen ser resistidas, en un primer momento, por grupos social y políticamente poderosos, para posteriormente ser aprobadas tras procesos de lucha social que evidencian la justicia de las reivindicaciones de los marginados y los oprimidos. Surge así la *intervención estatal*, en la forma de legislación laboral, del consumidor, de protección a la mujer y a la infancia, de la libre competencia; pero también en la forma de la provisión directa de obras públicas, de servicios educacionales, entre otros.

En resumen, a partir de estas dos vertientes históricas, la lucha de la burguesía por hacer del Derecho y el Estado instrumentos de eficiencia y crecimiento, y la lucha de diversos grupos desaventajados por hacer del Derecho y el Estado instrumentos de redistribución y justicia social, se construye el concepto moderno del Estado como servicio público.

Respeto y protección de la autonomía social

Si bien nuestro ordenamiento constitucional pareciera fundarse en el valor intrínseco de una determinada forma de vida, la especie humana, en estricto rigor no es tal hecho biológico el que está en condiciones de desempeñar tal rol. Es la capacidad de la persona de relacionarse con otras personas, es decir, de relacionarse socialmente, lo que constituye el sustrato último de la condición humana propiamente tal, es decir, de todo fenómeno cultural. Lo específico de los seres humanos no es su constitución biológica, sino la capacidad que les da dicha constitución de conocerse a sí mismos, de identificar a otros similares a sí mismos, y de interactuar con ellos de manera estable a lo largo del tiempo.

Por esto, la existencia de relaciones sociales es un bien fundante del ordenamiento constitucional. Tales relaciones, según hemos visto, pueden alcanzar distintas formas; en la terminología de Tönnies, pueden constituirse en la forma de comunidades o de asociaciones; desde luego, también pueden ser más pasajeras y circunstanciales. En todo caso, en toda sociedad humana –en el sentido genérico de dicho concepto, no en el específico que le da Tönnies– que sea respetuosa de la autonomía humana, y al margen de que exista una declaración explícita en dicho sentido, las relaciones sociales serán un bien fundante del orden político. Como observa el británico Harold Laski [1893–1950], "[u]n examen de cualquier sociedad nacional revela siempre la existencia, dentro de sus fronteras, no sólo de individuos, sino también de asociaciones de hombres agrupados para la consecución de toda clase de fines –religiosos, económicos, culturales, políticos, etc.– que les interesan".[24]

La Constitución Política de la República reconoce este bien fundante en su artículo 1°, inciso 3°, de la siguiente manera:

El Estado reconoce y ampara a los grupos intermedios a través de los cuales se organiza y estructura la sociedad y les garantiza la adecuada autonomía para cumplir sus propios fines específicos.

Junto a dicha declaración se encuentra la contenida en su inciso 2°, según la cual:

La familia es el núcleo fundamental de la sociedad.

Esta disposición, tomada de la Declaración Universal de los Derechos del Hombre (art. 16), no parece querer decir nada más que la Constitución reconoce a la familia como algo importante. Sin embargo, sus redactores tenían a lo menos dos ideas más en mente. Por un lado, querían destacar que la Constitución sólo podía *reconocer* a la familia, no crearla, pues aquella era anterior al Estado; era una *institución de derecho natural*. Por otro lado, que la familia sea algo importante para la Constitución no parece ser neutral para los órganos estatales y para la propia Constitución. Es más, los redactores de la Constitución consideraron que la protección de la familia se seguía lógicamente del enunciado del artículo 1 inciso 2°.

La preocupación de los integrantes de la Comisión Ortúzar fue, antes de regular la institución familiar, reconocerla "como algo necesario y consustancial a la naturaleza humana". Los comisionados consideraron a

---

24   El Estado en la teoría y en la práctica: 26.

la familia como un grupo intermedio y entre ellos, el más importante. El rol central de la familia dentro de la sociedad no fue objeto de una discusión detallada dentro de la Comisión de Estudios. La única intervención que escapa a esta decisión tácita de no "problematizar" la institución fue una intervención del comisionado Ovalle que expresaba que la regulación constitucional de la sociedad y sus grupos componentes no era coherente con la tradición constitucional chilena, por lo que él no estaba de acuerdo con su incorporación en la nueva Constitución. Bajo las constituciones chilenas de 1833 y de 1925, la sociedad y la familia no fueron objeto de regulación por considerarse temáticas ajenas a los requerimientos de la organización del Estado, objeto final al que estaban dirigidas las normas constitucionales. Eso explica que en la doctrina constitucional previa a 1980, la familia no hubiera sido objeto de análisis. La incorporación del actual artículo 1° es, en ese sentido, una innovación de la Constitución de 1980.

El mandato para el Estado de proteger a la familia y propender a su fortalecimiento señalado en el artículo 1° inciso 5° de la Constitución tiene su fundamento, para quienes lo redactaron, en la posición de la familia en la sociedad. El Estado no era ni podía ser neutral ante ella. El objetivo que los redactores de la Constitución tuvieron en mente con el establecimiento de esta norma no parece desprenderse de la lectura de sus actas. Sin embargo, por cómo se llegó a adoptar el texto definitivo, parece plausible señalar que: (i) no se consideró que la protección de la familia supusiese constitucionalizar la prohibición del divorcio; sin perjuicio de lo cual (ii) los integrantes de la CENC consideraron que el matrimonio era el fundamento de la familia; y (iii) se decidió colocar al Estado y no a los individuos como sujeto de la obligación de proteger y fortalecer a la familia[25].

Ahora bien, tal como ella está descrita, la norma describe la posición de la familia dentro de la sociedad sin determinar cuál es la relación o vínculo de la familia con el Estado; tan sólo se sigue que la familia estructura y organiza la sociedad. Ambas son disposiciones descriptivas que no aportan demasiado a la caracterización de la familia, si se tiene en cuenta que la familia es considerada expresamente como el "núcleo

---

25   Actas de la Comisión de Estudios de la Nueva Constitución: sesiones número 1, 3, 9, 38, 40, 45, 129, 191 y 402.

fundamental de la sociedad".

La Constitución hace referencia a la familia en su relación con el Estado en dos lugares: en las bases de la institucionalidad y en la declaración de derechos del artículo 19. Ambas referencias tienen un contenido y un objetivo diverso. La primera, hace de la familia un objeto de tratamiento por parte de principios y directrices dirigidas directamente al Estado. La segunda, hace referencia indirecta a deberes del Estado frente a la familia, en la medida que asegura posiciones individuales de miembros de la familia.

La familia es comprendida en todo momento por los redactores de la Constitución como un grupo intermedio. En ese sentido, la disposición del inciso 3° del artículo 1° de la Constitución establece la posición respecto del Estado que la familia, junto con los demás grupos intermedios, tiene garantizada en la Constitución. De ella puede concluirse, si se hacen valer las características de los grupos intermedios para la familia, lo siguiente: (i) el Estado reconoce a la familia; (ii) el Estado ampara a la familia; (iii) el Estado garantiza la adecuada autonomía a la familia para cumplir con sus fines específicos. De estas tres conclusiones, tanto (i) como (ii) son redundantes, en la medida que la Constitución establece un reconocimiento y una protección expresa y especial para la familia (art. 1° inc. 5°). Sí es relevante, la posición en que se encuentra la familia frente al Estado, como grupo intermedio, para perseguir sus propios fines con autonomía, que se agrega a la caracterización de la familia hecha por los incisos 2 y 5 del artículo 1°.

Por último, es importante observar que, pese a los deseos de los integrantes de la Comisión Ortúzar, la Constitución no vincula a la familia con el matrimonio ni con ninguna otra determinación. En nuestro sistema constitucional, familia es lo que definan los propios grupos intermedios que se identifiquen como tales.

Probidad y transparencia de la función pública

El antiguo artículo 8° proclamaba, como un valor fundante del ordenamiento constitucional, la restricción del pluralismo político a través de la proscripción de determinadas concepciones consideradas como enemigas de la democracia. Si bien dicha proscripción subsiste hoy en el artículo 19 N° 15, la diferencia fundamental entre el texto original y aquel introducido mediante la Ley N° 18.825, de Reforma Constitucional, consistió en la desconstitucionalización de la interdicción de toda concepción "fundada en la lucha de clases".

Entre 1989 y 2005, el artículo 8° permaneció vacío, como mudo testigo del cambio antes indicado. La Ley N° 20.050, de Reforma Constitucional dio nueva utilidad a dicha disposición consagrando los principios de *probidad* y *transparencia* de la función pública. Ambos sitúan como un deber de las autoridades y funcionarios públicos el servir estrictamente al interés público; el primero, instruyéndoles a evitar el uso de sus potestades y de los recursos públicos para satisfacer su interés particular; el segundo, estableciendo mecanismos de acceso a la información pública que permitan a los propios ciudadanos vigilar la adecuada satisfacción del interés público por parte de autoridades y funcionarios.

En cuanto al principio de probidad, el artículo 8° señala lo siguiente en sus incisos 1°:

> El ejercicio de las funciones públicas obliga a sus titulares a dar estricto cumplimiento al principio de probidad en todas sus actuaciones.

El legislador ha conceptualizado el principio de probidad en el artículo 52 inciso 2° de la Ley Orgánica Constitucional de Bases Generales de la Administración del Estado, aseverando que el principio de la probidad administrativa "consiste en observar una conducta funcionaria intachable y un desempeño honesto y leal de la función o cargo, con preeminencia del interés general sobre el particular". El artículo 53 de la misma ley complementa esta definición a través de una identificación de los deberes que el interés general impone a las autoridades y funcionarios públicos:

> El interés general exige el empleo de medios idóneos de diagnóstico, decisión y control, para concretar, dentro del orden jurídico, una gestión eficiente y eficaz. Se expresa en el recto y correcto ejercicio del poder público por parte de las autoridades administrativas; en lo razonable e imparcial de sus decisiones;

en la rectitud de ejecución de las normas, planes, programas y acciones; en la integridad ética y profesional de la administración de los recursos públicos que se gestionan; en la expedición en el cumplimiento de sus funciones legales, y en el acceso ciudadano a la información administrativa, en conformidad a la ley.

Los incisos 3° y 4°, evidenciando la expansión de la Constitución Política de la República hacia materias propiamente legislativas, complementan la declaración del artículo 8°, inciso 1°, estableciendo deberes específicos exigidos de parte de las autoridades en virtud del principio de probidad:

El Presidente de la República, los Ministros de Estado, los diputados y senadores, y las demás autoridades y funcionarios que una ley orgánica constitucional señale, deberán declarar sus intereses y patrimonio en forma pública.

Dicha ley determinará los casos y las condiciones en que esas autoridades delegarán a terceros la administración de aquellos bienes y obligaciones que supongan conflicto de interés en el ejercicio de su función pública. Asimismo, podrá considerar otras medidas apropiadas para resolverlos y, en situaciones calificadas, disponer la enajenación de todo o parte de esos bienes.

Similar situación ocurre con el artículo 37 bis, incorporado a la Constitución el 2010 mediante Ley N° 20.414, el cual hace aplicables a los Ministros las incompatibilidades que afectan a los parlamentarios:

A los Ministros les serán aplicables las incompatibilidades establecidas en el inciso primero del artículo 58. Por el solo hecho de aceptar el nombramiento, el Ministro cesará en el cargo, empleo, función o comisión incompatible que desempeñe.

Durante el ejercicio de su cargo, los Ministros estarán sujetos a la prohibición de celebrar o caucionar contratos con el Estado, actuar como abogados o mandatarios en cualquier clase de juicio o como procurador o agente en gestiones particulares de carácter administrativo, ser director de bancos o de alguna sociedad anónima y ejercer cargos de similar importancia en estas actividades.

No cabe duda de que estas responsabilidades constitucionales constituyen un deber fundamental en un orden constitucional republicano. Sin embargo, la expansión de los contenidos constitucionales expone al texto en cuestión a críticas en cuanto a la rigidización que produce en el ordenamiento jurídico, así como a dudas más profundas, vinculadas a la definición de qué es lo propiamente o específicamente constitucional dentro de la Constitución.

La conceptualización de la probidad antes referida involucra, en lo concreto, deberes positivos de actuación diligente y criteriosa, deberes positivos de provisión de información respecto a los intereses económicos que se tengan, y deberes negativos de abstención de actividades económicas particulares incompatibles con el cargo o función desempeñada. El legislador ha dado desarrollo a estas últimas en diversas disposiciones. Así, por ejemplo, la Ley N° 18.575, Orgánica Constitucional de Bases Generales de la Administración del Estado, en su artículo 56, reconoce a quienes se desempeñen como funcionarios el "derecho a ejercer libremente cualquier profesión, industria, comercio u oficio conciliable con su posición en la Administración del Estado", siempre que ello no perturbe "el fiel y oportuno cumplimiento de sus deberes funcionarios," y no atente contra "las prohibiciones o limitaciones establecidas por ley." La misma disposición establece como regla general que "son incompatibles con el ejercicio de la función pública las actividades particulares de las autoridades o funcionarios que se refieran a materias específicas o casos concretos que deban ser analizados, informados o resueltos por ellos o por el organismo o servicio público a que pertenezcan."

Por su parte, la Ley N° 19.880, de Bases de los Procedimientos Administrativos, establece otro principio de aplicación general en su artículo 12 en la forma del "principio de abstención". De acuerdo a este principio, las autoridades y los funcionarios de la Administración en quienes se den algunas de las circunstancias señaladas por la disposición "se abstendrán de intervenir en el procedimiento". Entre las circunstancias dan origen a dicho deber de abstención se encuentran "tener interés personal en el asunto de que se trate o en otro en cuya resolución pudiera influir la de aquél; ser administrador de sociedad o entidad interesada, o tener cuestión litigiosa pendiente con algún interesado"; "tener parentesco de consanguinidad dentro del cuarto grado o de afinidad dentro del segundo, con cualquiera de los interesados, con los administradores de entidades o sociedades interesadas y también con los asesores, representantes legales o mandatarios que intervengan en el procedimiento, así como compartir despacho profesional o estar asociado con éstos para el asesoramiento, la representación o el mandato"; "tener amistad íntima o enemistad manifiesta con alguna de las personas mencionadas anteriormente"; y "tener relación de servicio con persona natural o jurídica interesada directamente en el asunto, o haberle prestado en los dos últimos años servicios profesionales de cualquier tipo y en cualquier circunstancia o lugar". La ley, en su mismo artículo, establece dos mecanismos para salvaguardar el respeto del deber de abstención. En primer lugar, determina que "la no abstención en los casos en que proceda dará lugar a responsabilidad"; en segundo lugar, determina que los interesados podrán promover la inhabilitación de la autoridad "en cualquier momento de la tramitación del procedimiento".

Otra norma que busca cautelar la probidad administrativa está contenida en el artículo 54 de la Ley N° 18.575, que establece como una causal de inhabilidad para el ingreso a cargos en la Administración del Estado el tener vigente o suscribir, por sí o por terceros, "contratos o cauciones ascendentes a doscientas unidades tributarias mensuales o más, con el respectivo organismo de la Administración Pública." La misma prohibición rige respecto de los "directores, administradores, representantes y socios titulares del diez por ciento o más de los derechos de cualquier clase de sociedad, cuando ésta tenga contratos o cauciones vigentes ascendentes a doscientas unidades tributarias mensuales o más, o litigios pendientes, con el organismo de la Administración a cuyo ingreso se postule." A fin de cautelar el cumplimiento de esta disposición, el artículo 55 establece que "los postulantes a un cargo público deberán prestar una declaración jurada que acredite que no se encuentran afectos a alguna de las causales de inhabilidad previstas".

La misma ley identifica también una serie de conductas que "contravienen especialmente el principio de la probidad administrativa". Ellas están en el umbral entre el conflicto de intereses y los delitos castigados por el Código Penal en el Título V del Libro II, "De los Crímenes y

Simples Delitos cometidos por empleados públicos en el desempeño de sus cargos". Estas conductas están indicadas en el artículo 62 de la Ley Nº 18.575,, y entre ellas se encuentran "usar en beneficio propio o de terceros la información reservada o privilegiada a que se tuviere acceso en razón de la función pública que se desempeña"; "hacer valer indebidamente la posición funcionaria para influir sobre una persona con el objeto de conseguir un beneficio directo o indirecto para sí o para un tercero"; "ejecutar actividades, ocupar tiempo de la jornada de trabajo o utilizar personal o recursos del organismo en beneficio propio o para fines ajenos a los institucionales"; "solicitar, hacerse prometer o aceptar, en razón del cargo o función, para sí o para terceros, donativos, ventajas o privilegios de cualquier naturaleza"; "intervenir, en razón de las funciones, en asuntos en que se tenga interés personal o en que lo tengan el cónyuge, hijos, adoptados o parientes hasta el tercer grado de consanguinidad y segundo de afinidad inclusive"; y, finalmente, "participar en decisiones en que exista cualquier circunstancia que le reste imparcialidad".

En cuanto al principio de transparencia, el artículo 8º, inciso 2º, establece lo siguiente:

> Son públicos los actos y resoluciones de los órganos del Estado, así como sus fundamentos y los procedimientos que utilicen. Sin embargo, sólo una ley de quórum calificado podrá establecer la reserva o secreto de aquéllos o de éstos, cuando la publicidad afectare el debido cumplimiento de las funciones de dichos órganos, los derechos de las personas, la seguridad de la Nación o el interés nacional.

La cautela del principio de publicidad está garantizada en nuestro ordenamiento jurídico a través de la Ley Nº 20.285, sobre Acceso a la Información Pública. Dicha ley especifica en su artículo 5º los efectos de la declaración constitucional de publicidad de la información identificando, a través de criterios, los materiales que serán considerados de acceso público:

> En virtud del principio de transparencia de la función pública, los actos y resoluciones de los órganos de la Administración del Estado, sus fundamentos, los documentos que les sirvan de sustento

o complemento directo y esencial, y los procedimientos que se utilicen para su dictación, son públicos, salvo las excepciones que establece esta ley y las previstas en otras leyes de quórum calificado. Asimismo, es pública la información elaborada con presupuesto público y toda otra información que obre en poder de los órganos de la Administración, cualquiera sea su formato, soporte, fecha de creación, origen, clasificación o procesamiento, a menos que esté sujeta a las excepciones señaladas.

Asimismo, dicha ley, en su artículo 21, determina qué fuentes documentales quedan exentas de la publificación realizada en el artículo 8° de la Constitución y especificada en el artículo 5° de la Ley:

Las únicas causales de secreto o reserva en cuya virtud se podrá denegar total o parcialmente el acceso a la información:

1. Cuando su publicidad, comunicación o conocimiento afecte el debido cumplimiento de las funciones del órgano requerido, particularmente:

> a) Si es en desmedro de la prevención, investigación y persecución de un crimen o simple delito o se trate de antecedentes necesarios a defensas jurídicas y judiciales.

> b) Tratándose de antecedentes o deliberaciones previas a la adopción de una resolución, medida o política, sin perjuicio que los fundamentos de aquéllas sean públicos una vez que sean adoptadas.

> c) Tratándose de requerimientos de carácter genérico, referidos a un elevado número de actos administrativos o sus antecedentes o cuya atención requiera distraer indebidamente a los funcionarios del cumplimiento regular de sus labores habituales.

2. Cuando su publicidad, comunicación o conocimiento afecte

los derechos de las personas, particularmente tratándose de su seguridad, su salud, la esfera de su vida privada o derechos de carácter comercial o económico.

3. Cuando su publicidad, comunicación o conocimiento afecte la seguridad de la Nación, particularmente si se refiere a la defensa nacional o la mantención del orden público o la seguridad pública.

4. Cuando su publicidad, comunicación o conocimiento afecte el interés nacional, en especial si se refieren a la salud pública o las relaciones internacionales y los intereses económicos o comerciales del país.

5. Cuando se trate de documentos, datos o informaciones que una ley de quórum calificado haya declarado reservados o secretos, de acuerdo a las causales señaladas en el artículo 8° de la Constitución Política.

La misma ley establece dos vías para operativizar el acceso a la información por parte de la ciudadanía. La primera, que la ley denomina "Transparencia Activa" y que reglamenta en su artículo 7°, consiste en el deber positivo de los órganos del Estado de "mantener a disposición permanente del público, a través de sus sitios electrónicos" información sobre los siguientes asuntos: su estructura orgánica; las atribuciones de cada una de sus unidades u órganos internos; el marco normativo que les sea aplicable; la planta del personal y el personal a contrata y a honorarios, con sus correspondientes remuneraciones; los contratos de suministro de bienes o de prestación de servicios que hubiese realizado para el cumplimiento de sus funciones; las transferencias de fondos públicos que realice; todo acto o resolución que tengan efectos sobre terceros; los trámites y requisitos que debe cumplir el interesado para tener acceso a los servicios que preste el respectivo órgano; e información sobre los programas de subsidios y otros beneficios que entregue el órgano, y las nóminas de beneficiarios de los programas sociales en ejecución. Dicha información, señala el artículo 7° en su párrafo final, deberá excluir los datos sensibles de los involucrados, esto es, los "datos personales que se refieren a las características físicas o morales de las personas o a hechos o circunstancias de su vida privada o intimidad, tales como los hábitos personales, el origen social, las ideologías y opiniones políticas, las creencias o convicciones religiosas, los estados de salud físicos o psíquicos y la vida sexual".

La segunda vía contemplada en la Ley sobre Acceso a la Información Pública consiste en el derecho de acceso a la información de que gozan las personas, y la correlativa obligación de los órganos estatales de proporcionar la información solicitada. Dicha ley establece los requisitos formales que deberá cumplir dicha solicitud, la cual deberá ser dirigida al órgano que detente la información en cuestión. El órgano dispondrá de un plazo de veinte días hábiles para pronunciarse respecto a dicha solicitud, pudiendo dar curso a ella o negarse. También podrá el órgano prorrogar el plazo por diez días hábiles cuando existan circunstancias que dificulten reunir la información solicitada. La negativa podrá estar fundada en alguna de las causales de reserva contempladas en el artículo 20. También podrá la negativa estar fundada en hecho de que el acceso a la información en cuestión afecte los derechos de terceros, en cuyo caso el órgano deberá comunicar a dichos terceros de la solicitud y del derecho que les asiste para oponerse a la entrega de la información, lo que deberán hacer fundamentadamente y por escrito.

En el caso de que el órgano se hubiese opuesto por la existencia de causales legales de reserva o de la salvaguarda de derechos de terceros, o bien de que hubiese transcurrido el plazo legal sin existir respuesta del órgano, el requirente de información podrá recurrir ante un órgano contencioso administrativo especial establecido en la Ley sobre Acceso a la Información Pública: el Consejo para la Transparencia, un órgano funcionalmente descentralizado que detenta diversas potestades administrativas y jurisdiccionales en materia de promoción de la transparencia de la función pública. Dicho Consejo podrá instruir al órgano en cuestión que entregue la información solicitada, o bien rechazar la solicitud del requirente. En la primera hipótesis, el órgano requerido podrá elevar un reclamo de ilegalidad ante la Corte de Apelaciones respectiva; en la segunda, el particular solicitante contará con el mismo derecho.

Nuestra institucionalidad en materia de acceso a la información pública pareciera encontrar su origen causal en la condena que la Corte Interamericana de Derechos Humanos emitió contra el Estado en la causa

Claude y otros v. Chile, resuelta el 19 de septiembre de 2006. En dicha causa, la Fundación Terram y el entonces diputado Arturo Longton denunciaron ante la Comisión Interamericana de Derechos Humanos, órgano encargado de representar a los particulares ante la Corte, la negativa del Comité de Inversiones Extranjeras de entregar información sobre el proyecto de explotación Río Cóndor de la empresa forestal Trillium. La Corte Interamericana señaló en su sentencia lo siguiente:

> 77. En lo que respecta a los hechos del presente caso, la Corte estima que el artículo 13 de la Convención, al estipular expresamente los derechos a "buscar" y a "recibir" "informaciones", protege el derecho que tiene toda persona a solicitar el acceso a la información bajo el control del Estado, con las salvedades permitidas bajo el régimen de restricciones de la Convención. Consecuentemente, dicho artículo ampara el derecho de las personas a recibir dicha información y la obligación positiva del Estado de suministrarla, de forma tal que la persona pueda tener acceso a conocer esa información o reciba una respuesta fundamentada cuando por algún motivo permitido por la Convención el Estado pueda limitar el acceso a la misma para el caso concreto. Dicha información debe ser entregada sin necesidad de acreditar un interés directo para su obtención o una afectación personal, salvo en los casos en que se aplique una legítima restricción. Su entrega a una persona puede permitir a su vez que ésta circule en la sociedad de manera que pueda conocerla, acceder a ella y valorarla. De esta forma, el derecho a la libertad de pensamiento y de expresión contempla la protección del derecho de acceso a la información bajo el control del Estado, el cual también contiene de manera clara las dos dimensiones, individual y social, del derecho a la libertad de pensamiento y de expresión, las cuales deben ser garantizadas por el Estado de forma simultánea.

> [...]

> 87. El control democrático, por parte de la sociedad a través de la opinión pública, fomenta la transparencia de las actividades estatales y promueve la responsabilidad de los funcionarios sobre

su gestión pública. Por ello, para que las personas puedan ejercer el control democrático es esencial que el Estado garantice el acceso a la información deinterés público bajo su control. Al permitir el ejercicio de ese control democrático se fomenta una mayor participación de las personas en los intereses de la sociedad.".

El propio Estado argumentó que la creación de la institucionalidad en materia de acceso a la información constituía una medida de reparación institucional tomada para solucionar el problema que dio origen al caso *Claude*. Así, en la resolución de supervisión de cumplimiento de sentencia, del 2 de mayo de 2008, la Corte señaló lo siguiente:

16. Que respecto de la obligación de adoptar las medidas necesarias para garantizar el derecho de acceso a la información bajo el control del Estado, establecida en el punto resolutivo séptimo de la Sentencia, Chile informó que "el proyecto de ley destinado a tal efecto, se encuentra en su etapa final de tramitación legislativa en el Congreso Nacional". Adicionalmente, el Estado remitió una minuta en la que se informa sobre el estado de dicho proyecto de ley en el Congreso, los principios que en él se consagran y el alcance que dicha norma otorgaría al derecho de acceso a la información pública. En la minuta se indica, además, que la Sentencia emitida por la Corte en el presente caso fue recogida en el proyecto de ley y que la futura ley "regula[rá] el principio de transparencia que la reforma constitucional del año 2005 incorporó [al derecho interno de Chile], específicamente a propósito de lo prescrito en el nuevo artículo 8° de la Constitución [Nacional]".

Capítulo IV:

LA ORDENACIÓN CONSTITUCIONAL DE LO POLÍTICO

En este capítulo estudiaremos aquellos principios que resumen la decisión concreta sobre el modo y forma de nuestra unidad política. Esto nos llevará a estudiar tanto el carácter democrático de nuestra república como el carácter limitado de nuestra soberanía. También examinaremos algunas de las formas institucionales que recojen dichos principios, intentando reconstruir la racionalidad que les subyace.

Los principios fundamentales del orden político constitucional

Según hemos visto, la constitución tiene una doble dimensión, tanto política como normativa. Desde la perspectiva del primer enfoque, que es el que nos interesa ahora, la constitución puede ser entendida como una decisión sobre la forma y tipo de la unidad política. Así, la constitución proporciona una respuesta a las preguntas fundamentales sobre cómo se organiza el poder dentro de la comunidad en cuestión. ¿Está dicho poder concentrado en las manos de unos pocos? ¿Está disperso entre muchos actores, y si es así, de acuerdo a qué criterio? ¿Está dicho poder institucionalizado y formalizado, o es considerado como una cualidad o atributo personal de los individuos que lo ejercen? ¿Reconoce límites dicho poder, o es visto como ilimitado? Y si bien estas podrían ser consideradas como las preguntas fundamentales sobre la forma y tipo de la unidad política, ellas pueden ser desglosadas en preguntas más precisas y matizadas, que se hagan cargo progresivamente del contexto histórico, temporal y, en definitiva, humano en el cual se articulan las respuestas dadas. La constitución propiamente, en consecuencia, puede ser tanto el contenido como el continente de dichas respuestas.

La forma política del Estado adoptada por nuestra constitución es tributaria de la evolución institucional e ideológica de Occidente, pero también de las particularidades históricas a las que nuestra comunidad política se ha visto enfrentada. En el primer aspecto, ella refleja tanto las varias veces centenarias tradiciones democrática, republicana y liberal como los esfuerzos contemporáneos por fundamentar en las mismas un orden político respetuoso de los derechos humanos fundamentales. Desde la segunda perspectiva, nuestra forma política evidencia las tensiones y contradicciones resultantes de una historia política en constante conflicto ante una historia social marcada por la exclusión. La comprensión cabal y adecuada de nuestra forma política exige, en consecuencia, un mundo de referencias sociológicas e institucionales que exceden con creces no sólo a este capítulo, sino que a este manual y al que le sigue. El lector, en consecuencia, debe entender este capítulo como una introducción a la temática, y articularlo con otras fuentes y con sus propias experiencias.

El principio democrático y republicano

El artículo 4º de la Constitución Política señala que Chile es una república democrática. Durante un largo tiempo, la hermenéutica de dicho artículo pareció ser una cuestión secundaria para la dogmática nacional, que no escatimaba en expresar su importancia pero no le confería mayor atención crítica a sus fundamentos teóricos ni a su vinculación efectiva con nuestra institucionalidad. En ese contexto, primaban dos lecturas de esta disposición. La primera la entendía como una disposición de carácter descriptivo, una abstracción de la concreta organización de la democracia representativa que regulada en los capítulos siguientes de la Constitución; por ejemplo, los que regulan la elección del Presidente de la República y de los integrantes del Congreso Nacional. La segunda la entendía como un principio programático de gran abstracción, un ideal a ser conseguido. Esta segunda lectura ha sido especialmente relevante en el discurso orientado a eliminar los 'enclaves autoritarios' de la dictadura militar.

Ahora bien, y como se comprenderá a la luz de lo señalado sobre el sello que a nuestra forma política imprimen los conflictos históricos de nuestra sociedad, es necesario señalar que el gran dilema del artículo 4° de la Constitución Política de la República sigue siendo su contradictoriedad performativa o pragmática en cuanto acto comunicativo. Por un lado, considerando únicamente su contenido, uno debiera afirmar que el artículo 4° *es* la Constitución en el sentido positivo que Schmitt le adscribe a este concepto; es decir, es la decisión sobre la forma y contenido de la unidad política que lleva por nombre Chile. Por el otro, si atendemos a los diversos contextos de esta afirmación, esto es, tanto a la autoría de ella –la Junta Militar– como al contexto discursivo-dispositivo que rodea a la misma –la institucionalidad privatizadora y contramayoritaria contenida en el resto del texto constitucional–, entonces llegaremos a la conclusión de que el contenido del artículo 4° es, en el mejor de los casos, una promesa incumplida, y en el peor, una mentira:

> Chile no es una república democrática a secas; es una república democrática 'protegida', quizás incluso 'autoritaria' o, incluso, 'neoliberal'. Esto no es casualidad: responde a los designios de quienes redactaron la actual Constitución, que deseaban establecer una "nueva democracia" que fuera "autoritaria, protegida, integradora, tecnificada y de auténtica participación social". Estas cualificaciones o condicionamientos de nuestra pretendida república democrática erosionan su condición de tal. Se evidencian en la consagración de amplias libertades negativas y derechos patrimoniales reforzados como límites a la acción colectiva redistributiva; en la concentración de potestades en manos del Presidente de la República a costa del resto del ordenamiento constitucional; en la regulación obstructiva del proceso legislativo; y en la creación de mecanismos de revisión de la conformidad de la legislación con el diseño constitucional original, particularmente a través del control preventivo y forzoso de la legislación supermayoritaria. En consecuencia, por sobre el artículo 4° de la Constitución, cualificándolo y condicionándolo, se encuentran los numerales 11, 12, 16, 18, 20, 21, 22, 23 y 24 del artículo 19; los artículos 24 y 32; el artículo 66; y el artículo 93.[1]

---

1   Chile es una república democrática. La asamblea constituyente como salida a la cuestión

Por todo esto, una hermenéutica del artículo 4° que se identifique con su contenido debe traducirse en un esfuerzo por emplear cada espacio de transformación constitucional –la interpretación dogmática, la interpretación jurisdiccional, la implementación legislativa, y la reforma constitucional– para fortalecer la vigencia de los contenidos normativos específicos del principio democrático y republicano en nuestro orden constitucional. Ello requiere una comprensión acabada de dichos contenidos, de las formas de toma de decisiones que dichos principios suponen, y de la exigencia de la legitimidad democrática de toda la organización y la actividad estatal, ya sea directa o mediata.

A continuación examinaremos los aspectos conceptuales involucrados en la afirmación del artículo 4°. Comenzaremos con un esfuerzo por distinguir el principio democrático del principio republicano, para a continuación concentrar nuestra atención en los valores últimos en los cuales dichos principios se apoyan, la *igualdad política* y la *libertad política*.

Los inicios de la praxis y la teoría democrática se encuentran en la época clásica. Allí pensadores clásicos como Aristóteles clasifican los régimenes que observan a su alrededor, en función de quién ejerce el gobierno del Estado, esto es si "el poder soberano sea ejercido por una persona o unos pocos o la mayoría", en monarquías, aristocracias y democracias, distinguiéndolas de sus formas corruptas o degeneradas en virtud de si cada forma de gobierno "se propone el bien común" o si persiguen en cambio el interés del monarca, de los ricos o de los pobres.[2] Ya a inicios de la época moderna, Maquiavelo complementará esta clasificación estableciendo una distinción entre monarquía y república, atendiendo a si existe necesidad de algún procedimiento para determinar la voluntad del gobierno o sólo depende de la voluntad de la persona del monarca. Así, en la república se requieren reglas para la toma de decisiones, las que no están presentes, según Maquiavelo, en la monarquía. La república es para Maquiavelo, entonces, una forma de gobierno que a través de estructuras institucionales complejas intenta formular una voluntad política común; a su juicio, "[n]ada contribuye más a la estabilidad y firmeza de una república como el organizaría de manera que las opiniones que agitan los

---

constitucional: 65-66.

2   Política: 1279 a-b.

ánimos tengan vías legales de manifestación".[3]

La teoría democrática moderna, sin embargo, se enfrenta a realidades, problemas e interrogantes distintas. Ya en 1923 Schmitt podía escribir que "[l]a historia de las ideas políticas y de las teorías del Estado durante todo el siglo XIX puede ser abarcada con un simple tópico: la marcha triunfal de la democracia".[4] Durante todo el siglo XX las principales disputas entre cosmovisiones políticas se dieron dentro del paradigma democrático, consistiendo en una lucha por reivindicar para sí el título de la "verdadera" democracia. Las así llamadas 'olas democratizadoras' –que incluyen las transiciones a la democracia en Europa central tras la II Guerra Mundial, en Europa del sur a partir de los 70', en Sudamérica y Sudáfrica a partir de los 80', en Europa del Este tras la caída del Muro de Berlín y el colapso de la Unión Soviética– coronaron esta marcha triunfal otorgándole la victoria a aquel modelo de democracia denominado por sus antiguos detractores como democracia liberal, democracia burguesa, democracia formal o democracia electoral. Incluso en aquellos casos en los que subsisten monarquías en Europa, éstas encuentran su legitimación y su fuente de contenidos legislativos en la soberanía popular y el monarca corresponde simplemente a un órgano constitucional que ejerce la jefatura del Estado 'por encima de los partidos' y se convierte en un poder neutral que representa la unidad política e histórica del Estado pero que carece de atribuciones para arbitrar el conflicto político, función que le está reservada al propio pueblo.

El principio de la democracia como principio constitucional designa una concreta forma según la cual el ejercicio del poder político del Estado debe organizarse y ejercerse. Según Böckenförde, en virtud de aquel "el poder del Estado ha de articularse de tal forma que tanto su organización como su ejercicio deriven siempre de la voluntad del pueblo o puedan ser atribuidos a él".[5] El control que el pueblo ejerce sobre el poder del Estado es, entonces, el criterio sobre el cual se erige, desde esta perspectiva, la organización estatal democrática, que se presenta entonces, "como

---

3   Discursos sobre la primera década de Tito Livio: 278.

4   Sobre el Parlamentarismo: 29.

5   Estudios sobre el Estado de Derecho y la democracia: 47.

autodeterminación y autogobierno del pueblo",[6] en tales términos que los ciudadanos del pueblo participan en condiciones de igualdad y libertad.

La democracia puede entenderse como una concreción o realización del principio de la soberanía popular, concepto al que nos referiremos a continuación. En este caso el pueblo, en ejercicio de su poder constituyente, decide conservar el gobierno del Estado y para ese efecto introduce la democracia como forma de gobierno. Así, en una democracia la organización del poder del Estado es una decisión del pueblo, ya sea mediante el ejercicio del poder constituyente, ya mediante el ejercicio de los poderes constituidos que pueden organizar el Estado en las cuestiones que no son fundamentales.

Las instituciones de la democracia buscan determinar quién desempeñará el poder del Estado en nombre del pueblo. Lo que la democracia sostiene es que el poder del Estado que proviene del pueblo, debe ser ejercido también por el pueblo, ya sea directamente o bien a través de sus representantes. En este sentido, el enunciado de que el pueblo es el titular del poder del Estado excluye como titulares a todo otro posible titular, cualquier clase de hombres singulares, dioses o ideas. Sin embargo, en la medida que la democracia moderna es una democracia representativa, en la mayoría de los casos la decisión del pueblo no será tomada por el pueblo mismo, sino por sus representantes, cuyas acciones, no obstante, deben poder entenderse o explicarse como atribuibles al pueblo.

La democracia no significa que la relación de dominación política entre el Estado y el pueblo se cancele, sino que, como señala Böckenförde,

> se organiza de tal forma que su ejercicio se constituye, se legitima y controla por el pueblo, en suma por los ciudadanos, y se presenta en esta forma como autodeterminación y autogobierno del pueblo, en los que todos los ciudadanos pueden participar en condiciones de igualdad.[7]

---

6   Estudios sobre el Estado de Derecho y la democracia: 53.

7   Estudios sobre el Estado de Derecho y la democracia: 53.

Al mismo tiempo, la democracia como principio constitucional se dirige a regular el ejercicio del poder del Estado y no la vida de la sociedad estatal. En ese sentido, el principio de la democracia no exige, en principio, que los grupos sociales se organicen de manera democrática. Esa posibilidad, ciertamente, está a disposición de la decisión política estatal, máxime cuando se asume una perspectiva materialmente republicana. Así y todo, dicha exigencia deberá respetar los límites al ejercicio de la soberanía existentes en diversos derechos fundamentales, los cuales aquella busca realizar a través de la supresión de las relaciones de dominación pero de los cuales, por la mismo razón, no puede prescindir.

Según Dahl, el propósito que caracteriza a los sistemas democráticos es el "responder a las preferencias de sus ciudadanos, sin establecer diferencias políticas entre ellos".[8] En tal sentido, Dahl propone reservar el término democracia "para designar el sistema político entre cuyas características se cuenta su disposición a satisfacer entera o casi enteramente a todos sus ciudadanos".[9] Ahora bien, en su opinión, las exigencias que dicha idea plantea en materia de igualdad política son tan altas que, "a mi entender, no hay en la realidad ningún régimen, de dimensión considerable, totalmente democratizado".[10] Por ello, Dahl propone emplear un concepto alternativo al de democracia: la *poliarquía*. Con aquel, Dahl describe a "regímenes relativamente (pero no completamente) democráticos", es decir, "sistemas sustancialmente liberalizados y popularizados, es decir muy representativos a la vez que francamente abiertos al debate público".[11] La evaluación de si nuestra forma política satisface alguna de estas dos conceptualizaciones, la de democracia y la de poliarquía, es un asunto de la máxima relevancia cívica, como podrá concluir el lector.

La noción formal de la democracia, que es la que aquí se ha formulado, se enfrenta a una noción sustancial de democracia, también denominada como *democracia constitucional*. Esta noción sustancial se configura mediante la combinación de la democracia con otros elementos, típicamente pertenecientes a la doctrina del Estado de Derecho. Por ejemplo, en este

---

8   La Poliarquía. Participación y oposición: 13.

9   La Poliarquía. Participación y oposición: 13.

10   La Poliarquía. Participación y oposición: 18.

11   La Poliarquía. Participación y oposición: 18.

sentido sustancial se señalan como elementos integrantes de la democracia los derechos fundamentales y a la separación de funciones entre los órganos del Estado. Sin embargo, y en el plano conceptual, considerar que los elementos del Estado de derecho forman parte integral o necesaria de la democracia puede llevar a equívocos. El más importante de todos es aquella carga de argumentación que requiere una decisión democrática. Las limitaciones que pretendan imponerse frente a una decisión de ese tipo, tienen necesariamente que estar fundadas en la propia protección de la democracia o bien en la protección del Estado de Derecho; pero deben ser capaces de precisar adecuadamente en cuál fundamento se apoyan.

Ahora bien, y considerando la referencia hecha por el artículo 4° al carácter republicano de nuestro régimen político, es también necesario distinguir la idea de *república* de la de democracia. La relación de la república con la democracia, ciertamente dependerá del concepto de república que se presente. El *concepto formal* de república se define por la relación de negación que tiene con el concepto de monarquía. El concepto formal de república dice relación con una jefatura del Estado no monárquica. De una manera más general, puede decirse que en la república, de manera opuesta a la monarquía, las autoridades políticas deben cumplir con dos principios: el principio de la *temporalidad*, que exige que las autoridades sólo desempeñen sus funciones durante un periodo de tiempo determinado no por su propia voluntad sino por estándares que les son en principio indisponibles; y el principio de *electividad*, que exige que las autoridades sean elegidas y que su investidura no dependa de un régimen hereditario del titular del cargo sino de una elección. Algunos postulan que, además debe atenderse al principio de responsabilidad, que es aquel que exige que los titulares de los órganos del Estado respondan ante el pueblo por sus actuaciones. Sin embargo, el principio de responsabilidad está implícito, al menos en lo que respecta al jefe de Estado, en su elección por parte del pueblo durante un periodo de tiempo determinado. Por último, el principio democrático no se ve afectado de manera relevante por la existencia de un "vértice monárquico" dentro de un sistema que admita e implemente el principio de la democracia de manera relevante; esto es, en un Estado democrático con un jefe de Gobierno electo y con un jefe de Estado hereditario, sin atribuciones políticas significativas.

Un *concepto material* de república, en cambio, exige una intervención decidida del Estado a fin de garantizar las condiciones sociales que permitan el autogobierno colectivo. Esto, por cuanto "si el republicanismo consiste en la valoración del involucramiento ciudadano en los asuntos de la ciudad –la virtud cívica–, entonces también demanda el establecimiento de instituciones jurídicas y, con ellas, estructuras sociales que favorezcan el surgimiento de dicha disposición".[12] El republicanismo, en este sentido, se presenta como una alternativa al liberalismo, en cuanto propone justificar al Estado ya no como instrumento para perseguir las condiciones que posibiliten la búsqueda y consecución de los planes de vida de los individos que integran la sociedad, sino como un espacio para la realización de planes de vida colectivos. El ethos republicano, como consecuencia de ello, presenta especiales objeciones a la incorporación de los intereses individuales en el discurso público y especialmente a la influencia o dominación del Estado por parte de un grupo o individuo. En su formulación contemporánea más representativa, de la mano de las ideas de Pettit, se presenta como un proyecto sustentado en una comprensión de la libertad como *ausencia de dominación*.

De modo general, el concepto material de república plantea más problemas de determinación que el concepto formal, por lo que el primero no se entiende como un concepto propio de la dogmática constitucional sino que de la teoría de la justicia política. Es en ese sentido que la alusión a la forma republicana que la Constitución Política realiza al señalar que "Chile es una república democrática" tiende a asociarse con un concepto formal de república. Por otra parte, como consecuencia de la rivalidad recién apuntada entre liberalismo y republicanismo, la relación de la democracia con el republicanismo estará condicionada a las ideas imperantes dentro de la comunidad política de que se trate. Es, en ese sentido, contingente. Es tan posible hablar de una democracia liberal como de una democracia republicana.

Como decíamos, el principio democrático-republicano se afirma en dos ideas fundamentales: la *libertad política* y la *igualdad política*. Esto, por cuanto dicho principio constitucional afirma el ejercicio libre del gobierno por parte del pueblo, no sujeto a límites o restricciones. En ese sentido,

---

12   Chile es una república democrática. La asamblea constituyente como salida a la cuestión constitucional: 69.

otros bienes o fines ajenos a la libertad del pueblo de autogobernarse deben entenderse como conceptualmente distintos de principio de la república democrática y, dependiendo de su intensidad, eventualmente como erosiones del mismo. Así, la protección de los derechos fundamentales en general, no forma conceptualmente parte del principio en cuestión. Lo mismo ocurre con la consecución del bienestar y el crecimiento económico. Desde la perspectiva del principio democrático-republicano no puede, de esta manera, afirmarse que la democracia es un medio o instrumento para lograr un fin que sea distinto a la realización misma de la democracia republicana como libertad e igualdad del pueblo. Otra pregunta distinta, desde luego, es cómo este principio deberá a su vez articularse con otros importantes valores constitucionales, tales como la dignidad de la persona humana o la limitación a la soberanía, y cómo aquellos puedan reforzar al principio democrático-republicano preparando las condiciones sociales adecuadas para su vigencia efectiva.

La libertad política puede ser objeto de confusión. La libertad política hace referencia a la ausencia de restricciones para la formación de la voluntad del pueblo. Pero la autonomía colectiva del pueblo se sustenta en la autonomía individual de los ciudadanos. En este sentido, la democracia aparece como un modelo que equilibra la calidad de ciudadano como destinatario del poder del Estado, pero que al mismo tiempo, encuentra en la voluntad de los mismos que se encuentran sometidos él, su fundamento y ejercicio.

El tránsito de la autonomía del individuo a la autonomía de la comunidad política es un proceso que está mediado por la garantía fundamental de la libre participación individual en el proceso de decisión colectiva. Esa mediación está institucionalizada en los derechos fundamentales democráticos como "aseguramiento de las condiciones procedimentales de formación de la voluntad política".[13] Primariamente, el voto y el acceso a los cargos públicos, como medios directos de producción de la voluntad colectiva. Secundariamente, la libertad de expresión, información y prensa, la libertad de reunión y la libertad de asociación, que constituyen fórmulas que garantizan la posibilidad de que dichos medios primarios efectivamente canalicen la voluntad individual a la voluntad colectiva, mediante la formación de opinión pública libre

---

13   Estudios sobre el Estado de Derecho y la democracia: 81.

como base de la decisión política.

La libertad política tiene, como autonomía colectiva ya configurada, un "poder pleno de disposición sobre la configuración del orden político y social".[14] En ese sentido, la libertad política no está vinculada por contenido alguno; se expresa precisamente en la contingencia de tales contenidos, en la posibilidad de renovarlos, eliminarlos o mantenerlos. La república democrática, como concreción permanente de la libertad política, asegura la revisabilidad de las decisiones políticas anteriores; por esto, necesita asegurarse de un estado de cosas que la proteja de interferencias exógenas al proceso de formación de voluntad que restrinjan dicha revisabilidad. Esas interferencias pueden involucrar la intervención de poderes de *facto* que actúan en representación de concepciones o intereses particulares, y que puede llegar a generar la exclusión de la participación de un grupo determinado o de la comunidad entera; o, incluso, puede expresarse en la existencia de mecanismos, tanto *de facto* como institucionales, que impidan la revisabilidad de ciertos contenidos. Todas estas interferencias chocan frontalmente con el principio republicano-democrático.

La libertad política como fundamento de la república democrática sólo exige que se garanticen los así llamados derechos fundamentales *democráticos*. La protección de los demás derechos fundamentales está exigida por la limitación a la soberanía en virtud de los derechos fundamentales, principio que en ese sentido colisiona con la democracia y la limita. Lo mismo sucede con arreglos institucionales como el sistema de quórums diferenciado o dificultado para la dictación de leyes consideradas importantes, o la distinta dificultad de reforma para distintos capítulos de la Constitución Política. El objetivo de dichos arreglos institucionales puede describirse, según Böckenförde, de la siguiente manera:

> Tienen como objetivo impedir una "revolución legal", esto es, una transformación que destruya por medios legales los fundamentos del orden político y jurídico, y por eso pretenden vincular jurídicamente también a generaciones futuras. Son en realidad un signo de que la comunidad política… ha perdido la

---

14   Estudios sobre el Estado de Derecho y la democracia: 51.

confianza en sí misma.[15]

Estos obstáculos limitan la expresión del pueblo; sin embargo, pueden a su vez llevar al pueblo a desbordar, de forma traumática, los cauces institucionalmente establecidos. En la medida que una organización democrática respete adecuadamente la libertad del pueblo de decidir su destino, la expresión de la soberanía del pueblo, como expresión del poder político de aquél, expresada a través de las formas que no se adecuan a la constitución vigente, tenderá a ser canalizada o refrenada. En caso contrario, como ha señalado Atria, la acción colectiva buscará acabar con ella *por las malas*:

> Lo que debe ser notado es algo que puede quizás ser expresado gráficamente con una metáfora física: afuera del sistema compuesto por las leyes constitucionales de Pinochet se está acumulando presión política. Esta presión es consecuencia de que esas instituciones están cumpliendo el fin para el cual fueron creadas: neutralizar la agencia política del pueblo, remover de lo político los términos de la vida en común. Mientras más extendida sea la demanda por cambiar el modelo, mayor será la presión que se acumulará allá afuera… La pregunta, entonces, no es si el sistema de leyes constitucionales de Pinochet y los suyos en algún momento va a ceder. La pregunta es cuándo, en qué condiciones y qué es lo que se va a llevar por delante. Porque no cabe duda de que las instituciones pueden neutralizar la agencia política del pueblo… por algunas décadas, hasta que el pueblo haya alcanzado un grado de desarrollo político suficiente. Entonces pasará lo que tenga que pasar para que esa correlación sea restablecida. "El problema constitucional tendrá que solucionarse por las buenas o por las malas". Esto no debe ser interpretado como una amenaza, sino como un diagnóstico sombrío.[16]

¿Qué relación tiene, a su vez, la libertad política con el pluralismo político? Se podría decir que este último es una consecuencia necesaria de la libertad política en una democracia. El pluralismo político exige que

---

15   Estudios sobre el Estado de Derecho y la democracia: 81.

16   La Constitución tramposa: 87-88.

los más diversos puntos de vista puedan ser expresados y sostenidos en el discurso público. En este sentido el pluralismo político está estrechamente relacionado con los derechos fundamentales específicamente democráticos, en especial con la libertad de expresión y de asociación.

En relación con esta última, tiene particular interés comprender como el principio del pluralismo político afecta la existencia y actuación de los partidos políticos. El principio del pluralismo político considera que todos los partidos, grupos y tendencias políticas pueden buscar hacerse del gobierno. El Estado debe abstenerse de interferir a través de sus instrumentos legales excluyendo a alguno de ellos, y debe favorecer la mayor y más diversa expresión y representación política, así como la libre constitución y desarrollo de grupos y partidos políticos.

El pluralismo está exigido por la libertad y la igualdad políticas. Por la libertad, en la medida que la expresión de todas las alternativas es necesaria para la libre determinación del pueblo en la búsqueda de la mejor de ellas, así como por la necesidad de la formación de la voluntad colectiva, medida por el establecimiento de derechos fundamentales democráticos. Es también exigida por la igualdad política, porque considerar alguna alternativa como inviable sería no considerar como iguales a aquellos que la sostienen.

Ahora bien, y según hemos visto, en determinados ordenamientos constitucionales el principio del pluralismo se encuentra limitado. Tal limitación puede dar paso a diferentes modelos de pluralismo limitado, en los cuales se pone coto a la libre asociación y expresión de alternativas políticas. A menudo dichas limitaciones se justifican en la protección de la democracia misma. Así, pueden encontrarse modelos de limitaciones fundadas en la expresión de violencia política por parte de grupos organizados, típicamente en la forma de proscripción del terrorismo, así como pueden encontrarse limitaciones directamente dirigidas a censurar y proscribir las ideas u opiniones políticas que se presenten como contrarias a la democracia.

La limitación del pluralismo logrará justificarse cuando se demuestre como una garantía para la democracia frente a un peligro grave o a su destrucción. No se encontrará justificada allí donde los límites constituyan solamente barreras legales para la participación de grupos políticos disidentes, como fue el caso del artículo 8º original de la Constitución Política, cuyo texto ya hemos visto. Tal artículo, y en general la persecución política por parte de la dictadura hacia los grupos de izquierda a partir de los primeros momentos posteriores al Golpe Militar, deben ser vistos contextual e históricamente como un esfuerzo por situar fuera de la comunidad política a todos aquellos cuyas ideas relativizaran el derecho de propiedad o pretendieran reducir la intensidad de su protección. En todo caso, es importante señalar que en nuestra historia política las amenazas a la república democrática no han venido de tendencias políticas de izquierda, sino que de la intervención militar de sectores pertenecientes a los grandes intereses económicos y a la derecha política.

Al igual que ocurre con la libertad política, la igualdad política está íntimamente ligada a la democracia. La igualdad política se implica en el concepto de democracia en la medida que exige que no sean sólo algunos quienes sean considerados como punto de partida para la formación de la voluntad general, sino que lo sean *todos*. La libertad política debe ser asegurada a todos los integrantes del pueblo y debe serlo de igual manera. La igualdad política, concretamente, exige la garantía de la igualdad de oportunidades para acceder al poder político y de manera concreta, de iguales derechos de participación. Sólo la igualdad de derechos de participación puede garantizar la igualdad de oportunidades de influencia en el proceso de formación de la voluntad política del pueblo.

La igualdad política, al igual que la libertad política, se restringe al ámbito de la participación en la formación de la voluntad política y no exige la igualdad, ni la libertad, de otros ámbitos de la vida social. Sin embargo, bien entendida, la igualdad política parece desear que se descarten todos los obstáculos para la realización de la igualdad en otros ámbitos de la vida social. La búsqueda de la igualdad social puede convertirse en el contenido de la política democrática que, como se señaló, es, en principio, vacía de contenido.

El criterio para la aplicación de la igualdad política es la calidad de ciudadano. Esto es, la pertenencia a la comunidad política o pueblo. Se imputa a la igualdad política, en este sentido, dos caracteres: uno estrictamente *formal* y otro de carácter *substancial*. La igualdad política formal consiste en la asignación de los mismos derechos políticos a cada ciudadano. En ese sentido, la asignación de un voto a cada ciudadano, suprimiendo además cualquier diferencia de ponderación o valor posible, viene exigida por razones de igualdad política. Cualquier privilegio es contrario a la igualdad democrática y por tanto sólo es admisible por razones de peso. En este sentido, no sólo el derecho a sufragio debe estar determinado por la igualdad política sino la configuración del sistema electoral: cada voto debe valer igual, tanto aritméticamente como efectivamente. Lo mismo es predicable del sistema de partidos políticos, en el que se debe garantizar la igual libertad de participación y la igualdad de oportunidades de éstos, en cuanto mediadores de la voluntad de los ciudadanos en el Estado y de los representantes del pueblo ante el parlamento. Por otro lado, se habla de la faz sustancial de la igualdad política cuando ésta se predica sólo de los ciudadanos y entre los ciudadanos. Las demás personas carecen de la particular condición que los hace merecedores de la libertad política:

> Los ciudadanos se saben "iguales" y de acuerdo sobre cuestiones de principio del orden político; consideran la experiencia y la vivencia de sus conciudadanos como algo no existencialmente distinto o extraño, y están dispuestos sobre esta base a compromisos y a una aceptación leal de la decisiones de la mayoría.[17]

Esta es la dimensión en la que la igualdad política y la igualdad general se muestran claramente diversas. La igualdad política exige la asignación de iguales derechos políticos, pero sólo entre los ciudadanos. La igualdad general exige la asignación de los derechos que son reconocidos por la comunidad a todas las personas, independiente de su calidad de ciudadano. En esta posición se encuentran los extranjeros y los no ciudadanos. El futuro de la relación del extranjero con la comunidad política marcará también el futuro de la igualdad que le será asignada a su estatus.

Conviene ahora referirse a un asunto de particular dificultad en la teoría democrática: la solución de la tensión entre identidad y representación. Si se comprende que el principio de la identidad exige que en la democracia sea el pueblo quien ejerce el poder del Estado sobre sí mismo, se necesita una explicación para la conciliación entre la

---

17   Estudios sobre el Estado de Derecho y la democracia: 88.

igualdad y la identidad con la forma representativa de democracia, en la cual el ejercicio directo del poder es entregado a un grupo específico de individuos.

De la igualdad política se sigue que no hay diferencias entre gobernantes y gobernados. Lo que normalmente se presenta como una diferencia es en realidad una situación transitoria: el gobernante ocupa un cargo o función dentro del Estado, el gobernado no. Eso no es suficiente para afirmar que no hay una identidad entre los gobernantes y los gobernados; ambos son igualmente ciudadanos y no son más que eso. La naturaleza transitoria del ejercicio de cargos públicos y la responsabilidad que puede perseguirse por el pueblo garantizan la igualdad y la identidad, no permitiendo el ejercicio del dominio político por parte de personas o grupos.

La característica igualdad e identidad existente entre gobernantes y gobernados resulta en el principio del liderazgo como principio de la atribución del gobierno en la democracia. Éste se basa en el reconocimiento libre de los seguidores de un partido o candidato y, además, está sometido a la competencia por el liderazgo que, dada la ausencia de un dominio asegurado institucionalmente, se mantiene como una competencia constante. En términos de Schmitt:

> [L]a inevitable diferencia práctica entre gobernantes y gobernados no puede pasar a ser una distinción y singularización cualitativas de las personas gobernantes. Quien gobierna en una Democracia no lo hace porque posea las condiciones de una capa superior cualitativamente mejor… gobierna sólo porque tiene la confianza del pueblo. No tiene ninguna autoridad nacida de una naturaleza especial.[18]

Aún más; la democracia, según Schmitt, es la forma política del principio de identidad. La democracia, entonces, exige que sea el pueblo quien gobierne. El pueblo debe coincidir, para que el principio de la identidad sea implementado, con la categoría individual de destinatario del poder del Estado. Así, el gobernante será idéntico al gobernado. La integración del concepto de pueblo depende de una concepción de

---

18   Teoría de la Constitución: 232-233.

ciudadano como categoría de pertenencia individual a la comunidad política. En este sentido, la democracia como gobierno del pueblo presupone una extensión de la ciudadanía tan lejos como sea posible, conservando la idea de identidad entre gobernantes y gobernados.

La soberanía limitada

En sus estrictos términos la acuñación del concepto de soberanía es atribuida a Jean Bodin, quien formuló la noción de soberanía de la forma en que actualmente conserva vigencia. Bodin presentó la idea de la soberanía como una solución para el problema de la guerra civil francesa causada por razones religiosas. La idea de soberanía estaba dirigida a fundar la paz en el interior de las fronteras nacionales. La soberanía, contextualizada en sus circunstancias de origen, implicaba que la paz religiosa sólo se podía lograr si el rey tenía la suficiente fuerza para imponer la tolerancia religiosa a todas las partes en disputa. Ella implicaba resolver los conflictos entre particulares o grupos por medio del monopolio de la fuerza en unas solas manos. Ni el partido católico ni el protestante podrían hacer uso de la fuerza sin al mismo tiempo estar realizando una agresión al poder real, esto es, cuestionando su soberanía.

El principio de la soberanía del rey, así presentado, parece fundar un reemplazo del estado feudal, con varios polos de poder, por un nuevo Estado, con un solo polo de poder central. ¿Cómo funcionaba el argumento de Bodin? Partiendo de la base que el poder de los señores dependía del antiguo derecho, el reemplazo del poder de los señores por el poder real requería de un fundamento que fuera más allá de ese derecho consuetudinario medieval; requería un poder que no tuviera que limitarse al derecho, un poder que pudiese violar el derecho. Es así como el principio de la soberanía se identificó como el ejercicio del poder centralizadamente por parte del rey de forma *absoluta y perpetua*. Que el poder del rey fuera perpetuo significaba que no estaba sujeto a un periodo determinado, sino que era ejercido de por vida. Que fuera absoluto, implicaba que el rey estaba exento de la obligación de obedecer las leyes. Por supuesto que el rey no estaba limitado por las leyes, si es que podía cambiar su contenido por el ejercicio de su voluntad legisladora.

Sin embargo, contra la opinión general, en su origen, la soberanía del rey no se presentó como un poder exento de límites, y de esta manera absoluto e ilimitado no aparecen como sinónimos. Bodin comprendía los límites de la soberanía vinculándolos, en primer lugar, al derecho natural y divino; en segundo lugar, a los tratados celebrados con otros estados; finalmente, el rey debía respetar las leyes involucradas en la constitución del gobierno monárquico, esto es, las leyes de la corona. En ese sentido, la soberanía estaba bien limitada; no era un poder sin límites. La característica clave que distinguía a la soberanía era la de no estar limitada por los antiguos derechos feudales, lo que era sensato si se tiene en cuenta que lo que impedía poner fin a la guerra religiosa era, justamente, el derecho; en concreto, los derechos de guerra de cada uno de los partidos en pugna. Lo que interesa destacar es que la soberanía, para Bodin, no confería un poder ilimitado.

En los hechos, la sociedad feudal dio paso, sólo paulatinamente a la incorporación del poder centralizado del rey. En tiempos de la Revolución Francesa todavía pueden verse vestigios importantes del poder aristocrático que era ejercido a costas del poder regio. El principio de la soberanía competía y coexistía con la estructura feudal. Sin embargo, también en los hechos, la teoría de la soberanía tuvo un éxito sin precedentes. Por supuesto que no mediante el ejercicio central e ilimitado del poder por parte del rey, sino mediante la posibilidad del rey de suspender los derechos de los señores a hacer la guerra y así lograr cierta paz religiosa. El éxito de la soberanía como argumento para la pacificación religiosa se debió en gran medida a su capacidad persuasiva. Por supuesto que al final del día la pacificación se logró mediante la política y la guerra. Sin embargo, la teoría de la soberanía envolvió de legitimidad a la imposición forzada de los edictos de tolerancia por parte del rey y encaminó a Francia al proceso centralizador que sería denominado estereotípicamente como monarquía absoluta.

La pérdida de prestigio del concepto de soberanía, por su identificación con la monarquía absoluta francesa llevó, por un lado, a que el liberalismo se autocomprendiera como una reacción frente a la soberanía. Esto es entendible si se tiene en frente un concepto de soberanía que se identifica con el concepto de Estado absoluto: la soberanía como el poder ilimitado de quién no está vinculado por el derecho.

Si bien esta versión de la soberanía no puede encontrarse en la obra de Bodin, puede encontrarse en la obra de otro representante de gran pedigrí de la teoría de la soberanía, que abogaba por la concentración del poder político en unas solas manos en busca del término de la guerra civil religiosa. Sin embargo, para Hobbes, a diferencia de Bodin, la soberanía del rey era un poder absoluto y sin límite, encaminado a contener la caída en el estado de naturaleza, la guerra de todos contra todos.

Hobbes, entonces, consideraba que el poder del Estado debía ser ejercido sin límites, de lo contrario nos encontraríamos ante el fin del Estado y ante el regreso al estado de guerra de todos contra todos. El contrato social de Hobbes, como medio para fundar el Estado, implicaba la renuncia, por parte de cada uno de los individuos que lo suscribían, al ejercicio de medios de violencia. Se confiaban de esta manera al único, central e ilimitado poder estatal que garantizaría, como contrapartida, la seguridad de los individuos tanto frente a sus vecinos como frente a pueblos extranjeros. Los individuos no se reservaban nada; lo entregaban todo por medio del contrato. Si los individuos nada tenían, y el Estado lo tenía todo, no es sorprendente descubrir que el único límite que puede encontrarse en la obra de Hobbes, para el poder del soberano, es el de respetar la vida de sus propios súbditos.

Cuando se contrasta con Bodin, parece claro que los límites que el liberalismo se propone constituir frente al poder arbitrario del Estado tienen ésta última concepción de la soberanía en consideración. En ese sentido, todas las instituciones que el liberalismo idea para la limitación de la arbitrariedad y el abuso del poder del Estado, están pensadas teniendo como objeto de limitación a un Estado que cuenta con un poder ilimitado: el principio de separación de poderes, el establecimiento de los derechos fundamentales, y en general, la fórmula de crear mediante el derecho un sistema de control del poder del Estado.

La atribución de la titularidad de la soberanía al pueblo o a la nación ha suscitado extensos debates en nuestro país, y sigue motivando interpretaciones diversas del significado de soberanía. Ahora bien, la relevancia de la distinción de la soberanía popular y la soberanía nacional puede ser atendida de dos maneras. La primera, es explicar la diferencia entre la lectura atomista de Rousseau y la teoría propuesta en el seno de la asamblea constituyente de 1789, que hace residir la soberanía de manera indivisible en la nación, entendida ésta como una comunidad política anterior y superior al Estado. No parece ser una distinción tan interesante más allá de entender el origen del concepto.

La segunda forma de entender la relevancia de la distinción es negándola. Tanto la soberanía popular como la soberanía nacional hacen referencia hoy en día, a un mismo fenómeno; esto es, a la soberanía de la comunidad política. Ello puede aclararse si se toman en cuenta tanto la confusa utilización de los términos pueblo y nación en la literatura, como el hecho de que las constituciones de los Estados modernos establezcan el principio de la soberanía popular y nacional de manera indistinta, aludiendo a la soberanía de la comunidad política. Ello hace del abandono de la cuestión semántica una medida aconsejable. Por esto, aquí se utilizará la referencia al pueblo en un sentido que intenta abarcar tanto la nación como el pueblo, entendidos como una comunidad política. La pregunta que debe abordarse a continuación es qué es *el pueblo como comunidad política*.

El pueblo es un conjunto de individuos que vive bajo un mismo dominio estatal. Sin embargo, en la historia occidental el concepto de pueblo ha sido difícil de determinar. Puede sostenerse que el pueblo fue la población que habitaba un territorio donde se formó un Estado, por ejemplo, el caso suizo; como también puede sostenerse que pueblo es un grupo con identidad cultural o espiritual bien definida que formó un Estado, como en el caso alemán. Sin embargo, más allá de cómo el pueblo haya constituido su relación con el Estado, puede decirse que el pueblo es el conjunto de individuos vinculados con un Estado: son el pueblo *del* Estado.

El pueblo tiene dos dimensiones. Es, por un lado, la agregación de todos y cada uno de los individuos de una sociedad, lo que constituye, en suma, nada más que un conjunto de individuos. Pero cuando ese conjunto de individuos –el pueblo en sentido agregativo– tiene una *unidad política*, ya no puede hablarse de pueblo sin más, sino que debe hablarse de pueblo como comunidad política.

La decisión del pueblo de conformar una unidad política puede ir acompañada del hecho de formar una unidad espiritual o una unidad cultural. Sin embargo, es perfectamente posible que la unidad política tenga autonomía respecto de otras dimensiones de unidad en la sociedad. Es posible que la decisión de formar una unidad espiritual o cultural no vaya acompañada por la de formar una unidad política (por ejemplo, los catalanes o los andaluces). Esta cuestión es particularmente interesante para elaborar el principio de libre determinación de los pueblos, un principio fundamental de la justicia política. Lo que caracteriza al pueblo como unidad política es el vínculo que se sostiene en la decisión común de vivir juntos y tomar parte tanto en los éxitos y beneficios, como en las responsabilidades y fracasos de la comunidad. En definitiva, decidir participar en la libertad y en la responsabilidad de guiar su destino como comunidad.

La comunidad política como unidad, permite dar cuenta de una *voluntad general* del pueblo, distinta a la voluntad de cada uno de los individuos que lo conforman y distinta también de la mera agregación de dichas voluntades. Sin embargo, la comunidad política no es algo distinto al pueblo, es el pueblo mismo en su *unidad* política. El pueblo no puede actuar como sujeto sino conforme a su unidad. Puede ilustrarse esto mediante una analogía: la orquesta es un conjunto de músicos. Los músicos agregados hacen un conjunto de músicos. Sólo la voluntad de los músicos de permanecer y actuar con unidad hace que pueda predicarse a su respecto que ellos conforman una orquesta.

Si se entiende qué es el pueblo, puede concluirse también qué no es el pueblo. El pueblo, en primer lugar, no son todas las personas que habitan el territorio del Estado. El concepto de pueblo es un concepto constitutivamente excluyente; así, los extranjeros no son parte del pueblo. El pueblo tampoco hace referencia a una clase social, no hace referencia a los más pobres o los desfavorecidos por el sistema económico. El pueblo tampoco son grupos y asociaciones sociales, aunque se apele a ella como un conjunto considerable. Lo que caracteriza a dichas asociaciones es la persecución de intereses propios –ya sean económicos, culturales o políticos– o la identificación por determinadas características. En ese sentido su participación en la vida política se realizará mediante la defensa de intereses y concepciones comunes, pudiendo servir como mediadores entre los individuos y el Estado.

La aclaración anterior parecerá verse reducida por la afirmación que se realizará ahora que, sin embargo, debe considerarse con cuidado. ¿Cómo ejerce el pueblo la soberanía? La actuación del pueblo nunca puede ser llevada a cabo por el pueblo en su totalidad. Siempre será un sector del pueblo o algunos individuos aislados los que llevarán a cabo los actos de soberanía popular como *agentes* del pueblo. Es posible concluir, por tanto, que el pueblo es capaz de crear sus propias formas de acción, y que dichas formas no están de manera necesaria establecidas institucionalmente. En palabras de Sieyès, "[d]e cualquier manera que una nación quiera, basta que quiera; todas las formas son buenas, y su voluntad es siempre la ley suprema".[19]

La atribución de la actuación del pueblo siempre es determinada como una *interpretación retrospectiva*. Se interpreta la actuación de determinados agentes como actuación del pueblo; de las masas obreras y campesinas contra el Zar y del Tercer Estado contra Versalles, ejemplos quizás los menos conflictivos. La atribución de la actuación del pueblo a un golpe de estado militar latinoamericano se aleja de los ejemplos históricos paradigmáticos y dependerá tanto de la interpretación que cada quien suscriba de lo que ocurría en tal país antes del golpe como de lo que aconteció después. Sólo después de la vuelta a la normalidad, es posible juzgar si ese golpe de estado fue un acto de soberanía popular o no lo fue y si, por el contrario, fue un acto de usurpación de la soberanía por parte de una facción o de un individuo o grupo de individuos que perseguía intereses particulares. Ello dependerá fundamentalmente si a aquellos les "es posible presentarse con éxito como representante del pueblo político y, con ello, obtener reconocimiento".[20]

La doctrina de la soberanía popular no se preocupa de manera especial de la elaboración del concepto de soberanía. Sí se preocupa de trasmutar el titular de la soberanía, del rey al pueblo. Se puede sostener que la afirmación principal del principio de la soberanía popular es que la soberanía le pertenece al pueblo. El pueblo en su unidad, como comunidad política, es el titular de la soberanía.

---

19   ¿Qué es el Tercer Estado?: 146-147.

20   Estudios sobre el Estado de Derecho y la democracia: 165.

Esto tiene evidentes implicancias respecto de la relación entre el concepto de *soberanía* y el de *poder constituyente*. En la medida que la soberanía pertenece a la comunidad política, la comunidad política no está sometida más que a su propia decisión a la hora de gobernarse. El pueblo es quien tiene la decisión última y esa decisión dependerá, claro, de un juicio político del pueblo. Ese será un juicio que no está sometido al derecho ni a la Constitución, de la cual el pueblo es autor. Es en ese especial sentido que el pueblo tiene la soberanía. El pueblo es libre de toda dominación a la hora de decidir, en última instancia, sobre toda la realidad estatal. El ejercicio de dicha libertad pertenece, en definitiva, a una comunidad política que decide fijar su propio destino.

De esta manera, la principal innovación de la soberanía popular en relación al concepto mismo de soberanía es la afirmación de que se le reconoce al pueblo una facultad de disposición plena sobre la ordenación y la configuración de las cuestiones políticas y sociales dentro del Estado.

Dado que el destino de la comunidad política no puede perseguirse por otros medios que no sean la formación de un Estado, la titularidad de la soberanía como poder de decisión del pueblo trae como consecuencia necesaria un poder de disposición respecto de la Constitución estatal. Esa disposición requiere la manifestación de la soberanía como un poder de excepción, en el que el orden estatal sea suspendido. En la medida que el estado de excepción no puede prolongarse por siempre, el pueblo soberano tiene siempre la posibilidad de alterar o mantener el orden estatal previo.

Sin embargo, en la medida que la soberanía reside en alguien distinto a quien ordinariamente ejerce el poder del Estado, es necesario incorporar un nuevo atributo a la soberanía. No ya un atributo negativo, como es el poder de excepción, sino un atributo positivo, que no estaba presente en las concepciones de Hobbes y Bodin. Un poder de crear un nuevo orden estatal y de determinar la forma en que va a ser ejercido el poder del Estado. Es así como el principio de soberanía del pueblo implica necesariamente el poder constituyente del pueblo.

Recapitulemos. Se ha intentado posicionar las ideas de Bodin, Hobbes, Schmitt y Sieyès en torno a la soberanía en un relato que pretende integrar dos aspectos: concepto y titularidad de la soberanía. Estos dos aspectos, pretenden abordan dos dimensiones en las que el discurso de la soberanía se desenvuelve: el de la filosofía política y el de la teoría constitucional.

En el nivel de lo teórico, el concepto de soberanía es un concepto confuso y está lejos de ser unívoco. Se intentó presentar dos versiones. En Hobbes, se introdujo para presentar una justificación monolítica del ejercicio del poder político por parte del Estado, en particular, atribuyendo al monarca dicho ejercicio, fundado en el consentimiento de los súbditos ante la promesa de orden, paz y seguridad. En Hobbes, la soberanía es la conclusión de un método de justificación del poder del Estado. La soberanía es, por tanto, idéntica al poder del monarca, que es idéntico al poder del Estado. A esa versión se denominó soberanía comandante. Distinto es el caso de Bodin. La soberanía se erige como una de las fuentes del poder estatal, que sin embargo coexiste con otras fuentes dentro del contexto de un orden con múltiples polos de poder. Si bien Bodin buscaba encontrar un argumento para afirmar el poder absoluto del rey, lo sometía a límites. En la lectura de Schmitt de cómo la soberanía funcionó permite una reinterpretación que hace coincidir la teoría de la soberanía en Bodin con la afirmación de que la soberanía es el poder de decidir sobre la excepción.

Sieyès, por otro lado, comprende nuevamente la soberanía, en cuanto conclusión de la tesis contractualista, como una justificación monolítica del poder del Estado. La diferencia fundamental con Hobbes, radica en que el titular de la soberanía es el pueblo y no el monarca. Ello tiene como consecuencia, un cambio necesario en el concepto de soberanía que es clave, y que acerca su propuesta a las ideas de Bodin y de Schmitt: la soberanía no se ejerce ordinariamente y no es idéntica al poder del Estado. Por el contrario, se ejerce extraordinariamente y lo que se hace es conceder al poder del Estado, que está en manos de los representantes de la nación, su base y justificación. Ello en la medida que su titular ya no es el órgano estatal supremo, sino que es el pueblo, anterior y superior al propio Estado.

Así, puede intentar determinarse qué es lo que distingue la concepción de soberanía como poder para gobernar arbitrariamente el Estado, una *soberanía comandante*, como en Hobbes, de la soberanía como poder de excepción y como base de la legitimación del orden estatal y potencial constitución de un nuevo ordenamiento, la *soberanía constituyente*, como en Sieyès y Schmitt. Mientras que para el primero el énfasis está puesto en el momento de la coerción, para el segundo está puesto en la creación; mientras para el primero el ejercicio se basa en el modelo de gobernar, para el segundo se presenta como una actividad legislativa; mientras el poder de uno se ejerce desde arriba, en el otro el poder se ejerce por el pueblo, por la nación o por la comunidad.

Puede observarse, entonces, que la soberanía en el *nivel de la filosofía política*, más que identificarse por su concepto, se identifica por la determinación de su titular. La atribución de la soberanía al monarca o al pueblo, dependerá, en definitivas cuentas, de la concepción de la libertad del hombre en relación al Estado que se considera necesaria. Para unos, la libertad se ve subordinada a la seguridad y requiere sólo manifestarse en el acto de consentimiento original. Para otros, los demócratas, la libertad positiva del pueblo para autodeterminarse requiere mucho más. En definitiva, puede observarse que la titularidad de la soberanía es una tesis de justicia política.

El concepto de soberanía estatal es estéril para explicar el fenómeno del poder constituyente, que es el principal atributo de la soberanía popular. Sin embargo, el concepto de soberanía del Estado ha permitido afirmar la noción de Estado como sujeto de derecho internacional. Se habla, en ese entendido, de la dimensión externa de la soberanía. La soberanía externa consiste en un principio de las relaciones entre los Estados; principio que afirma la independencia del Estado respecto de otros Estados y el deber de no injerencia de dichas potencias extranjeras en las cuestiones estatales internas, ambas ideas basadas en la igualdad existente entre los estados.

Tras haber estudiado el contexto de origen del concepto de soberanía y sus implicancias filosóficas, realizaremos ahora un examen de los usos que de dicho concepto hace nuestro texto constitucional. La palabra soberanía es usada en dos lugares diversos dentro de la Constitución Política con dos sentidos distintos. Ella es usada en el artículo 5°, que analizaremos a continuación; pero también es usada en el artículo 22, inciso 2°, en los siguientes términos:

Los chilenos tienen el deber fundamental de honrar a la patria, de defender su soberanía y de contribuir a preservar la seguridad nacional y los valores esenciales de la tradición chilena.

Cabe señalar que la expresión soberanía en este inciso es usada como soberanía externa del Estado, en términos del derecho internacional. Basta constatar que el uso en uno y otro caso, artículo 5 y artículo 22, hacen referencia a cuestiones distintas.

Existe una continuidad en la regulación constitucional de la soberanía, entre las constituciones de 1833, 1925 y 1980. Los antecedentes de la norma vigente se remontan a la Constitución de 1833. Ésta señalaba en su artículo 4º:

La soberanía reside esencialmente en la Nación, que delega su ejercicio en las autoridades que establece esta Constitución.

Por su parte, la Constitución de 1925, en su artículos 2º y 3º, contenía un agregado a lo que hoy establece el artículo 5º:

Artículo 2.- La soberanía reside esencialmente en la Nación, la cual delega su ejercicio en las autoridades que esta Constitución establece.

Artículo 3.- Ninguna persona o reunión de personas pueden tomar el título o representación del pueblo, arrogarse sus derechos, ni hacer peticiones en su nombre. La infracción de este artículo es sedición.

Hoy en día, el artículo 5º de la Constitución Política establece a su vez lo siguiente:

La soberanía reside esencialmente en la Nación. Su ejercicio se realiza por el pueblo a través del plebiscito y de elecciones periódicas y, también, por las autoridades que esta Constitución establece. Ningún sector del pueblo ni individuo alguno puede atribuirse su ejercicio.

El ejercicio de la soberanía reconoce como limitación el respeto a los derechos esenciales que emanan de la naturaleza humana. Es deber de los órganos del Estado respetar y promover tales derechos, garantizados por esta Constitución, así como por los tratados internacionales ratificados por Chile y que se encuentren vigentes.

De la lectura de este artículo pueden identificarse los siguientes elementos de importancia para su análisis: (i) sentido normativo de la disposición; (ii) determinación del titular de la soberanía; (iii) significado de la expresión "ejercicio" de la soberanía; (iv) límites de la soberanía. La interpretación que se llevará a cabo contrastará con la que, siguiendo a la Comisión de Estudios de la Nueva Constitución, la mayoría de la doctrina nacional ha presentado.

En cuanto al sentido normativo de la disposición, la doctrina, si bien concurre a afirmar que se consagra un modelo de soberanía nacional en desmedro del modelo de la soberanía popular, luego no tiene problemas en conceder que la soberanía es sinónimo de poder estatal. Ello lleva a reducir el sentido normativo de la disposición a un sinsentido: si la soberanía es sinónimo de poder estatal, el pueblo o la nación no pueden ser ni su titular ni quien la ejerce. El poder del Estado corresponde, como parecerá obvio, a los órganos del Estado. Parece haber un desajuste entre la explicación teórica y el reconocimiento constitucional de la soberanía nacional, incluso en los términos que la Constitución Política lo hace.

En cuanto al titular de la soberanía, la doctrina nacional se embarca en un análisis (no demasiado fértil en este caso) de las disputas y diferencias entre la teoría de la soberanía nacional y la teoría de la soberanía popular. En cuanto al ejercicio de la soberanía, la doctrina nacional considera que las formas de su ejercicio quedan establecidas por la Constitución Política. Finalmente, en cuanto a los límites, la doctrina nacional presenta variadas explicaciones en relación a la fundamentación de los derechos humanos que arrancan o de la naturaleza humana o de la dignidad de la persona o del derecho natural, pero no se preocupa por elaborar una respuesta a la cuestión de cómo o por qué tales derechos limitan a la soberanía.

Ante la falta de desarrollo del sentido normativo que la disposición del artículo 5° tiene y la desconexión del análisis que por parte de la doctrina nacional recibe la teoría de la soberanía y el poder constituyente, no puede presentarse una elaboración dogmática–teórica de dicha disposición como un ejercicio de revisión y diálogo de la doctrina constitucional actual. El trabajo de análisis de la disposición del artículo 5 inciso 1° que se realiza a continuación y su puesta en relación con la teoría expuesta más arriba carece, en este entendido, de un horizonte de referencia interpretativo y se presenta, entonces, como un ejercicio preliminar y crítico.

Si puede descartarse el argumento que asimila la soberanía popular a la soberanía estatal, se llega a la encrucijada de tener que determinar cuál es el rol que cumple la consagración constitucional de la soberanía popular.

Existen dos elementos que hay que tomar en cuenta para esta tarea. En primer lugar, si el reconocimiento de la soberanía del pueblo implica el reconocimiento de la disponibilidad del orden estatal para el poder constituyente del pueblo, existen buenas razones para pensar que la Constitución no quiere hacerse consciente de su propia *precariedad*. Sin embargo, parece ineludible concluir también, que el artículo 5° de la Constitución Política sugiere cuál es el fundamento del orden estatal. Para abordar este problema, sin caer en el sinsentido de asimilar soberanía popular y soberanía estatal, se debe intentar conciliar o soslayar los problemas de compatibilidad de estos dos elementos.

Al incorporar el artículo 5°, la Constitución reconoce, sin lugar a dudas, que el poder del Estado proviene, en última instancia, del pueblo. Esa es la base de cualquier explicación subsiguiente. Sin embargo, no es claro que la Constitución quiera reconocer la forma en que dicho poder se imputa al pueblo, dado que se expone a la crítica de la *precariedad*. Esto ocurre si es que afirmar que la soberanía se sitúa en el pueblo implica a su vez: (i) la idea de que el fundamento y validez de la Constitución está en la voluntad del pueblo de mantener la Constitución; y (ii) la idea de que la soberanía implica reconocer la existencia en permanente latencia del poder constituyente del pueblo y, de esta manera, reconoce implícitamente que el pueblo legítimamente puede volver a actuar soberanamente, suspender la Constitución y ejercer el poder constituyente.

Existen dos estrategias, no contradictorias, que soslayan la precariedad. La primera, busca sostener que la soberanía del pueblo no tiene lugar dentro del orden jurídico vigente, pese a constituir necesariamente su origen. La soberanía se extingue mediante el establecimiento de la Constitución. El reconocimiento de la soberanía popular en la Constitución es una referencia al origen en que la Constitución fundamenta su validez, pero no una reflexión sobre la precariedad de la Constitución. Luego, la Constitución no reconoce poder constituyente alguno, sino que hace una referencia a un poder que se extinguió en el momento mismo de su ejercicio.

El problema de esa concepción es que ella no comprende que la soberanía justamente es tal porque no puede ser silenciada; correlativamente, sólo si es posible que el derecho no esté vigente es que puede afirmarse que el derecho está vigente. Sin embargo, este planteamiento, que es problemático en el plano de la teoría, puede no serlo en el plano de la dogmática constitucional, especialmente considerando la prevención de que el derecho no puede contemplar las circunstancias de su suspensión, sin erosionar su significado de tal manera que haga imposible su comprensión como derecho. Es por eso que en el nivel de la dogmática, lo máximo que puede hacer la Constitución es imputar su origen a una decisión del pueblo.

La segunda afirmación reconoce en la disposición en discusión un principio de justicia política que considera la igualdad de los ciudadanos de cara al fenómeno de la justificación del Estado: la soberanía no recae en cada uno de los miembros del pueblo sino en todos ellos en su conjunto. La atribución de la soberanía al pueblo va dirigida el rechazo de la posibilidad de que otro sujeto ejerza o se pueda atribuir la soberanía y, por ende, es un resguardo para la Constitución frente a intentos de una usurpación. Como se ha sostenido:

El ejercicio de la autoridad… no puede ser realizado sino como "emanación" de la soberanía del pueblo, atribuido, pues, por éste y como "agente" o comisionado del mismo, sin que la soberanía como tal pueda pasar a ningún individuo, a ningún estamento o corporación. Con esta salvedad se está excluyendo de modo expreso la posibilidad de apropiación histórica, personal o estamental, del poder, que era lo que el Antiguo Régimen ofrecía a través de instituciones como la monarquía.[21]

Esta interpretación se ve apoyada en el argumento de que la Constitución consagra un procedimiento para su propia modificación mediante la introducción de una potestad constituida de reforma constitucional, proveyéndola de las competencias materiales con las que cuenta el poder constituyente, pero exigiendo un procedimiento adecuado al orden constitucional.

En el inciso 1° del artículo 5° existen dos referencias distintas a la nación y al pueblo. Ellas deben ser entendidas de la siguiente manera. La referencia a la nación está hecha a la comunidad política titular de la soberanía. En este caso, el uso de la expresión nación es equivalente a, e intercambiable con, la expresión pueblo, si se usa esta última como sinónimo de comunidad política. Si lo entendemos así, no hay problemas para encontrar reconocida la titularidad de la soberanía y del poder constituyente en el pueblo. Es más, el uso del vocablo 'nación', de evidentes tintes sieyesianos, para identificar al sujeto esencialmente titular de la soberanía, y su contraste con el vocablo 'pueblo', empleado aquí sinónimo de electorado (el pueblo ejerce la soberanía a través del plebiscito y las elecciones), permite establecer conceptualmente el contraste entre el pueblo como poder constituyente y el pueblo como potestad constituida. Si la nación –el pueblo en cuanto poder constituyente– detenta esencialmente la soberanía es porque la reglamentación vigente de potestades y competencias no le priva de tal atributo, el que puede reclamar en cualquier momento para sí incluso *contra legem*.

Desde un punto de vista histórico, pueden encontrarse dos antecedentes que determinaron la adopción de la palabra nación. El primero es el de la tradición de las Constituciones anteriores de usar esa palabra. Como se puede observar de la comparación entre las disposiciones de las Constituciones anteriores, de 1833 y de 1925, la fórmula de soberanía nacional no es nueva: proviene de la tradición constitucional chilena del siglo XIX. El segundo es la explicación que puede encontrarse en la discusión de la Comisión de Estudios de la Nueva Constitución. En ella,

---

21   La lengua de los derechos. La formación del Derecho público europeo tras la Revolución francesa: 103.

la discusión terminológica giró en torno a las precauciones de Guzmán Errázurriz sobre las inconveniencias del concepto de soberanía popular, por la identificación terminológica del pueblo con el proletariado, sujeto social que en ese momento estaba postrado debido a la persecución que la Junta Militar hacía de su vanguardia organizada sindical y políticamente.

En la segunda parte del inciso 1º se hace referencia a que la soberanía es ejercida por el pueblo. Esta referencia podría presentar problemas sistemáticos para la interpretación de la nación como pueblo. Sin embargo, cuando se entiende que la expresión pueblo es susceptible de dos lecturas dentro de la Constitución, esa potencial objeción se diluye. El pueblo, como se señalara más arriba, es al mismo tiempo la comunidad política y el conjunto de individuos que la componen considerados separadamente. Es a estos últimos, considerados como conjunto de ciudadanos que participan en el gobierno del Estado, que esta disposición hace referencia. El pueblo considerado de esta forma, recibe de la constitución la atribución de participar en el gobierno estatal en conjunto con los órganos por ella establecidos. En este sentido, el pueblo se presenta como un poder constituido por la Constitución Política.

Es quizás la expresión "esencialmente" la que contribuye de una manera más fuerte a afianzar la interpretación del artículo 5º. Que algo pertenece esencialmente a la nación, significa que aquello no puede perderse. Inclusive ante el intento de arrebatarlo o llevar a cabo una suplantación, la soberanía no pertenecerá a otro que a la comunidad política.

Sin embargo, esto parece reafirmar la idea de que el pueblo conserva la soberanía y en cualquier momento puede decidir suspender el derecho y ejercer el poder constituyente. El establecimiento del poder constituido no sería, por tanto, una cosa que implique el desasimiento del poder soberano o su traspaso a manos del Estado. La soberanía continúa en manos del pueblo y lo que se encuentra en manos de lo constituido (del pueblo en sentido agregativo y de los órganos que la Constitución establece) es otra cosa.

La Constitución Política señala que el ejercicio de la soberanía se realiza por el pueblo y por las autoridades constitucionales. Esta disposición parece presentar el desafío interpretativo más importante para la interpretación que pretende encontrar una reflexividad de la Constitución frente a la teoría de la soberanía popular y del poder constituyente del pueblo. ¿Cómo es posible que la soberanía, considerada como el poder de decidir sobre el estado de excepción, y el poder constituyente, comprendido como el poder de establecer, mantener y cancelar una constitución, puedan ser ejercidos por los poderes constituidos?

Si hay que tomarse en serio la primera parte del inciso 1º, no puede leerse literalmente la segunda parte del mismo inciso. El poder constituyente no puede ser el poder constituido. Sobre esa base se erige la teoría misma del poder constituyente y se justifica, según la primera parte del inciso, la validez de la Constitución misma y con la de ella, la de todo el orden jurídico.

Que la Constitución disponga que la soberanía se ejerce por el pueblo y por los otros órganos estatales tiene que significar, entonces, que el poder político del Estado, es decir, lo que es objeto de creación por parte del poder constituyente no es, en el Estado constitucional, ejercido directamente por la comunidad política, sino por los poderes constituidos. Sin embargo, como se señaló, que el poder del Estado no sea ejercido sólo por los órganos estatales sino también por el pueblo como poder constituido tiene un significado especial.

La Constitución Política ha reservado un lugar privilegiado para la posición del pueblo. Ello tiene su base en que, si bien el pueblo como comunidad política y el pueblo como poder constituido (como electorado y ciudadanía) no son lo mismo (y gran parte del argumento aquí planteado se basa en ello), tampoco son del todo separables. En la medida que el concepto del pueblo como comunidad política tiene base en la existencia real del pueblo, y allí se basa su fuerza política, la decisión de considerar al pueblo como quien ejerce el poder estatal dice relación con la decisión constitucional de consolidar un Estado democrático. Puede entenderse que las formas en que el pueblo participa del gobierno (elecciones y plebiscitos), al ser atribuidas al mismo titular de la soberanía, son una decisión constitucional a favor de conservar un rol preponderante en el gobierno del Estado.

La parte final del inciso 1° del artículo 5° establece: "Ningún sector del pueblo ni individuo alguno puede atribuirse su ejercicio". ¿Cuál es su significado y cómo se relaciona con la interpretación del inciso hasta ahora realizada? Esta disposición es objeto de dos hipótesis interpretativas.

La primera hipótesis, que cae en el problema de la *precariedad* constitucional ante la soberanía, considera que la prohibición se dirige a proteger la soberanía de la nación. Si se entiende de esa manera, la Constitución estaría considerando, como criterio de legitimidad, el ejercicio de la soberanía por el pueblo como unidad política. Pero como es sabido que el pueblo no puede actuar inmediatamente, sino sólo a través de agentes, el sentido de la disposición se presenta como el criterio de reconocimiento de la actuación del pueblo: sólo allí donde la comunidad política entiende su actuar como un actuar propio, puede encontrarse el ejercicio de la soberanía. Sin embargo, al mismo tiempo que se establece como criterio de reconocimiento, incorpora un reproche a quienes atenten contra el orden estatal.

Esto puede explicarse, en la medida que se entiende que los actos de ejercicio de la soberanía son hechos brutos y no actos institucionales, y que es la lectura que la comunidad política hace de ellos, la que le atribuye un sentido institucional fundacional. En ese entendido, los actos que son juzgados por la prohibición de ejercicio de la soberanía pueden ser calificados como traición o usurpación o pueden ser calificados de actos fundacionales o soberanos. El criterio que la propia Constitución establece, para dicho juicio, es el de que dicha actuación la ejecute el pueblo como una unidad. Así, la Constitución Política se hace reflexiva ante la contingencia de la política constitucional y establece algo como una regla de reconocimiento del ejercicio del poder constituyente del pueblo.

La segunda hipótesis, que rehúye la reflexividad, considera que la prohibición se dirige a proteger al ejercicio del poder constituido por los órganos del Estado y la ciudadanía. Así, la prohibición se dirige a expresar que todos los miembros del pueblo están sometidos a la constitución y no pueden ejercer otras atribuciones más allá de la que la misma constitución les atribuye. Si bien esta lectura es más acorde con el tenor literal de la disposición, entenderla como una simple prohibición, implica considerar que esta disposición tiene un contenido normativo idéntico a la disposición del artículo 7 inciso 2°, que establece:

> Ninguna magistratura, ninguna persona ni grupo de personas pueden atribuirse, ni aun a pretexto de circunstancias extraordinarias, otra autoridad o derechos que los que expresamente se les hayan conferido en virtud de la Constitución o las leyes.

A la luz de estas consideraciones, ¿cómo entender la afirmación constitucional sobre el carácter limitado de la soberanía? El problema de los límites de la soberanía, si bien no ha sido abordado expresamente hasta ahora, ha estado rondando la argumentación de todo este trabajo. La regulación que el artículo 5 inciso 2° hace de esta cuestión, es compleja, y sobre ella ha recaído la mayoría del trabajo doctrinal y jurisprudencial que ha tratado la regulación constitucional de la soberanía. Es por esto que se soslayará el tratamiento detallado del tal disposición y se enfrentará sólo la cuestión de si la soberanía puede ser limitada y dependiendo de la respuesta que se dé a esa pregunta inicial, qué es lo que significa el encabezado del inciso 2° del artículo 5°.

La pregunta sobre si la soberanía puede ser limitada es, como hemos visto, la pregunta con que la tradición de la doctrina de la soberanía se inauguró. La afirmación de la limitación de la soberanía es quizás la cuestión más paradójica de la doctrina de la soberanía del monarca. El monarca afirmaba su poder sin un límite en los antiguos derechos. Pero Bodin y los demás teóricos de la soberanía se esforzaron en encontrar un límite a la soberanía del monarca y lo encontraron principalmente en el derecho natural de orientación racionalista. El reemplazo del derecho natural por el discurso político de los derechos humanos ha llevado a que la natural reflexión para el reemplazo de la limitación de la soberanía pueda encontrarse en aquellos, considerando que se establece una relación de continuidad entre la doctrina de la soberanía del monarca y la soberanía popular.

¿Pueden los derechos humanos erigirse como un límite a la soberanía? Si el argumento de este artículo ha sido bien comprendido, la respuesta evidente debería ser no. Los derechos humanos no pueden ser un límite, porque la soberanía no está ni puede estar limitada. Una comunidad política que se quiere dar una Constitución que no esté vinculada por los derechos humanos que emanan de la naturaleza humana, es libre políticamente para hacerlo.

Pero la tesis de la vinculación (de la soberanía por los derechos humanos) se enfrenta a dificultades adicionales. La siguiente pregunta, analíticamente anterior a la primera es ¿pueden los derechos humanos limitar algo? Si entendemos que los derechos humanos son los derechos que tienen los seres humanos sólo por el hecho de serlos, no existe criterio de reconocimiento alguno para tales derechos.

Tanto en el orden jurídico nacional como en el internacional, la positivización y el reemplazo de los derechos humanos por los derechos fundamentales y los derechos de los tratados internacionales tienen que ser considerados, desde el punto de vista de la limitación efectiva del poder del Estado, como necesarios. Así, la disposición original del inciso 2° del artículo 5° incorporó una referencia a las normas constitucionales e internacionales que consagrarían tales derechos.

En este entendido, ¿qué significa que la soberanía esté limitada por los derechos que emanan de la naturaleza humana? La respuesta pasa, sin duda, por el alto valor que el discurso del liberalismo ha instalado en la limitación del poder del Estado. La comunidad se comprende efectivamente como una comunidad con derechos y, en ese sentido, la identidad de la comunidad política expresa la decisión constitucional de establecer un límite. ¿Puede ese límite afectar la libertad de la comunidad de revocar esa decisión? La respuesta a esa pregunta es quizás el objeto de la disputa central del derecho constitucional.

¿Cuál es el sentido que le corresponde por tanto al inciso segundo? La interpretación que proponemos aquí es la de entender que el inciso 2° del artículo 5° consagra el *principio de distribución* entre el ámbito de la vida social que está disponible para ser afectado por actos y normas estatales y aquel ámbito de la vida social que debe estar inmune a dichas intervenciones según la decisión del poder constituyente. Esto es, la consagración del principio del Estado de Derecho.

Los componentes institucionales del orden político constitucional

El principio de la decisión de la mayoría está conectado de manera estrecha con la igualdad y la libertad política y se deduce de ellas. En ese sentido, no se trata de un último recurso ante la imposibilidad del consenso o de la unanimidad. Si se requiere para la toma de las decisiones en la democracia que todos los ciudadanos sean tomados como iguales en su libertad política, la democracia exige que sea la mayoría quién decida. En la democracia la minoría no tiene el derecho de decidir, porque al hacerlo no se respetaría la igualdad política de los ciudadanos. Si se exige más que la mayoría, se está considerando que la decisión de la minoría tienen más valor. Si se exige menos que la mayoría, se está considerando que la decisión de la mayoría tienen menos valor.

En la base de este principio, además de las consideraciones de igualdad política, está la consideración pluralista de que todas las opiniones políticas cuentan por igual. Esta última, tiene una especial relevancia cuando se aplica tanto a las opiniones que requieren el cambio como a las que defienden el *status quo*. Los quórum reforzados no se presentan, bajo este punto de vista, como más democráticos, sino como una decisión constitucional a favor del *status quo*.

La necesidad de una primacía del *status quo* sobre la innovación sólo se justifica en la necesidad de para cautelar la integridad del orden jurídico, mediante el establecimiento del principio de la decisión por mayoría por sobre el principio de equivalencia de las opciones:

> En efecto, cuando se vota un proyecto de ley, esto es, acerca de la innovación del ordenamiento, el principio de equivalencia requeriría que tanto el proyecto como la oposición al mismo necesitasen la misma mayoría para triunfar, lo que supondría que ambos se sometiesen a votación y que para ambos se exigiese la mayoría de los votos emitidos. Sin embargo no ocurre así sino que, derrotado el proyecto por no haber obtenido la mitad más uno de los votos, sino por ejemplo, sólo la mitad, no es preciso votar por la continuidad de la norma , que se produce por el simple hecho

de no haber prosperado la opción reformadora.[22]

La justificación de las mayorías cualificadas, como limitación al principio democrático de la decisión de la mayoría, aparece como antidemocrática. En este sentido, la idea de que la democracia debe basarse en un consenso constante sobre los asuntos políticos es contradictoria con la idea que en la democracia las decisiones son tomadas por la mayoría. La igualdad de los ciudadanos que conforman la mayoría los provee de un derecho a poder decidir, por sobre la decisión del mantenimiento del *status quo* de la minoría. Así, el principio del consenso, que tiene una justificación allí donde presupone la participación y cooperación de todos los ciudadanos, no puede constituirse en un principio de decisión democrático.

Los límites a la decisión de la mayoría son puestos de manera externa por el principio del Estado de Derecho, y se encuentran justificados allí cuando tienen como finalidad proteger a minorías susceptibles de ser abusadas o para proteger al sistema democrático mismo. En este último sentido, queda vedado a la mayoría alterar las reglas exigidas por la libertad y la igualdad política, que exigen cierta configuración institucional: del derecho electoral, de la regulación de los partidos políticos y de la garantía de los derechos fundamentales de participación política. En palabras de Böckenförde,

> no cabe de que la actual mayoría se imponga a sí misma como un todo, y de que, haciendo uso de las ventajas que la posesión legal del poder le atribuye, cierra tras de sí la puerta abierta a través de la que ella misma entró.[23]

En la medida que el principio de la democracia exige que el poder del Estado derive del pueblo de modo concreto; el ejercicio de las competencias estatales exige que exista "una cadena ininterrumpida de legitimación democrática" que permite retrotraer la decisión del Estado al pueblo mismo. Ello no dice relación solamente con la instalación del órgano estatal que actúa, sino también con el ejercicio de la competencia

---

22   Derecho Constitucional. Sistema de Fuentes: 60.

23   Estudios sobre el Estado de Derecho y la democracia: 95.

por parte de dicho órgano.

El ámbito de legitimación se extiende a toda la esfera de los asuntos estatales, no limitándose a aquellos asuntos donde el Estado actúa en relaciones de autoridad, sino a todas las actividades que el Estado ejerce de hecho. Por ejemplo, cuando el Estado actúa como un particular, comprando un bien en el comercio, su actividad debe ser objeto de legitimación democrática, de la misma manera que es objeto de legitimación la dictación de una ley. El objeto concreto de legitimación es el ejercicio de toda la actividad del Estado.

Para lograr la finalidad de la legitimación puede recurrirse a diversos modos o formas de legitimación. Dichas formas de legitimación pueden operar simultáneamente o por separado. Sin embargo, si bien pueden concurrir en diversa magnitud, no puede faltar totalmente ninguna de ellas, pues se dirigen a legitimar cuestiones distintas.

La legitimación democrática funcional e institucional apela a la organización institucional que el poder constituyente ha realizado mediante la configuración de los órganos del Estado. En el ejercicio de dicho poder, el pueblo le ha atribuido funciones a dichos órganos, lo que les confiere una autonomía respecto de los demás órganos en relación al ejercicio del poder del Estado.

Esta es una forma de legitimación abstracta, pues sólo se refiere al órgano del Estado en cuestión y a su competencia *in abstracto*. Para la legitimación de la configuración personal del órgano y el ejercicio *concreto* de la competencia se requiere la concurrencia de otras formas de legitimación concreta, que aparecerán como complementarias.

La legitimación concreta es fundamental en la medida que impide la autonomización del ejercicio del poder respecto del pueblo. Así, el argumento de que la actuación de un órgano estatal está legitimada en la medida que dicho órgano está establecido constitucionalmente, no es suficiente desde el punto de vista democrático. Se requiere que la actuación de dicho órgano responda a una legitimación democrática concreta.

La legitimación democrática orgánico-personal consiste en que en la generación concreta de los titulares de los órganos del Estado, debe existir una cadena de legitimación que se retrotraiga hasta el pueblo. Ello implica que la designación de los titulares de dichos cargos debe ser hecha por el pueblo (inmediata) o por otros órganos elegidos por él (mediata). La diferencia entre la designación inmediata o la mediata será la mayor o menor dignidad democrática del órgano y la necesidad de concurrencia de otras formas de legitimación en mayor medida. Lo decisivo, señala Böckenforde,

> es que la cadena de legitimación no se vea interrumpida por la intervención de un órgano o de un cargo no legitimado democráticamente o no legitimado así de forma suficiente.[24]

Esta forma de legitimación apunta a legitimar el acceso del titular al órgano, pero no garantiza, de manera alguna, que una vez instalado, dicho titular ejerza las competencias con que cuenta de espaldas a la voluntad del pueblo que, directa o indirectamente, lo colocó en ese lugar. Para ese caso se requiere de una legitimidad material.

La legitimación democrática material o de contenido consiste en asegurarse de que, en lo que se refiere al contenido de los actos del Estado, el ejercicio del poder del Estado pueda entenderse como una decisión del pueblo o, por lo menos, se concilie con la voluntad del pueblo. Esta forma de legitimación es, nuevamente, una garantía para que los titulares de los órganos del Estado, una vez instalados y satisfecha la legitimación orgánico-personal, no puedan actuar con autonomía respecto de la voluntad del pueblo.

Esta legitimación se produce por dos vías:

(i) mediante el mandato de vinculación a la ley, que asume la dignidad de la expresión del pueblo, en la medida que emana del órgano de mayor representatividad democrática que es el parlamento; y

(ii) mediante la responsabilidad de las autoridades, ejercida a través del control correspondiente y "adecuado para el tipo de tareas asumidas". Esta responsabilidad se hace valer directamente por el pueblo por medio de las elecciones periódicas, para aquellas autoridades que cuenten

---

24   Estudios sobre el Estado de Derecho y la democracia: 58.

con legitimación personal inmediata y de esa manera se confunden formalmente con la legitimación orgánico-personal. Para las autoridades sin legitimación personal inmediata las responsabilidades se ejercerán mediante los derechos de control y destitución que tienen los representantes del pueblo.

Estas dos vías de legitimación material se correlacionan y equilibran. Allí donde los mecanismos de responsabilidad son muy tenues o inexistentes se requerirá una vinculación a la ley estricta. Ese es típicamente el caso de la función jurisdiccional, en el cual es patente la ausencia de control y las posibilidades de destitución son marginales. Por otro lado, en el caso del ejercicio de las atribuciones que no tienen la posibilidad de una vinculación a la ley, la legitimidad material se realizará mediante posibilidad de dirigir sus acciones mediante instrucciones de órganos legitimados y de hacer valer, en su caso, responsabilidades. Éste es el caso en el que se encuentra, típicamente, la administración del Estado en el ejercicio de su función política o su función legislativa; bajo la supervigilancia jerárquica, dirigiendo su acción por instrucciones y sujeto a la responsabilidad política en el caso de los funcionarios de confianza.

La comunidad política como agrupación de los ciudadanos

El concepto de comunidad política hace referencia al pueblo como asociación de individuos que desea vivir juntos bajo un mismo Estado. Tal concepto es particularmente expresivo del momento de la conformación del pueblo. La idea de *comunidad* hace referencia a tener algo común, especialmente a la experiencia de dejar de lado la individualidad para pasar a formar parte de algo mayor en el cual cada individuo sólo es una parte. La calificación de *política* hace referencia a que tal comunidad se configura para llevar a cabo un proyecto de vida en común, compartido entre muchos, en el que la actividad más relevante de dicha comunidad será la determinación del cómo vivir juntos.

Este punto de referencia es fundamental a efectos de comprender el rol de la comunidad política y de la ciudadanía como presupuestos reales y teóricos del orden constitucional. Sin embargo, el discurso constitucional contemporáneo ha tendido a prescindir de dichos puntos de partida.

Existe una tendencia contemporánea a considerar que los problemas a los que se enfrenta el derecho constitucional son de dos tipos. Por un lado, problemas de organización, los que requieren un manejo de herramientas que apuntan a la eficacia y la eficiencia de la actividad del Estado. Las herramientas de la economía, a través del análisis económico del derecho, parecen tener mucho que aportar en esta dirección. Por otro lado, tiende a creerse que los problemas relacionados con los derechos fundamentales, que recogen demandas políticas y morales de los individuos y grupos, constituye la otra clase de problema constitucional a la que debemos enfrentarnos. De esta forma, los técnicos, preocupados de la organización eficiente y eficaz del Estado, y los políticos, preocupados de reparar las injusticias de nuestra sociedad utilizando como herramienta el discurso de los derechos fundamentales, están separados por un abismo temático que hace que sea difícil hablar de una unidad disciplinaria.

Pero por supuesto que esto es una reducción. La mayoría de quienes se dedican al derecho constitucional consideran que tanto el correcto diseño del Estado y la protección de los derechos de los individuos son cuestiones que deben considerarse seriamente a la hora de diseñar políticas públicas, organizar instituciones estatales y, en general, motivar las reformas al Estado. Sin embargo, la afirmación del párrafo anterior debe ser tomada como una cuestión de énfasis discursivo. Ello acarrea dos problemas que es importante presentar.

El primero es que muchos de los temas del derecho constitucional, cuando quedan fuera de los énfasis de la optimización del Estado y los derechos fundamentales, comienzan a ser olvidados y tratados como cuestiones de poca o menor importancia. El segundo es que entre 'técnicos' y 'políticos' no se produce la discusión necesaria para entregar visiones equilibradas de los problemas sobre organización, monopolio de los 'técnicos', y de derechos, monopolio de los 'políticos'.

Uno de esos temas postergados entre las preocupaciones del derecho constitucional es el de la ciudadanía. Pese a que se podría pensar que la ciudadanía es un tema que involucra principalmente el estatuto del individuo, y que por tanto debería considerarse campo de los políticos, la última reforma en materia de ciudadanía, ella que marco el tránsito de voto obligatorio a voto voluntario, estuvo marcada por el predominio de los 'técnicos'.

Aquí intentaremos restituirle su unidad conceptual a la ciudadanía, partiendo por la comprensión de su sustrato político-cultural en la nación, para finalmente estudiar su regulación positiva en la Constitución. De modo preliminar, sin embargo, intentaremos comprender el ámbito en el que operan la nacionalidad y la ciudadanía vinculándolos y distinguiéndolos de otros conceptos empleados para categorizar a los seres humanos en maneras que les son similares: individuo, persona, súbdito, extranjero, y habitante.

El concepto de *individuo* es en sí mismo el más abstracto que puede usarse para calificar a los seres humanos. Es más, el concepto de individuo es agnóstico respecto de la humanidad. De manera abstracta, individuo hace referencia a la calidad individual de un ser, en contraposición a la categoría colectiva de género. Aplicado a los seres humanos, individuo hace referencia a su naturaleza individual y ajena a toda otra calificación respecto a su relación con el Estado y otro grupo o asociación. Sólo permite entender que se está hablando de una unidad de referencia basada en la identidad individual. En ese sentido es una visión política acerca de la naturaleza de la humanidad, como un conjunto de individuos.

El concepto de *persona* es, por lejos, el más discutido de todos los conceptos que hacen referencia a los individuos. Calificar a un individuo de persona, implica reconocerle una agencia moral para desempeñarse en el mundo con independencia (al menos potencial) y de esta manera, ser titular de derechos y obligaciones. La categoría de *persona* es independiente de la de ser humano. La primera es una categoría eminentemente normativa y la segunda es una categoría biológica. Mediante la dicotomía cosas y personas, el derecho clasifica a todos los seres que son objeto de tratamiento. En la antigüedad, la existencia de la esclavitud permitía que los seres humanos fueran cosas para el derecho. Los conceptos de persona y de ser humano son diversos, pues uno designa a un sujeto de derecho y otro designa a un ser vivo de determinadas características, sin embargo, hoy es ampliamente reconocida la personalidad a todos los seres humanos. Por ejemplo, el artículo 55 del Código Civil establece: "Son personas todos los individuos de la especie humana, cualquiera sea su edad, sexo, estirpe o condición".

El concepto de *súbdito* tiene su origen en la agrupación de individuos bajo las órdenes de un aparato de dominación en el cual dichos individuos no tenían participación, típicamente bajo el poder de un monarca. En ese sentido la idea de súbdito se opone a la de ciudadano en sentido estricto, en la medida que ésta se construye sobre la base de la participación del individuo en la producción de las órdenes del aparato estatal. Sin embargo, la posición de súbdito puede reencontrarse en el sentido amplio del ciudadano, en la medida que al mismo tiempo que ser partícipe de la producción de las órdenes estatales, es su destinatario. Luego, puede afirmarse que la idea de súbdito subsiste en el estado democrático como uno de los elementos de la ciudadanía.

El concepto de *extranjero* es un concepto negativo. Abarca a todos aquellos individuos que no son nacionales de un Estado, sino que lo son de otros Estados. Se revisará su relevancia cuando se trate la nacionalidad.

El concepto de *habitante* hace referencia a todos aquellas personas que se encuentren, cualquiera sea la razón, dentro del territorio del Estado. La relevancia de este concepto queda expresada en el artículo 14 del Código Civil, que señala: "La ley es obligatoria para todos los habitantes de la República, inclusos los extranjeros". Los habitantes pueden ser residentes o transeúntes. Los residentes son aquellos que viven habitualmente dentro del territorio del Estado. Los transeúntes, por el contrario, son los que se encuentran de paso. Tanto extranjeros como nacionales pueden ser transeúntes o residentes. Así, es posible encontrar a un residente en Chile de nacionalidad española y a un chileno que sólo está de paso por Chile, dado que tiene su residencia en España. Como puede observarse, las categorías de habitante, residente y transeúnte hacen referencia a situaciones de hecho. Sin embargo, la residencia tiene una dimensión jurídica de importancia: (i) la residencia es tratada como una categoría jurídica cuando se trata de la autorización de permanencia en el territorio de un Estado para un extranjero, que en principio carece de esa prerrogativa. La falta de esa autorización hace que dichos extranjeros entren a la categoría de inmigrantes ilegales. (ii) También es una utilización jurídica la que considera la residencia como el requisito para el ejercicio de ciertos derechos por parte de los propios nacionales del Estado.

La revisión de estos conceptos nos sugiere que las ideas de

nacionalidad y ciudadanía dan cuenta de la necesidad de los Estados de crear un ámbito personal de aplicación de sus mandatos, en el que sus destinatarios coincidan con la población que más intenso, estable y permanente contacto posee con el territorio sobre el que la comunidad política ejerce su poder político.

El concepto de nacionalidad encuentra su sustrato conceptual en el concepto de nación. A menudo se utiliza este último en alguna de las siguientes formas:

(i)   Como sinónimo de Estado: "las naciones emergentes del tercer mundo" o "la organización de las Naciones Unidas". Sin embargo, este uso es confuso, pues existen muchos casos de varias naciones viviendo bajo un mismo Estado y naciones repartidas en más de un Estado;

(ii)   Cercano a esta primera utilización, como sinónimo de país. La utilización del concepto de país es ambivalente. Muchas veces es usado como sinónimo de Estado, sin embargo, más propiamente es usado como referencia a la unidad territorial del Estado, o de una unidad territorial menor que reclama para si cierta autonomía. Es el caso del país vasco o los países (*lands*) que componen Alemania. No obstante ser de gran utilización en el lenguaje coloquial, el concepto de país no tiene gran utilización en el lenguaje del derecho constitucional;

(iii) Como grupo racial: por ejemplo, el concepto decimonónico de *Volk* alemán;

(iv)   Como sinónimo de comunidad política: por ejemplo, en el caso de Sieyes en su tesis de la soberanía nacional;

(v)   Como comunidad étnica o cultural: es quizás el concepto más claro, si bien existen también identidades nacionales que son plurales tanto en cuanto a su ascendencia étnica, como a su identidad cultural.

El filósofo británico David Miller [1946–] plantea tres cuestiones, de diferente naturaleza, en torno al concepto de nación que deben ser consideradas.[25]

---

25   Sobre la Nacionalidad. Autodeterminación y Pluralismo Cultural.

Primero, Miller sostiene que la identidad nacional confirma que las naciones son algo que realmente existe, y que dicha nacionalidad es parte esencial de la identidad del individuo. Las naciones, sostiene Miller, no son algo distinto de la creencia de las personas respecto de ellas. Las naciones, si bien pueden tener una base racial y cultural, dependen de la concepción que tienen sus miembros respecto a una identidad común, esto es, acerca de la relevancia que los propios miembros de la nación asignen a dichos factores. La principal dificultad con que se enfrenta dicha concepción es que los criterios parecen ser confusos y controversiales. Luego, sostiene que las naciones son comunidades éticas y en ese entendido, las obligaciones que los nacionales tienen entre sí son diferentes y más relevantes de las que tienen con el resto de los seres humanos. Por último, sostiene que los miembros de una nación tienen buenas razones para buscar su autodeterminación, ya sea mediante la formación de un Estado u otra clase de estructura institucional que sirva a dicha finalidad.

Para Charles Taylor el surgimiento y la afirmación de lo que llamamos estado nacional, como paradigma de la organización política moderna, se ve vinculada a dos ideas centrales. La primera de estas ideas consiste en que dentro del Estado-nación la relación de pertenencia entre los ciudadanos y el Estado es de tipo inmediato y horizontal, en contraste con las organizaciones premodernas, en que el vínculo es mediato y jerárquico. Esto quiere decir que la relación de los individuos con el Estado-nación no requiere de la mediación y la participación en una entidad intermedia que a su vez es componente del todo estatal, como pasaba con las relaciones feudales, en las que el individuo pertenecía a una entidad local la que, a su vez, se integraba en otra entidad supra-local las que, a su vez, se integraban en una entidad global o país. Por el contrario,

> la moderna noción de ciudadanía es directa. Sea cual sea el número de formas en que mi relación con el resto de la sociedad se realice a través de organizaciones intermedias, pienso en mi ciudadanía como en algo independiente de todo eso. La forma fundamental de mi pertenencia al Estado no depende ni está mediada por ninguna de esas otras esferas de pertenencia.[26]

---

26   Nacionalismo y modernidad: 60.

A ello se vincula la horizontalidad de la pertenencia. El acceso directo de los ciudadanos a la esfera pública, que se idea como "un espacio en que las personas se conciben a sí mismas como entidades que participan en un debate del ámbito nacional", se halla vinculado a la igualdad y a la individuación. "El carácter directo del acceso anula la heterogeneidad de la pertenencia jerárquica. Nos vuelve uniformes, y este es el modo de igualarnos".[27] Ello repercute en la concepción dominante de la ciudadanía, que es, por definición, una cuestión de tratar a las personas como individuos con iguales derechos ante la ley. Esto es lo que distingue a la ciudadanía democrática del feudalismo y de otras perspectivas premodernas que determinaban el estatus político de las personas por su pertenencia étnica, religiosa o de clase.

La segunda idea a la que se vincula el surgimiento y el afianzamiento de la imagen del Estado nacional en nuestra cultura es la de concebir como posible la acción colectiva a un nivel supra-local. En otros términos, la relación de pertenencia política ha dejado de ser transcendente a la acción colectiva de dicha unidad política y ha pasado a depender de ella.

Como fruto de las revoluciones americana y francesa, aparece una forma de ver las cosas que no hace depender las relaciones de pertenencia política de un orden cósmico inalterable, sino que por el contrario.

> Las naciones, los pueblos, pueden tener una personalidad y actuar de manera conjunta con independencia de cualquier ordenamiento político anterior. Con esto queda sentada una de las premisas fundamentales del nacionalismo moderno, ya que sin esto, la demanda de autodeterminación de las naciones carecería de sentido. Esa autodeterminación consiste precisamente en el derecho que tienen los pueblos a establecer su propia constitución, sin que su organización política histórica represente para ellos traba alguna.[28]

Son estos dos elementos los que Taylor considera que configuran la imagen moderna del Estado nacional en el que se desarrollan los discursos

---

27   Nacionalismo y modernidad: 60-61.

28   Nacionalismo y modernidad: 62.

acerca de la ciudadanía. Esta concepción, horizontalidad y acceso directo, sumada a la noción de que el Estado recibe su forma política de un acto del pueblo, constituye el trasfondo de lo que en el nivel de la organización política se corresponde de manera necesaria con un criterio de legitimidad de la acción del Estado basado en la voluntad popular; a la democracia.

El otro elemento de importancia en este análisis es el concepto de ciudadanía. El origen de aquel se encuentra en la antigüedad clásica. Tanto en Grecia como en Roma, el concepto de ciudadano apuntaba, en su origen, a la capacidad de participar de manera activa en las decisiones del gobierno. La pérdida de esta función participativa vino de la mano de dos fenómenos: el fin de la república y la ampliación de los dominios del imperio y la concesión de la ciudadanía romana a numerosos extranjeros. Así, no había un gobierno participativo ni había un grupo más o menos pequeño que hiciera posible tal tarea. La ciudadanía quedó relegada, de esa manera, a la tarea de determinar quienes eran los súbditos del imperio.

Desde la caída del imperio hasta el surgimiento de los estados nacionales, la categoría de ciudadano fue utilizada para denominar la relación de pertenencia física de un individuo a una localidad, ciudad o reino, de forma que no calificaba la relación entre la autoridad y el individuo de manera especial. La función de describir tales relaciones era ocupada ahora por las relaciones estamentales y el vasallaje.

El concepto de ciudadanía hace referencia a algo distinto que la nacionalidad, aunque muchas veces sus relaciones sean poco claras. Esa diferencia, no sólo involucra que el conjunto de sujetos a los que hace referencia sea distinto, sino que su función dentro del orden jurídico es también diversa.

Típicamente se utiliza la nacionalidad como un estatus pasivo y la ciudadanía como un estatus activo de los individuos frente al Estado. De esa manera, la nacionalidad aparece como la fuente o antesala de la ciudadanía fundada en razones de pertenencia social y la ciudadanía aparece como la titularidad de derechos y deberes de participación en la vida estatal. Así, parece ser que la nacionalidad actúa como un filtro, como un criterio excluyente que aplica el código nacional-extranjero, pero que no efectúa calificaciones sustantivas. Por otro lado la nacionalidad, asigna espacios de participación, sirviendo como un filtro incluyente, que califica sustantivamente a los individuos asignándole un contenido a su relación de pertenencia con el Estado.

Los conceptos de personalidad, nacionalidad y ciudadanía aparecen como conjuntos de individuos cuya relación con el Estado es diversa en la medida que en cada uno de ellos puede encontrarse un vínculo más estrecho con el Estado. En la primera categoría, caben todas las personas, sean nacionales o extranjeras. En la segunda categoría, caben sólo los nacionales y se ven excluidos los extranjeros. En la tercera categoría, caben sólo los ciudadanos. La relación entre las primera y la segunda categorías es excluyente, la pertenencia a la nación se determinará en razón del nacimiento y una persona que pertenece a una nación típicamente es considerada ajena a todas las demás. La relación entre la segunda y la tercera categoría es incluyente. De no mediar una circunstancia excepcional, una persona que es nacional será ciudadano. Los nacionales sólo podrán ser excluidos excepcional o provisionalmente de la ciudadanía.

El concepto de ciudadanía adolece, en el plano de la filosofía política, un problema de determinación. Respecto de él, con pretensiones de universal aceptación, sólo puede señalarse que comprende la relación entre un conjunto de individuos que constituyen una comunidad política. Cuál es el contenido de dicha relación de pertenencia y qué significado tiene esa idea de comunidad son preguntas sobre las cuales existen diversas respuestas, que como uno de los temas centrales de la filosofía política contemporánea, luchan por obtener reconocimiento e influencia en el discurso público.

La complejidad de la posición que la ciudadanía ocupa dentro de la discusión acerca de la teoría de la justicia debe, por supuesto, reducirse. Ello puede lograrse a través del replanteamiento de la pregunta sobre el significado de la comunidad y el contenido de la ciudadanía a la más modesta pregunta acerca de cuál es el estatus que corresponde al individuo frente al Estado. Ello restringe el contenido y alcance que corresponde a la ciudadanía de sus implicancias sociales más complejas. La ciudadanía social, entendida como el rol y la posición del individuo en la sociedad, más allá de su posición respecto del Estado, involucra un segundo nivel de análisis que sólo puede ser desarrollado cuando la ciudadanía como concepto político, esto es, como la posición del individuo en la comunidad general y no en la familiar o particular, esté ya aclarado. Eso no significa que la ciudadanía política no pueda involucrar cuestiones que dicen relación con la posición del individuo en la sociedad, como pasa por ejemplo con el discurso sobre la ciudadanía y el género (y otras formas de dominación social como las económicas), sino que dicho tratamiento está mediado por la relación pública entre el ciudadano y su comunidad estatal.

Una segunda aclaración fundamental para cualquier programa de discusión filosófica en torno a la ciudadanía consiste en establecer que existen al menos dos nociones que reclaman dicho título. Una es la condición legal de pertenencia a una comunidad política particular, una ciudadanía positiva. La segunda es la ciudadanía "como actividad deseable, según la cual la extensión y calidad de mi propia ciudadanía depende de mi participación en aquella comunidad", esto es, una ciudadanía ideal. Según el filósofo canadiense Will Kymlicka [1962–]:

> muchos autores creen que una teoría de la ciudadanía adecuada requiere un gran énfasis en las responsabilidades y virtudes. Sin embargo, pocos de entre ellos proponen que debamos revisar nuestra concepción de la ciudadanía como condición legal de manera tal que sea posible, digamos despojar de su ciudadanía a la gente apática. Lo que preocupa a estos autores son más bien los requisitos que caracterizan al "buen ciudadano". Pero deberíamos esperar que una teoría del buen ciudadano sea relativamente independiente de la cuestión legal consistente en saber qué es un ciudadano, del mismo modo que una teoría de la persona de bien es algo diferente del problema metafísico (o legal) de saber qué es una persona.[29]

Partiendo de las dos aclaraciones propuestas: (1) la distinción entre la ciudadanía política y la ciudadanía en la sociedad, y (2) la distinción entre un concepto positivo e ideal de ciudadanía, puede abordarse más adecuadamente la cuestión de la determinación del concepto de ciudadanía como un problema de estatus. Así, puede considerarse que las concepciones acerca de la ciudadanía que subyacen a la filosofía política

---

29   El retorno del ciudadano. Una revisión de la producción reciente en teoría de la ciudadanía: 83.

liberal y republicana tienen un correlato, a nivel de la teoría constitucional, en la comprensión de la ciudadanía vinculada de manera más intensa a los principios del Estado de Derecho, para los liberales, o de la democracia, para los republicanos.

Si se tiene en consideración, está relación podría evitar la confusión entre ciudadanía ideal y positiva, pero intentando desde ya atribuir un sentido normativo a la ciudadanía, determinado por los principios que subyacen a nuestra práctica política positiva y que, puede sostenerse, encuentran base explícita en la Constitución. Ello posibilita una reconducción de los problemas filosóficos que involucra la ciudadanía, que se dan en el seno de la discusión ideal, al problema propiamente constitucional de determinar el alcance de los principios constitucionales en relación a la interpretación de las normas que regulan el estatuto del ciudadano, que es el problema positivo acerca de qué cuestiones involucra ese estatus legal.

Para los liberales el núcleo de la ciudadanía estará vinculado a la posibilidad de entender que la esfera social comprende una distribución entre el espacio de acción que corresponde a la comunidad y el espacio garantizado para el desarrollo de la vida de cada individuo según sus propias convicciones. Para los republicanos el núcleo de la ciudadanía estará vinculado a la participación del individuo en la dirección de las decisiones que gobiernan el futuro de la comunidad en la que vive inmerso. Partiendo de ese núcleo diverso, puede presentarse concepciones de la ciudadanía liberal y republicana, que se conecten con las explicaciones estandarizadas acerca de la legitimidad del Estado, con los principios que están en la base de la Constitución: Estado de Derecho y soberanía popular.

Por supuesto que existen otras concepciones influyentes en el discurso académico y público de la ciudadanía que no han sido consideradas aquí. Se ha tomado la posición liberal, por ser la filosofía política que puede denominarse como dominante y se ha considerado la republicana (aunque es poco claro que sea una posición determinada) dado su dependencia respecto del concepto de ciudadanía y su influencia en la conformación de lo que hoy llamamos el Estado de Derecho democrático. Se han dejado de lado, por ejemplo, los discursos feministas y comunitaristas (o lo que se ha tendido a llamar multiculturalismo) por una razón de espacio y extensión, pero también porque estos puntos de vista tienden a alejarse de la discusión en torno al estatus jurídico y acercarse a las demandas de inclusión y reconocimiento de la ciudadanía en la sociedad.

La tesis que se intenta sostener es que al mismo tiempo que debe considerarse que nuestra Constitución, nuestras instituciones políticas y nuestra práctica pública, reconocen y se fundan en principios al parecer contradictorios, como el Estado de Derecho y la democracia, el concepto de ciudadanía como estatus del ciudadano frente al Estado, no puede fundarse monolíticamente en una concepción filosófica liberal o republicana, sino que obedece a la idea de un compromiso. Dicho compromiso, por supuesto que no ofrece una tercera vía, sino que modela con flexibilidad el conjunto de derechos, obligaciones y las instituciones vinculadas a ellos que conforman el estatus del ciudadano.

El plan de trabajo es el siguiente. Se presentará una concepción filosófica de la ciudadanía liberal y luego de la ciudadanía republicana. Luego, se intentará comprender, en base a la regulación constitucional positiva, cuál es el lugar que cada concepción de la ciudadanía ocupa en la tarea de modelar el estatus del ciudadano en nuestro país.

Examinemos primero el *concepto liberal de ciudadanía*. Dentro de la tradición liberal, de manera resumida, la ciudadanía se afirma sobre la idea de la libertad e igualdad natural de los seres humanos; consiste en su capacidad para desarrollar un plan de vida trazado autónomamente y se implementa a través de la titularidad de derechos fundamentales que protegen la esfera privada del individuo frente a intromisiones del Estado.

La popularidad de la propuesta liberal, que es considerada como dominante, se funda en su especial aptitud para enfrentar la circunstancia más problemática de las sociedades occidentales, que corresponde a lo que Rawls ha llamado el hecho del pluralismo. Esta idea puede resumirse en que los miembros de los estados modernos adoptan diversas y múltiples identidades personales a partir de elementos étnicos, religiosos, políticos, culturales, entre otros.

El pluralismo cultural, o multiculturalismo tiene, según Kymlicka, dos variantes principales. La primera es la de las sociedades multinacionales, que incorporan dentro de un Estado a más de una nacionalidad o a minorías nacionales, las que se caracterizan por su deseo de "seguir siendo sociedades distintas respecto de la cultura mayoritaria de la que forman parte". En estos casos, el multiculturalismo es fruto de la "incorporación de culturas que previamente disfrutaban de un autogobierno y estaban territorialmente concentradas a un Estado mayor". La segunda es la de las sociedades o estados multiétnicos, en los que "la diversidad surge de la inmigración individual y familiar". Los grupos étnicos en los que dichos inmigrantes se asocian "desean integrarse en la sociedad de la que forman parte y que se les acepte como miembros [...] su objetivo no es transformarse en una nación separada".[30]

El hecho del pluralismo se diferencia de la base social sobre la cuál se construyó el discurso de la ciudadanía del Estado nacional, que es el de la homogeneidad étnica o cultural. Si aceptamos que vivimos en sociedades multiculturales, debemos aceptar también el desafío que significa dar cuenta en nuestro concepto de ciudadanía de ese conjunto heterogéneo de identidades personales.

La especial aptitud de la concepción liberal reside en que exige la posibilidad a todos los ciudadanos de poder examinar en conjunto las instituciones políticas que gobiernan su comunidad, de modo que la participación en ese examen torne indiferente la posición social, los intereses particulares y los puntos de vista culturales, morales o religiosos de los participantes.

La estrategia para ello, es la de considerar al ciudadano como un agente provisto de una doble identidad. La calidad de ciudadano involucra una esfera de actividad privada o personal y una esfera de actividad pública o ciudadana.

Desde el punto de vista de su esfera privada, los individuos abrigan concepciones acerca de lo que es una vida valiosa, que típicamente incluirá concepciones religiosas y morales acerca de la conducta y las creencias. Esta concepción privada es vivida en la cotidianeidad y es adoptada en todas las formas de asociación privada dentro de la sociedad, como la familia o las corporaciones religiosas.

---

30   Ciudadanía Multicultural: 25-26.

Por el contrario, en su dimensión ciudadana los individuos actúan en el debate acerca de cuáles deben ser las instituciones que gobiernen a la comunidad en su totalidad, más allá de sus vidas particulares. En esa dimensión, los ciudadanos asumen el rol de interlocutores en un discurso que apunta al entendimiento, sobre la base de principios de justicia que son compartidos por todos los ciudadanos. De esta forma se confina la expresión de la concepciones del bien privadas (morales, religiosas, etc.) a la esfera privada y se fomenta el discurso público que transita sobre un "consenso traslapado" acerca de los principios que son comunes entre los ciudadanos que viven en una sociedad plural. La relación entre la esfera pública y la esfera privada está marcada así por la subordinación de la segunda a la primera, por el confinamiento de la dimensión privada a un espacio circunscrito.

Por supuesto que esta concepción enfrenta problemas. El más importante es el de considerar cómo y por qué una persona que tiene un concepción del bien omnicompresiva, debería postergarla en pos de afirmación de tolerancia de situaciones que él tiene la convicción de que son intolerables. Los fundamentalismos religiosos son la piedra de toque más recurrente ante la presentación de concepción liberal de la ciudadanía. ¿Cómo puede ponerse entre paréntesis las convicciones que entregan sentido a la vida de una persona cuando ésta actúa en la esfera pública? Este problema parece insoluble para el liberalismo.

De la misma forma en que John Rawls es el filósofo liberal al cual se debe recurrir para comprender el marco conceptual de la concepción liberal de la ciudadanía, Thomas Marshall es a quien, sin contrapeso, se recurre para visualizar cuál ha sido la forma en que dicha filosofía puede implementarse institucionalmente.

Es casi incuestionable que la autonomía que los liberales reclaman para el ciudadano en su esfera privada se configura enteramente en términos de la posesión de derechos. El sociólogo inglés Thomas Humphrey Marshall [1893–1981] es el exponente más destacado de la "ciudadanía como posesión de derechos". En *Ciudadanía y Clase Social*, explica cómo la ciudadanía consiste en tratar a cada uno de los individuos como un miembro pleno en una sociedad de iguales, lo que se logra otorgando a los individuos un grupo importante de derechos de ciudadanía. Dichos derechos pertenecen a tres categorías, que se han concretado durante la evolución histórica inglesa. Ellos son los derechos civiles, los derechos políticos y los derechos sociales.

La afirmación de cada grupo de derechos ha tenido como consecuencia la incorporación y el reconocimiento de nuevos sujetos a la clase de los ciudadanos y nuevos aspectos en el contenido de la ciudadanía. Si el reconocimiento de derechos civiles fue hecho a un limitado número de individuos y solo incorporó la defensa frente a la arbitrariedad de la autoridad estatal respecto de la vida, la libertad y la propiedad, los derechos políticos incorporaron a un número más importante de individuos y extendieron su influencia hacia los problemas y decisiones acerca del gobierno del Estado (derechos de sufragio, libre expresión y asociación). De esta forma, el reconocimiento de derechos sociales, que aseguraran el disfrute de bienes básicos (como la salud, la educación, la sanidad y las seguridad social) finalmente vino de la mano de la universalización de los derechos y a superar el problema de recursos que impedía el ejercicio pleno de los derechos civiles y políticos por parte de la gran masa de ciudadanos.

De esta manera, Marshall configura un modelo de ciudadanía que está caracterizado por dos rasgos esenciales: (1) requiere la configuración de un modelo de Estado particular. Un modelo de Estado liberal, democrático y social; y (2) al estructurarse en torno a derechos frente al Estado, el ciudadano adquiere un rol pasivo, evidenciando la ausencia de toda obligación ciudadana de participar en la vida pública.

El énfasis de la ciudadanía liberal está puesto en la garantía de que el ciudadano pueda participar plenamente en la sociedad. El plan liberal para dicha tarea exige, en primer lugar, asegurar que la esfera privada del ciudadano quede a salvo de intervenciones arbitrarias. Luego, exige que el ciudadano tenga la posibilidad de participar libremente en la vida pública, de una manera que las decisiones que en ella se tomen, sean el reflejo de la interacción de ciudadanos libres que buscan el bien público de la sociedad donde habitan.

Esta concepción de la ciudadanía como titularidad de derechos, ha sido criticada mediante la afirmación de que es una concepción que privatiza el concepto de ciudadano. La crítica a la privatización de la ciudadanía se dirige a la forma en que esta teoría subordina la participación en la vida pública a la autonomía privada de los ciudadanos. De esta manera, la actividad pública corre el riesgo de pasar a formar parte de la esfera privada como una de las dimensiones en las que el individuo desarrolla su plan individual y actúa con miras a su interés particular.

La dicotomía interés particular e interés general parece adecuada para expresar la crítica. En la esfera privada, los individuos pueden comportarse según su propia concepción del bien, tienen permiso para comportarse autointeresadamente e incluso como agentes egoístas: según su interés particular. Sin embargo, en la esfera pública se espera que esos mismos individuos se comporten desinteresadamente, gobernados por principios de justicia imparcial y dirigidos al interés general de la comunidad.

Examinaremos ahora los principios de la ciudadanía liberal. Entre éstos se encuentran la *independencia,* definida someramente por Kant exigiendo una cualidad: "que uno sea su propio señor",[31] de tal manera que uno no esté al servicio de nadie sino solo de la propia comunidad; y la *inclusión.* La ciudadanía se introdujo en el lenguaje político moderno como una promesa de inclusión de los, hasta ese momento, marginados. En ese sentido, la ciudadanía históricamente ha recorrido un largo trayecto de lucha contra las exclusiones de grupos o categorías exceptuadas del proceso político por razones que han quedado obsoletas. Tal vez de forma diferente pero en el mismo sentido, tanto la revolución americana, que reclamaba por representación en el proceso político si el gobierno inglés insistía en extender su sistema impositivo a las colonias americanas (ningún impuesto sin representación), como la Revolución Francesa, mediante la Declaración de los Derechos del Hombre y del Ciudadano, que hacía extensivo a todos los privilegios que antes habían disfrutado pocos, adoptaban el discurso inclusivo de la ciudadanía como una bandera de lucha. Con ese antecedente, puede visualizarse que en los doscientos años de historia que siguieron a dichas revoluciones populares, la promesa de la inclusión ha estado colmando el discurso de la ciudadanía que ha ido cumpliendo la promesa de inclusión no sin problemas. Mujeres, minorías étnicas (indígenas, afroamericanos, judíos), inmigrantes, analfabetos, no propietarios, militares, sirvientes, clero, presos, enfermos mentales y menores, en principio excluidos de la promesa de la participación política

---

31   Teoría y práctica: 213-214.

de las revoluciones han, lenta y parcialmente, sido incorporados a la comunidad como miembros activos.

Examinaremos ahora la *concepción republicana de la ciudadanía*. Dentro de la tradición republicana, la ciudadanía se fundamenta en la participación en la comunidad política que es libre para autodeterminarse en la búsqueda del "bien común"; consiste en la participación del ciudadano en las preocupaciones públicas y se implementa mediante el establecimiento de derechos individuales que garantizan su posibilidad de participar en la toma de decisiones comunes y de obligaciones que garantizan al Estado la colaboración de los ciudadanos en las tareas públicas.

Según Miller, en el modelo republicano, "un ciudadano se identifica con la comunidad política a la cual pertenece y se compromete con la promoción del bien común por medio de la participación activa en su vida política".

Las democracias exigen algún grado de compromiso de parte de sus ciudadanos. La forma en que se manifiesta dicho compromiso es en lo que Charles Taylor llama "patriotismo". Este consiste en un "fuerte sentido de identificación con la sociedad y con la organización política y una disposición a entregarse en su beneficio" (Taylor, Nacionalismo y modernidad, p. 65). La ciudadanía republicana trata de invertir el equilibrio existente en la identidad del individuo en la ciudadanía liberal, para que su calidad de ciudadano adquiera prioridad sobre sus demás identidades particulares (como la familia o la religión).

Tal y como la ciudadanía liberal se estructura conforme al modelo de los derechos, la concreción del modelo de la ciudadanía se concentra en la creación de instituciones públicas de participación democrática, las cuales no sólo se concretan a través de la atribución de derechos individuales.

El objetivo del Estado republicano en la formación de ciudadanos con un alto grado de compromiso cívico, puede

> promoverse en forma deliberada, sobre la base de una ideología expresa, como sucede con el republicanismo francés. O bien podría fomentarse de modos más indirectos, que son consecuencia del propósito de lograr que otros tipos de descripción – como el

género, la raza, la religión, etcétera – sean irrelevantes en lo que al operar de la vida pública se refiere.[32]

Los principios que pueden encontrarse en la concepción republicana de la ciudadanía abarcan principalmente cuestiones relativas al contenido de ésta. Allí encontramos el principio de la igualdad, que en materia de derechos políticos puede encontrarse en el carácter igualitario del sufragio y modulando las instituciones electorales cuando se establece la igualdad entre partidos e independientes. En términos generales puede hallarse en la igualdad en el ejercicio de los derechos y ante la ley, como derechos fundamentales de los ciudadanos y más generalmente aún, como principio directriz, en el artículo 1, al señalar que los hombres nacen iguales en dignidad y derechos. En segundo lugar, se puede encontrar el principio de la libertad en la deliberación. La consagración de los derechos políticos, de libre información, prensa y comunicación, así como la libertad de reunión y asociación parece ser la concreción institucional más directa del modelo deliberativo propio de las democracias liberales. Sin embargo, el alcance de dicho principio excede con creces el resguardo de estas posiciones subjetivas y determina tanto la regulación del proceso de toma de decisiones estatales en el ámbito legislativo, como la forma en que deben ser interpretadas tanto dicha esfera como todas las esferas donde desarrolla ejercicio del poder público. Ello implica que no hay límites a la discusión pública. Los conflictos se resuelven en la discusión pública conforme a reglas de discurso y con el límite institucional de la democracia.

La ciudadanía está necesariamente asociada a la idea de democracia. Si la democracia es el sistema de gobierno en el cuál el pueblo ejerce el poder del Estado, la ciudadanía es la expresión de la democracia que exige que los sometidos al poder del Estado puedan participar en las decisiones de éste. De esa forma, la consagración constitucional de la ciudadanía no es neutra respecto al fenómeno del dominio político y contiene en sí misma un ideal regulativo de la vida estatal fundado en la igualdad y la libertad de los individuos.

La importancia jurídica de la ciudadanía pasa por determinar quiénes integran el pueblo del Estado, como elemento constituido del Estado, esto es, a quiénes debe imputárseles el poder del Estado en una democracia.

---

32   Nacionalismo y modernidad: 65.

Desde esa perspectiva, ya en su formulación, dicha tarea se enfrenta al problema de la constitución del pueblo. ¿Quiénes deben formar parte del pueblo? Esa es la pregunta acerca de la extensión de la ciudadanía.

La segunda pregunta que la ciudadanía requiere responder es cuál es su contenido. Si la aproximación tradicional a la ciudadanía pasa por entenderla como constitutiva de formas de participación, debe determinarse qué clase y qué formas de participación. En particular, en una democracia, la participación debe poder fundar suficientemente la idea de que el pueblo es quién ejerce, justamente mediante su participación, el gobierno del Estado.

La ciudadanía en nuestra Constitución está regulada en el Capítulo II. Sin embargo, las normas que determinan la relación del individuo con la comunidad política, también se encuentran en los capítulos I y III. Esto presenta un desajuste entre el lenguaje usado por la Constitución y el presentado más arriba, en las concepciones filosóficas de la ciudadanía. Más simple que llamar la atención sobre el desajuste, parece ser presentar otra distinción entre conceptos de ciudadanía. En su sentido estricto, la ciudadanía comprende, tal como lo presenta la Constitución Política, la dimensión de la participación del individuo en la generación de la voluntad de los órganos estatales. En sentido amplio, la ciudadanía comprende todas las dimensiones que involucran alguna relación de pertenencia de los individuos respecto de la comunidad estatal, esto significa, que es reputada como una noción omnicompresiva. En ambos casos, el contenido de la ciudadanía es de orden político, en ambos casos puede tener un sentido prescriptivo o descriptivo, en ambos casos puede construirse sobre la base de un elemento natural como la idea de nacionalidad o tener una base sólo abstracta fundada en consideraciones teóricas. Luego, parece que la utilización de las expresiones sentido amplio y estricto es más adecuada, por comprender una gavilla más amplia de relaciones.

En sentido amplio, uno puede identificar el estatuto del ciudadano con el conjunto de derechos y deberes de toda índole que la Constitución Política establece para los individuos que se vinculan con el Estado. Esto involucra dos elementos: la extensión de la ciudadanía y el contenido de la ciudadanía. La extensión se refiere a la determinación de quiénes serán los titulares de dichos derechos u obligaciones y quiénes no lo serán.

El contenido dice relación con cuáles serán, en concreto, los derechos y obligaciones que se le reconocerán a los ciudadanos. En relación a la ciudadanía en sentido estricto, también cabe hacer la aclaración en relación a su extensión y contenido. Estas tareas, cuando la Constitución utiliza un lenguaje significativamente distinto, parecen ser más arduas de lo que podría pensarse.

Esta es una cuestión sensiblemente cambiante, como ya lo permitió ver el análisis de Marshall, que afirmaba que la extensión y contenido de los derechos de ciudadanía han ido variando con el curso de la historia. Sin embargo, el intento que sigue se concentrará en analizar las normas de la Constitución Política vigente.

En la Constitución el estatuto del ciudadano en *sentido estricto* está comprendido en el capítulo II, que habla acerca de la nacionalidad y la ciudadanía.

La forma en la que la Constitución determina quienes tienen el estatus de ciudadanos, se puede explicar mejor mediante la exclusión de ciertas categorías de personas. De esta manera se acoge la tensión entre la promesa liberal inclusiva (principio de inclusión), que exige una ciudadanía lo más extensa posible con la exigencia republicana de la exclusión, fundada en los principios de comunidad, responsabilidad y participación.

La extensión de la ciudadanía según las normas de la Constitución Política excluye a: los menores de edad, los criminales y los extranjeros, todos ellos por razones diferentes. Los menores son excluidos por razones de capacidad y los criminales son excluidos por razones de idoneidad moral. En la exclusión de los extranjeros está tanto el núcleo del concepto de ciudadanía como su importante conexión con el concepto de nacionalidad.

La edad fijada para adquirir la ciudadanía es la de 18 años. Por tanto, los menores de 18 años no tienen el estatus de ciudadano en sentido estricto. Ello tiene su explicación en la falta de capacidad de la que adolecen los menores, que les permita un ejercicio responsable de sus derechos políticos.

Sin embargo, la fijación de la capacidad política de los individuos, contrasta con las normas legales que fijan la capacidad negocial en 16 años y la capacidad criminal en 14 años. De esta forma, se observa una asimetría en el juicio de responsabilidad que se hace al establecer los límites de la capacidad para preocuparse de los asuntos privados y hacerse cargo de los delitos cometidos y por otro lado, preocuparse y hacerse cargo de los asuntos públicos y de interés general.

El segundo grupo de personas excluidas son los criminales. La Constitución excluye de la ciudadanía a tres clases de criminales: (1) los criminales comunes, que son aquellos que han sido condenados a una pena aflictiva; (2) los criminales terroristas y (3) los criminales narcotraficantes. No excluye a aquellos sujetos que han cometido un delito leve, esto es, que no caben dentro de alguna de las categorías anteriores.

Cabe hacer notar, que para la Constitución Política, carecer de la calidad de criminal es tanto un requisito para acceder a la ciudadanía como un requisito para permanecer en ella. De esta forma, la exclusión opera impidiendo la entrada de nuevos ciudadanos que caben dentro de la categoría de chilenos adultos, como también privando de esta calidad a quienes actualmente poseen la ciudadanía, una vez que su condena penal queda firme, operando como una causal de pérdida de la ciudadanía.

El fundamento de esta medida excluyente puede encontrarse en diferentes lugares.

Las exclusiones revisadas (menores y criminales) son esencialmente contingentes y si se revisan los distintos modelos históricos de extensión de la ciudadanía, puede constatarse que la exclusión de categorías de personas por juicios sobre su capacidad e idoneidad va en franca retirada. Por ejemplo Kant, consideraba tan evidente que ni niños ni mujeres podían ser ciudadanos que ni siquiera se molestó en justificarlo. Sí se esforzó por excluir a quienes carecían de propiedad, dado que carecían de la independencia necesaria, categoría que incluía a todos aquellos trabajadores asalariados y campesinos no propietarios.[33]

Sin embargo, la exclusión de los extranjeros no es contingente, sino conceptualmente necesaria para la configuración de la ciudadanía como

---

33   Teoría y práctica: 213-215.

categoría. Así, la categoría de los ciudadanos se define conceptualmente por oposición a la categoría de los extranjeros. Esta afirmación es sólo parcialmente cierta, en primer lugar, dado que la categoría de ciudadanos no se opone a la de extranjeros como una dicotomía, dado que existen nacionales que no son ciudadanos (menores y criminales); en segundo lugar, dado que la Constitución entrega derechos políticos a los extranjeros que se encuentran en ciertas circunstancias, creando así una categoría intermedia entre el extranjero y el ciudadano, que es el extranjero avecindado. No obstante estas dos excepciones, debe insistirse en la afirmación de que la ciudadanía es un concepto excluyente de los extranjeros por definición. La excepción a esta exclusión en nuestro caso, cabe observar, corresponde a los extranjeros avecindados en territorio nacional.

La participación

Existen dos concepciones de democracia, que pretenden encarnar la idea expresada en el concepto de democracia como gobierno del pueblo. Ellas son la democracia directa y la democracia representativa. Cada una de ellas articula de manera distinta la demanda ciudadana por participación.

La democracia directa puede ser presentada como la aplicación plena o estricta del *principio de identidad* entre gobernantes y gobernados. Los destinatarios del poder del Estado son los mismos que quienes ejercen el poder de decidir; de allí su identidad. Entre gobernantes y gobernados no hay nadie que pueda reclamar un autoridad propia frente al pueblo.

La forma de la democracia directa, reclama para sí, y esa idea es muy difundida, el título de ser la forma auténtica de democracia. Ello puede fundarse en al menos dos ideas: (i) el primer antecedente histórico en la democracia ateniense, en que las decisiones más relevantes eran tomadas por una asamblea en la que participaba todo el pueblo; y (ii) la idea de Rousseau de que la soberanía que reside esencialmente en el pueblo no es susceptible de ser representada.

Desde esta perspectiva, la introducción de agentes estatales representativos que asumen la dirección del Estado, incluso cuando reciben legitimación del pueblo y actúan a nombre de él, debe entenderse como un déficit democrático que sólo es justificado por razones pragmáticas vinculadas a las circunstancias del Estado moderno, esto es, (i) la extensión de su territorio y (ii) su inmensa población. Esta tesis, se vuelve relevante para la interpretación de la relación que existe entre las instituciones de democracia directa existentes en la democracia representativa, que en la medida que se perciben como un *plus* de democracia, deben ser preferidas frente las instituciones representativas, cuando las razones pragmáticas lo permitan. Según esta concepción, la democracia representativa aparece como una forma inferior de democracia.

Se ha sugerido que existe otro tipo de consideraciones pragmáticas para eludir la democracia directa, debido a que, según Molina,

> los gobiernos deben abordar problemas de enorme complejidad, que requiere de conocimiento especializados y, al mismo tiempo, amplios y generales.

> Por consiguiente, esta formación científica, técnica y política no la tiene la generalidad de las personas. De ahí la necesidad, que los gobernantes sean una selección de personas que, por su formación y competencia, aseguren la mayores probabilidades de acierto en el gobierno.[34]

Esta clase de argumento es inadmisible porque entiende que la tarea de gobernar es una tarea que sólo puede ser abordada por una clase ilustrada de personas, lo que se funda, en última instancia en la posibilidad de distinción y privilegio, idea excluida por el principio de igualdad política. La necesidad de mayor información de todo tipo es una necesidad del gobierno, pero eso habla que los representantes del pueblo no puedan recurrir para ese efecto a los analistas que estimen convenientes.

Böckenförde considera que esta tesis está expuesta a una crítica incontestable. Considera que la democracia directa no sólo debe rechazarse por razones pragmáticas sino porque tampoco es realizable, y en ese sentido ideal, desde un punto de vista teórico. Funda su crítica en tres ideas principales.

---

34   Instituciones Políticas: 165.

La primera, afirma que para entender cómo la voluntad del pueblo puede ser entendida como la voluntad de una unidad, esa voluntad solo puede ser manifestada como una respuesta a un estímulo. En la medida que el pueblo es una realidad sin forma y para su actuación directa requiere actualizarse en una forma. Esa forma está directamente determinada por el estímulo. Por ejemplo, la decisión del pueblo en una consulta popular estará determinada por cuál será la pregunta que el pueblo responderá. La cuestión de quién hace dicha pregunta no es, entonces, irrelevante. Siempre se requerirá, como en la democracia ateniense, alguien que haga la pregunta que el pueblo responde en la democracia directa. La cuestión de si ese sujeto puede ser cualquiera o debe ser alguien legitimado por la elección de la mayoría constituye una primera razón, salvo que la respuesta no sea obvia, para afirmar que la representación democrática es ineludible.

El segundo argumento es complementario del anterior. Los individuos que componen el pueblo tiene intereses plurales y su principal interés no está en la participación política. Luego, existe una tendencia a que grupos de interés, que están asociados en torno alguna clase de interés particular, intervengan en el espacio público de una manera activa. Entender la democracia directa como forma primaria de democracia, es conceder que los grupos de poder, guiados por la defensa de sus propios intereses, tienen un espacio suficiente para superponer esos intereses particulares al interés general: "El manto de la democracia directa vela la estructura oculta de la representación que se desarrolla en esta situación",[35] representación ya no del pueblo, sino de sectores del pueblo.

La tercera y última idea que Böckenförde sostiene es la afirmación de que cualquier clase de organización colectiva, si quiere comprenderse como tal, necesita un aparato organizado de dirección. Para entender al pueblo como un ente colectivo que pueda afirmar su unidad, se requiere conferirle una organización que dirija su acción y permita unificar su voluntad:

> Por su propia naturaleza, en ellas [las unidades políticas] se da
> de un modo continuo y con carácter necesario una relación
> entre pregunta y respuesta, entre la acción de unos pocos y la

---

35   Estudios sobre el Estado de Derecho y la democracia: 141.

aprobación o reprobación de muchos.

El contenido de la ciudadanía en sentido estricto, según la Constitución, comprende principalmente los derechos de sufragio y optar a cargos de elección popular. Además incluye otros derechos que la propia Constitución y las leyes determinen.

Si se observa, la particularidad de los derechos que este estatuto confiere al ciudadano, dicen relación con la participación en el gobierno de los asuntos del Estado. Su carácter de derechos de participación permiten hablar de una forma de gobierno en el cuál los ciudadanos ejercen un rol institucional fundamental: una república democrática. Se trata de una república, donde los ciudadanos se transforman en titulares de los órganos del Estado de una manera temporal y electiva, por oposición a otras formas de gobierno en las cuáles dicha titularidad se basa en alguna clase de privilegio. Se trata, al mismo tiempo, de una república democrática, donde la elección sobre cuáles ciudadanos ejercerán el gobierno está encomendada a los mismos ciudadanos.

Por otro lado, la democracia representativa consiste en la forma de gobierno cuya legitimidad se basa en la autorización que el pueblo realiza para que el poder del Estado sea ejercido por órganos que actúan por sí mismos. En ella también hay espacio para la participación ciudadana, pero la formalización de dicha participación corresponde ya no a la toma directa de decisiones, como en el caso de la democracia directa, sino a la elección de quienes realizan dicha toma de decisiones a través de la participación electoral.

La Constitución instituye el derecho a voto o sufragio en su artículo 13, que establece también quiénes son ciudadanos y qué derechos otorga tal calidad. El derecho a sufragio es, en principio, un derecho de quien tiene la titularidad de la ciudadanía. Luego, en el artículo 15 se establecen las características del voto.

El análisis del derecho a sufragio puede realizarse respondiendo a cuatro preguntas.

(a)   *¿Qué es el sufragio?* ¿Fácticamente? Acto de depositar la preferencia en una urna; ¿para la democracia representativa? Es el acto sagrado que permite conectar la voluntad del pueblo con la actuación de las autoridades estatales, otorgándole legitimidad democrática.

(b) *¿Quienes tienen el derecho a sufragio?* Los ciudadanos y los extranjeros bajo las condiciones establecidas en el art. 14 CPol. ¿Cuál es el problema de eso, bajo nuestro concepto de ciudadanía?

(c) *¿Quiénes no tienen?* Los chilenos en el exterior, pese a ser ciudadanos; aquellos que se encuentran con su derecho a sufragio suspendido; y los que no son ciudadanos.

(d) *¿Cuáles son las características del sufragio?* Estas características deben entenderse como garantías. El sufragio es: (1) *Personal.* Debe concurrir personalmente, no se puede votar por otro (contra: votos por familias o por fundos); (2) *Igualitario.* El sufragio debe hacerse en las mismas condiciones, todos los votos cuentan igual. Este es el momento en que todos los ciudadanos somos iguales (contra: voto censatario); (3) *Secreto.* Nadie más que el ciudadano que lo emite puede conocer la preferencia contenida en el voto. Esto busca garantizar la libertad del ciudadano frente a presiones externas a su propia conciencia para votar en un sentido u otro. (contra: compra de votos, amenazas); y (4) *Voluntario.* Esta última característica abre un debate sustancial sobre la naturaleza del sufragio. ¿Es un derecho o un deber?

Adicionalmente, los ciudadanos tienen todos los derechos que les posibilitan ejercer el sufragio de una forma íntegra, esto es los derechos políticos: fundamentalmente, el derecho de asociación, reunión, expresión, libertad de prensa, y pensamiento.

Según hemos dicho, la participación en la democracia representativa encuentra su espacio más significativo en la forma del proceso electoral. Las elecciones son una forma o técnica de designación de representantes. Son, en particular, la forma democrática de designar los representantes del pueblo que asumirán el gobierno del Estado. Para el cientista político alemán Dieter Nohlen [1939–], las elecciones democráticas cumplen, al menos, tres funciones: (i) expresan la confianza del pueblo en sus representantes; (ii) constituyen cuerpos representativos funcionales; y (iii) permiten al pueblo controlar el gobierno del Estado. Esta última función permite entender las elecciones como un método mediante el cuál la autoridades estatales obtienen la legitimidad democrática.

¿Qué es un sistema electoral? El sistema electoral es el conjunto de elementos que determinan la transformación de la voluntad del pueblo manifestada en la elección, en la conformación de un cuerpo de representantes del pueblo, que asumen la titularidad de los órganos estatales representativos. Además del sistema electoral, el derecho electoral debe fijar la forma en que las elecciones deben llevarse a cabo para que la decisión prevista por el sistema electoral se concrete.

La importancia del sistema electoral está marcada por la tensión entre la relación de exclusión/inclusión de ciertos sectores políticos frente a la relación de estabilidad/inestabilidad del sistema político. Dicha tensión debe solucionarse mediante la adopción de un sistema electoral que determine cuál es el objetivo que desea lograr.

El artículo 18 de la Constitución Política es considerado como el que fija las bases del derecho electoral chileno. Pueden encontrarse cuatro elementos en él: (i) la existencia de un *sistema electoral público*. El sentido que tiene la exigencia de que el sistema sea público es, que todas la actuaciones que se realicen en el procedimiento electoral, desde la inscripción de las candidaturas hasta el escrutinio y la calificación de la elección debe ser de público conocimiento, esto es, no debe ser información secreta. Esta interpretación se vuelve irrelevante ante la exigencia de la publicidad de todos los actos estatales establecida por el artículo 8° de la Constitución Política. Quizás una explicación alternativa puede encontrarse, atribuyendo a la expresión "público" el sentido de estatal y en ese sentido prohibiendo la delegación de la regulación o la administración del sistema electoral en un ente distinto a un órgano del Estado; (ii) la remisión a la legislación para la regulación de los aspectos no regulados por la propia Constitución; (iii) el establecimiento de un mandato al legislador para garantizar la igualdad entre independientes y partidos políticos; y (iv) la atribución del resguardo del orden público a las Fuerzas Armada y Carabineros. La disposición del inciso 2° del articulo 18 perpetúa la importancia institucional de los militares, considerando que la mayor parte de las normas que establecían funciones institucionales anómalas dentro del régimen constitucional han sido eliminadas.

La relevancia de los *partidos políticos* en la democracia representativa queda expuesta con la confianza que la constitución deposita en los partidos para realizar la representación del pueblo. Dicha confianza excluye a otra clase de asociaciones o individuos en la mediación entre el pueblo y los órganos representativos, especialmente a los ciudadanos independientes y los grupos no organizados políticamente (art. 19 n° 15 inc. 6° parte final y art. 51 inc. 4° CPol). Esta confianza también determina como debe interpretarse (restrictivamente) las formas de participación política de estas otras clases de sujetos, en especial normas del tipo del artículo 18 inciso 1° de la Constitución Política, que establece un principio de igualdad entre los partidos políticos e independientes.

El artículo 19 N° 15 inc. 5° establece las bases constitucionales del estatuto de los partidos políticos. En dicho inciso se establecen las siguientes cuestiones:

(i) *Limitación de la actividad de los partidos.* Los partidos políticos tienen un fin determinado y no pueden realizar otras actividades que les correspondan al cumplimiento de dicho fin.

(ii) *Los partidos no poseen el monopolio de la actividad ciudadana.* Esa disposición podría conectarse, por un lado, con la posibilidad de la actividad política de los independientes, en relación con el artículo 18 de la Constitución Política. Pero también podría, considerarla como el enunciado de la distinción entre actividad ciudadana en un sentido desformalizado y la participación ciudadana formalizada en la búsqueda del poder político, en relación con el mismo inciso 5° en su parte final. Esta última alternativa podría llevar a sostener que existen actividades que son consideradas propias de los partidos por la Constitución, en las cuales ni siquiera los independientes pueden participar y que dichas actividades, *prima facie*, son aquellas que implican la participación ciudadana institucionalizada, esto es, la participación electoral y la representación popular.

(iii) *El establecimiento de una regulación mínima.* Estas bases, que deben ser desarrolladas por el legislador, incluyen: (a) la existencia de una nómina secreta de afiliados; (b) una contabilidad pública; (c) ciertas reglas de financiamiento; (d) el establecimiento de un régimen de democracia interna; y (e) la existencia de una incompatibilidad entre dirigentes gremiales y sindicales y dirigentes de partidos políticos.

La representación

La representación, esto es, la relación entre el pueblo y los órganos representativos es una cuestión de difícil y debatida explicación. Böckenförde considera que hay dos sentidos relevantes en los que la representación puede entenderse, el sentido formal y el sentido material.

La representación en sentido *formal* consiste en la autorización que los órganos del Estado obtienen del pueblo. Esta autorización funciona como una instancia que, por un lado, legitima la actuación de los órganos y que, por otro lado, establece la posibilidad de imputar las decisiones de los representantes al pueblo.

La representación en sentido *material* consiste en la actualización y manifestación de los contenidos de la voluntad del pueblo en la decisión tomada por los órganos representativos. La representación material se configura cuando la acción de los órganos del Estado puede ser reconocida por el pueblo como propia y, por tanto, capaz de motivar su obediencia. En este sentido, la representación material es, en última instancia, un criterio para evaluar si el gobierno de los representantes es realizado como un ejercicio del poder heterónomo por parte de las elites gobernantes o un ejercicio autónomo del pueblo.

¿Cómo se realiza la representación? La representación se implementa a través de la acción de los órganos representativos. Dicha acción no debe estar orientada por los intereses particulares de los titulares de los órganos, sino que debe estar orientada por la voluntad pública destinada a satisfacer las demandas del pueblo en su conjunto. Así, la acción representativa de los órganos del Estado debe ser determinada por la voluntad general, que no es una suma de los intereses particulares. Por ejemplo, la actividad del Presidente de la República debe estar orientada por la voluntad popular, que es encarnada, en la democracia representativa, en el concepto de opinión pública.

¿Cómo puede determinarse cuál es la voluntad del pueblo? Esa pregunta plantea la paradoja de necesariamente recurrir a la manifestación de los procesos de formación de la voluntad colectiva, pero sin incurrir en el error de entender que la voluntad general es la suma de la voluntad empírica de todos los ciudadanos integrantes del pueblo. La respuesta de Böckenförde, parece pasar por entender que es necesario un momento normativo, en la determinación de la voluntad general, que pasa no por actuar a nombre del pueblo, sino en interés del pueblo. En la medida que dicho interés no puede encontrar su base sino en la manifestación del pueblo de sus necesidades e intereses particulares, la crítica paternalista no puede ser ocupada contra esta idea. La representación significa, entonces,

> la actualización y la manifestación de la identidad misma del pueblo, sita en los ciudadanos, y significa asimismo la actuación y la manifestación de una cierta idea, viva en la conciencia de los ciudadanos, sobre cómo deben tratarse las cuestiones generales y cómo debe llevarse a cabo la mediación entre las necesidades e intereses [particulares] y lo general.[36]

El órgano representativo por excelencia es el parlamento. Sin embargo, en los sistemas de gobierno presidenciales, el Presidente de la República es también un representante del pueblo. Todos los órganos representativos son representantes del pueblo y, en ese sentido, no representan a nadie más que al pueblo como unidad política. Pese a que los representantes sean elegidos por una fracción de los ciudadanos electores, dependiendo del sistema de circunscripciones electorales que se establezca, éstos no representan a los electores que sufragaron por ellos, ni siquiera a todos los ciudadanos de dicha fracción, sino que representan al pueblo en su totalidad. Esto es evidente en el caso del Presidente de la República, elegido por todos los ciudadanos. Pero no es en absoluto evidente en el caso de los parlamentarios. Existen dos posturas contrapuestas respecto a la relación de los parlamentarios con sus electores allí donde el pueblo se encuentra fraccionado para elegir sus representantes.

La primera, argumenta que quien es representante del pueblo en su unidad política es el órgano representativo, en este caso, el parlamento. Dicha situación es perfectamente compatible con la existencia de relaciones particulares de representación entre la fracción del pueblo y el

---

36 Estudios sobre el Estado de Derecho y la democracia: 151.

representante miembro del parlamento. La conformación del parlamento como órgano representativo, se lleva a cabo sumando las relaciones de representación individuales entre representantes y ciudadanos:

> una de las características más importantes del gobierno representativo es su capacidad para resolver las conflictivas pretensiones de las partes sobre la base de su común interés en el bienestar del todo.[37]

Esta postura puede encontrar apoyo en la existencia de circunscripciones territoriales más bien pequeñas para la elección de representantes y en tendencia a la personalización de las candidaturas y al voto personalizado.

La segunda, argumenta que tanto el parlamento en su totalidad como cada uno de los representantes que lo componen, tiene la calidad de representante del pueblo en su totalidad y en ese sentido, su vinculación con los ciudadanos que lo eligieron es contingente y limitada. Esta postura encuentra su apoyo en el concepto de pueblo como unidad política que es no susceptible de ser representado por parcialidades en la configuración del parlamento y en la contingencia de los sistemas de elección de parlamentarios con base en circunscripciones pequeñas y a la personalización del voto. También puede encontrar apoyo en la idea de que existe un interés del pueblo en los intereses de los distintos sectores integrantes del mismo. Tal como existe ese sistema, podría existir un sistema de grandes circunscripciones territoriales con un número elevado de representantes a elegir en cuyo caso la relación personal entre representante y los ciudadanos electores tendería a difuminarse.

El principio de democracia establecido en las constituciones modernas está referido fundamentalmente a un modelo representativo. En este sentido, la referencia a la democracia no es a la democracia directa. La existencia de órganos representativos de dirección de la acción del Estado, que puedan actuar por sí mismos, es por tanto, una necesidad de la forma de Estado democrática. Vista de esta forma, la democracia no es la cancelación del poder de los órganos del Estado, para darle ese poder al pueblo, sino que es

---

37   El concepto de representación: 241.

admitir la existencia de ese poder de dirección y de esos representantes, en conferirles estabilidad en lo posible, pero al mismo tiempo, en someterlos a legitimación democrática […] para que su acción pueda valer como una acción autorizada por el pueblo y en nombre del pueblo.[38]

Böckenförde presenta tres elementos específicos para la organización de una democracia representativa: (a) "tiene que ser posible una permanente remisión el pueblo del poder de decisión y de dirección de los órganos representativos que actúan por sí"; (b) el poder de dirección de los representantes debe estar establecido como una competencia estatal limitada jurídicamente; y (c) dicho poder de decisión y dirección debe poder ser *corregido o contrapesado* directamente por el pueblo, ya sea retirando los representantes, ya sea mediante decisión directa sobre ciertos asuntos. Los instrumentos de democracia directa, en este modelo, se incorporan de manera excepcional como factores de equilibrio que corrigen y contrapesan.

Todos los órganos establecidos en la Constitución Política cuentan con una legitimidad democrática funcional en la medida que ésta está legitimada por medio del ejercicio del poder constituyente del pueblo. La falta de legitimidad funcional puede presentarse en la medida que se cuestiona la participación del pueblo en la adopción de la Constitución. Sin embargo, de esa forma lo que se discute es la falta de legitimidad de la Constitución y no simplemente la falta de legitimidad democrática funcional de los órganos por ella establecidos. La pregunta por la falta de legitimidad de la Constitución es una cuestión que no puede ser tocada aquí, sin embargo, puede decirse que la cuestión de la falta de legitimidad popular de origen, no cancela la posibilidad de la imputación del poder constituyente al pueblo, en la medida que uno entiende que dicha imputación siempre es conflictiva desde el punto de vista de un orden establecido. El análisis de las otras formas de legitimación democrática presta utilidad para determinar cómo el principio de la democracia puede influir u orientar la labor de los órganos del Estado.

¿Cómo obtienen su legitimación democrática los principales órganos constitucionales? El Presidente, en primer lugar, se legitima mediante

---

38   Estudios sobre el Estado de Derecho y la democracia: 142-143.

su elección mediante el voto popular. Al tener una gran legitimación orgánico-personal directa, el Presidente requiere una menor dosis de legitimación material. En ese sentido, el Presidente si bien está sometido a la fiscalización del Congreso, no es responsable políticamente ante él y éste no puede hacerlo responsable por actos de su gestión por encontrarse de espalda a los intereses del pueblo. No obstante ello, tanto el Presidente de la República como (y especialmente) sus colaboradores están sometidos a la constitución y a la ley.

El Presidente de la República, contribuye, como órgano legitimado de manera directa, a la legitimación orgánico-personal mediata de numerosas autoridades estatales y no sólo aquellas que se encuentran subordinadas a él, como los ministros, intendentes y gobernadores. Así, participa en el nombramiento de los miembros del poder judicial (art. 78 CPol), del Fiscal Nacional (art. 85 CPol), algunos ministros del Tribunal Constitucional (art. 92 CPol), del Contralor General de la República (art. 98 CPol) y de los consejeros del Banco Central.

El Congreso Nacional está legitimado de manera muy fuerte mediante la elección de sus integrantes de una manera directa por parte del pueblo. El Congreso es, además, el principal instrumento del pueblo para la atribución de la legitimidad material. En la medida que el parlamento es el órgano primario de la legislación, mediante su producción normativa se implementan las restricciones a las que quedan sujetos el resto de los órganos del Estado. Sin embargo, el Congreso también tiene un importante rol en la atribución de legitimidad orgánico personal, en la medida que está encargado de la ratificación de numerosas autoridades estatales (art. Art. 53 inc. 1° n° 5 CPol).

La recepción del principio aristocrático en el Estado democrático se ha realizado de principalmente a través de la adopción del bicameralismo: una estructuración del parlamento en dos cámaras. La idea del bicameralismo, al menos en su origen, se fundó en la idea de dividir al órgano legislativo en dos, para controlar el poder de la democracia. La cámara baja estaría compuesta por representantes del pueblo, la cámara alta estaría compuesta por representantes, que con exclusividad, pertenecieran a las clases más acomodadas. Ello encuentra una abierta tensión entre el bicameralismo, fundado en la aristocracia, y el principio democrático. El respeto irrestricto de la democracia exige la representación del pueblo y nadie más que el pueblo. Siendo el unicameralismo el sistema de organización del órgano legislativo que se concilia mejor con la democracia.

Esa tensión ha tendido a eliminarse, sin embargo, mediante la adopción de un parlamento unicameral, o de la eliminación de la representación aristocrática de la segunda cámara. Con todo, esta última alternativa no está desprovista de un contenido limitativo de la democracia. Por tres razones: primero, porque la democracia consiste en el gobierno del pueblo como unidad política, y la existencia de dos representaciones, cualquiera sea su clase, erosiona la representación de esa unidad; segundo, porque el bicameralismo ha conservado vigencia, más allá del principio aristocrático, como una forma de organización propia del Estado de Derecho que pretende, deliberadamente, imponer límites a la democracia; y tercero, porque en la estructura de los sistemas bicamerales, cuando no se fundan en una representación especial, tienden a conservar cierta identidad aristocrática. Ejemplo de ello es la mayor edad que se exige para acceder al Senado (art. 48 *vis-a-vis* art. 50 CPol) o el menor número de integrantes de éste (art. 47 *vis-a-vis* art 49 CPol).

Los tribunales tienen su legitimidad orgánico-personal limitada en la medida que son funcionarios de carrera y la reciben sólo indirectamente, mediante la designación de sus integrantes por el Presidente la República. Ello con la limitación que implica que el Presidente realiza el nombramiento entre los miembros de una lista que le presenta la propia judicatura.

La legitimidad material en el caso de los jueces es especial. En la medida que no están sujetos a control por parte de los órganos representativos (art. 76 CPol), los tribunales requieren una sujeción a la ley de una manera más estricta que aquellos funcionarios cuyas actuaciones pueden ser corregidas o controladas por los representantes del pueblo. Si bien la sujeción estricta a la ley no está establecida expresamente para los jueces, como por ejemplo, en la Constitución Española (art. 117.1) o la Ley Fundamental de Bonn (art. 97.1), ella puede deducirse del principio de la democracia establecido en el artículo 4° de la Constitución Política.

Capítulo V:

LA ORDENACIÓN CONSTITUCIONAL DEL ESTADO

Como parte de la idea de ordenación constitucional del estado examinaremos, en primer lugar, la sujeción misma del Estado al Derecho; en segundo lugar, los principios que rigen la organización que estructura internamente el ejercicio del poder estatal.

El Estado sujeto a Derecho

Si bien el concepto es en sí mismo ambiguo, el Estado de Derecho se caracteriza "en general por una cierta incomodidad de cara al fenómeno del dominio político".[1] De manera general, puede sostenerse que su búsqueda va dirigida a limitar y restringir el poder del Estado en favor de la libertad de los individuos.

Una primera aproximación conceptual permite entender al Estado de Derecho como un Estado donde se respeta sin condiciones el derecho vigente. En ese sentido es un Estado sin un soberano presente, que pueda suspender el derecho a su voluntad. Estado de Derecho es condición, por tanto, de seguridad jurídica y mantenimiento del *status quo*.

Una segunda aproximación permite entender al Estado de Derecho como contraposición al estado de fuerza (o de fuerza política). En este sentido, la afirmación de que el derecho debe primar sobre la política es la afirmación central de la teoría del Estado de Derecho. El Estado de

---

1   Estudios sobre el Estado de Derecho y la democracia: 44.

Derecho es un postulado que presenta una expectativa de normalidad, cuyo contenido puede quedar reducido a la afirmación de que el Estado debe buscar la conformación de un equilibrio que evite la excepción como estado de cosas totalmente político. Una vez que la excepción está configurada, el Estado de Derecho no tiene ningún rol que jugar, en la revolución o el golpe de Estado, en los momentos en que el soberano suspende el Derecho, el Estado de Derecho no *puede* pretender afirmar la primacía del derecho sobre la política.

Una tercera y última nota distintiva del Estado de Derecho, puede resumirse en que este concepto, si bien comparte supuestos institucionales con otros principios constitucionales, obedece a una lógica propia y busca la satisfacción de objetivos distintos a, por ejemplo, el principio de la democracia. La ley y los derechos fundamentales de participación son asumidas como instituciones que reciben justificación tanto de la democracia como del Estado de Derecho, sin embargo, la reciben por razones diversas. Para la primera son canal y soporte de la expresión de la voluntad popular, para la segunda son formas de limitación de la arbitrariedad del Estado mediante un procedimiento público de formación del derecho y de la garantía de la autonomía individual, en uno y otro caso.

Valga en el tratamiento del principio del Estado de Derecho una prevención. El principio constitucional del Estado de Derecho como un principio prescriptivo o normativo, debe distinguirse de los modelos de Estado que pueden ser descritos como Estados de Derecho. En este sentido, el primer modelo y el origen terminológico del concepto sugieren la posibilidad de entender al Estado de Derecho como un tipo de Estado. Sin embargo, la desambiguación del concepto como un concepto normativo, vienen con su consagración positiva (ya sea expresa, por ejemplo, en la Constitución Española [art. 1.1] o implícita, por ejemplo, en la Ley Fundamental de Bonn [arts. 20.3 y 28.1]). En este sentido es pertinente hablar de constituciones que reconocen el principio del Estado de Derecho y de la afectación del Estado de Derecho por un acontecimiento político. En lo que sigue, se intentará limitar la exposición al Estado de Derecho como principio constitucional.

Ahora examinaremos el Estado de Derecho como principio de

legitimidad del Estado. El fundamento del Estado de Derecho se encuentra en la doctrina del derecho natural racional. El Estado de Derecho es, en esos términos, la organización y la actuación del Estado conforme al derecho natural. La explicación del término, no debe entenderse, en su origen, como la sujeción del Estado al derecho estatal, sino al derecho supra-positivo, permanente y universal que emana de la razón. Así, su fundamento se encuentra en la naturaleza del individuo: en la libertad y la igualdad de las personas que se reúnen en una comunidad y que se desarrollan en la autonomía moral, la igualdad jurídica y la posibilidad de lograr el bienestar económico a través de la adquisición de la propiedad y el ejercicio libre de la empresa.

El Estado de Derecho plantea así, un criterio de legitimidad para el dominio del Estado, en la garantía de la libertad y la propiedad de los individuos, lo que lleva a que

[l]a sustancia de la existencia humana se desplaza desde el ámbito de lo público y de lo general al ámbito de lo privado, y es a este ámbito privado al que está referido de modo funcional lo público.[2]

Así, el derecho natural racional se conforma con ser un criterio de legitimidad que se presenta como una exigencia de libertad negativa, esto es, de libertad de acción y ausencia de coacción arbitraria; no de libertad positiva, esto es, de autodeterminación y ausencia de dominio (como la democracia).

La versión más influyente de esta fundamentación, dentro de la tradición jurídica continental es la de Kant. Éste considera que para la constitución de un Estado según los principios de la razón es necesario el respeto de ciertos principios, a saber:

(i)   la libertad humana, que Kant expresa mediante la fórmula:

nadie me puede obligar a ser feliz a su modo, sino que es lícito a cada uno buscar su felicidad por el camino que mejor le parezca, siempre y cuando no cause prejuicio a la libertad de los demás para pretender un fin semejante, libertad que puede coexistir con la libertad de todos

---

2   Estudios sobre el Estado de Derecho y la democracia: 22.

según una posible ley universal.[3]

(ii) la igualdad jurídica, que puede formularse así:

cada miembro de la comunidad tiene derechos de coacción frente a cualquier otro […]. Por todo cuanto en un Estado se halle bajo leyes de coacción lo mismo que todos los demás miembros de la comunidad […]. A cada miembro de la comunidad le ha de ser lícito alcanzar dentro de ella un posición de cualquier nivel hasta el que puedan llevarle su talento, su aplicación y su suerte. Y no es lícito que los cosúbditos le cierren el paso merced a una prerrogativa hereditaria, manteníendole eternamente, a él y su descendencia, en una posición inferior.[4]

(iii) Finalmente, Kant propone la idea de auto-legislación pública:

[…] una ley pública, que determina para todos lo que les debe estar jurídicamente permitido o prohibido, es un acto de una voluntad pública, de la cual precede todo derecho, y por tanto, no ha de cometer injusticia contra nadie. Más, a este respecto, tal voluntad no puede ser sino la voluntad del pueblo entero (ya que todos deciden sobre todos y cada uno sobre sí mismo), pues sólo contra sí mismo/nadie puede cometer injusticia, mientras que, tratándose de otro distinto de uno mismo, la mera voluntad de éste no puede decidir sobre uno mismo nada que pudiera ser justo.[5]

Si bien es cierto que, en su origen, la idea de Estado de Derecho se vincula de una manera especialmente estrecha con la idea de derecho natural, con posterioridad a la Segunda Guerra Mundial y la caída de los regímenes socialistas, en particular en Alemania, el argumento del derecho natural ha revivido en la forma de un derecho de rango superior, frente al cuál el derecho estatal tiene que ceder. El argumento puede ser condensardo en la fórmula de Gustav Radbruch [1878–1949]:

El conflicto entre la justicia y la seguridad jurídica podría

---

3   Teoría y Práctica: 206.

4   Teoría y Práctica: 208-209.

5   Teoría y Práctica: 213-214.

solucionarse bien en el sentido de que el derecho positivo estatuido y asegurado por el poder tiene preeminencia aun cuando por su contenido sea injusto e inconveniente, bien en el de que el conflicto de la ley positiva con la justicia alcance una medida tan insoportable que la ley, como derecho injusto, deba ceder su lugar a la justicia.

Es imposible trazar una línea más exacta entre los casos de arbitrariedad legal y de las leyes válidas aún a pesar de su contenido injusto. Empero se puede efectuar otra delimitación con toda exactitud: donde ni siquiera una vez se pretende alcanzar la justicia, donde la igualdad que constituye la médula de la justicia es negada claramente por el derecho positivo, allí la ley no solamente es derecho injusto sino que carece más bien de toda naturaleza jurídica.[6]

Por supuesto, esta discusión es signiticativa en relación con la vinculatoriedad moral de un sistema jurídico y del orden político en el cual se inserta. Sin embargo, no es lo que preocupa medularmente al Estado de Derecho como un principio de legitimidad de la organización del Estado, pues en tal caso estamos sencillamente frente a un Estado no sujeto a derecho.

Refirámonos ahora a la compleja relación ente *Estado de Derecho* y *democracia*. Detrás del Estado de Derecho como principio de legitimidad está la filosofía política liberal, que comprende que la legitimidad del Estado se justifica de una manera distinta de cómo la pretende justificar la filosofía política democrática, que encuentra su propio principio de legitimación en la teoría de la soberanía del pueblo y la democracia como forma de gobierno.

El Estado de Derecho y la democracia si bien tienen rasgos comunes, muchas veces tienden a oponerse y a exigir soluciones diversas en un mismo asunto. La democracia responde a la pregunta sobre quién es el titular del poder estatal. El Estado de Derecho, por otro lado, responde a la pregunta sobre el contenido de la actuación estatal. De esta forma, la

---

6   Arbitrariedad Legal y Derecho Supralegal: 37-38.

democracia es posible sin el Estado de Derecho y el Estado de Derecho es posible en regímenes que no son democráticos.

El Estado está legitimado, desde el punto de vista del liberalismo, cuando no interfiere en la esfera del individuo. A continuación, la esfera del individuo se puede determinar como el conjunto de libertades que posibilitan la realización del plan de vida que autónomamente el individuo se ha trazado y para el cual no requiere la ayuda de los demás. Así, el liberalismo exige que el Estado maximice el grado de libertad que los individuos tienen. Sin embargo, la forma en que el Estado cumple dicho objetivo es, en principio, irrelevante. Así, la conformación de un régimen democrático, estará justificada para el liberalismo, si es que este régimen tiende a garantizar la libertad individual. En términos generales, la democracia tiende a garantizar la libertad individual. Esta afirmación es especialmente relevante cuando se compara a un régimen democrático con una monarquía autoritaria. Sin embargo, la democracia muchas veces afecta la libertad individual con la finalidad de satisfacer otros objetivos, como por ejemplo, propiciar una mayor igualdad. A su vez, una monarquía autocrática puede tener un monarca ilustrado y liberal a la cabeza y respetar las libertades de sus súbditos de una manera más estricta que la misma democracia. En ese escenario, el liberalismo es agnóstico a la forma de gobierno, mientras el criterio de legitimidad basado en la libertad individual sea satisfecho. Preferirá una monarquía liberal a una democracia radical. Con todo, no es posible afirmar seriamente que el Estado de Derecho no está ligado a la democracia, en la medida que la democracia será siempre uno de los controles fundamentales frente al poder arbitrario del Estado. La democracia protege de mejor manera que la monarquía la libertad del individuo porque son los propios destinatarios del poder del Estado quienes ejercerán de manera relevante dicho poder.

La vigencia paralela del Estado de Derecho y la democracia se justifica, como una forma de reconocer límites a lo que el pueblo en la democracia puede decidir, que vienen dados por los derechos fundamentales que incluso los representantes del pueblo deben respetar. En ello existe, desde las más diversas teorías sobre la legitimidad del Estado, acuerdo. Sin embargo, está abierta la discusión sobre la forma o el método en que dichos derechos deben ser protegidos frente a la afectación arbitraria, ya no del monarca, sino del legislador democrático.

El origen del concepto de Estado de Derecho es un concepto propio del derecho constitucional alemán y debe su denominación al jurista alemán Robert von Mohl [1799–1875] en su obra *La ciencia de la policía alemana de acuerdo con los principios del Estado de Derecho* [1833]. El término no tiene un correlato preciso en Francia, donde en la génesis del estado burgués primó el *principio de legalidad*, ni en los países anglosajones, donde el término definitorio ha sido el de 'rule of law', popularizado por Albert Venn Dicey [1835 – 7 April 1922] en su obra *Una introducción al estudio del derecho de la Constitución* [1885]. El término *Estado de Derecho* ha tenido gran influencia en España y por esa vía en el derecho constitucional chileno contemporáneo, en el que no ha recibido, a diferencia de otras latitudes, consagración constitucional.

En su origen, la idea del Estado de Derecho hace referencia al carácter racional de la organización del Estado, en armonía con lo dispuesto por los teóricos del derecho natural liberal. Sobre esta base, Böckenförde, sienta las características originales del estado de derecho de la siguiente manera:

(a) el Estado es una creación de la comunidad política y está a su servicio, no es una creación de, ni está encomendado a, ningún orden superior o divino;

(b) los objetivos del Estado quedan restringidos a la garantía de la libertad, la seguridad y la propiedad de los individuos; y

(c) la organización y regulación de la actividad del Estado debe realizarse de acuerdo a principios racionales, incluyendo entre estos los siguientes: el reconocimiento de los derechos básicos de la ciudadanía (libertad, igualdad y propiedad), la independencia de los jueces, la responsabilidad del gobierno, el dominio de la ley, la representación del pueblo y la separación de funciones.

Todas estas ideas sugieren que la idea del Estado de Derecho es la concreción institucional de las ideas de la filosofía política liberal racional, presentándose como una opción para la organización y actuación del Estado tanto frente a la tentación del despotismo absolutista como frente al ejercicio del poder político democrático. Así, el Estado de Derecho no es necesariamente un principio de inspiración democrático; más bien, el Estado de Derecho en su origen puede ser caracterizado como un Estado de Derecho burgués.

El lugar que tiene la institución de la ley para el Estado de Derecho es central para afirmar la primacía del individuo frente al Estado y va a ser el eje de continuidad sobre el cual el concepto de Estado de Derecho se va a desarrollar. En la formulación de Böckenförde:

> la ley es una regla general que surge con el asentimiento de la representación del pueblo en un procedimiento caracterizado por la discusión y la publicidad. Todos los principios esenciales para el estado de derecho están incluidos institucionalmente en este concepto de ley, y en él reciben su forma. El sentimiento de la representación del pueblo garantiza el principio de la libertad y la posición del sujeto del ciudadano; la generalidad de la ley impide ingerencias en el ámbito de la libertad civil [...]; el procedimiento determinado por la discusión y la publicidad garantiza la medida de racionalidad que el contenido de la ley puede humanamente alcanzar.[7]

La ley, en esos términos, se convierte en la garantía de los individuos frente al poder del Estado.

La tendencia posterior a la conformación original del estado de derecho en Alemania fue su reducción a un concepto formal. Así, se habla hasta hoy de un concepto formal de estado de derecho o de un estado de derecho formal. Puede caracterizarse a éste de la siguiente manera:

(a) el Estado de Derecho no está vinculado a determinada filosofía política, debe ser algo "apolítico", por lo tanto, se debe vaciar el contenido liberal;

(b) el Estado de Derecho exige imperio de las leyes, esto es, sumisión de las autoridades al derecho y en especial sumisión de la administración a la ley; y

(c) exige la protección judicial del individuo frente a la administración.

---

7   Estudios sobre el Estado de Derecho y la democracia: 23.

La formulación más extrema del Estado de Derecho formal procede de los teóricos del positivismo que lo presentan como una determinada relación de orden entre la ley, la administración y los individuos, llegando a reducirse a la mera legalidad de la administración: la intervención estatal en la esfera de libertad individual no puede carecer de sustento en una ley ni, mucho menos, contrariar mandatos legales expresos.

Así, se rechaza cualquier cuestionamiento liberal de la libertad de configuración del orden jurídico por parte del legislador. Esta evolución del concepto de Estado de Derecho no es más que la contrapartida de la reducción del concepto material de ley, que se erigía como eje del concepto original del Estado de Derecho, a un concepto formal de ley.

Esta reducción, sin embargo, no transforma al concepto de Estado de Derecho en algo vacuo, dicho concepto sigue conformando y manteniendo, ahora de una manera meramente formal, el *status quo* que el liberalismo había establecido como centro de gravedad del concepto de Estado de Derecho, esto es, *libertad, seguridad y propiedad*.

La crisis social que produjo un conflicto de legitimidad del Estado liberal a comienzos del siglo XX, se dirigió particularmente contra el concepto de Estado de Derecho como un estorbo para el cambio social necesario para la vuelta de la legitimidad al Estado. Con ello, surgen nuevas concepciones del Estado de Derecho que "reflejan nuevas ideas de justicia" política. Ellas proponen sustituir la noción decimonónica del Estado de Derecho formal por un Estado de Derecho material, que de cuenta de los aspectos sociales urgentes de la comunidad. La igual libertad formal asegurada por el Estado de Derecho ya no es suficiente, y el pueblo reclama una igual libertad real.

Una segunda explicación, enfatiza el rol fundamental que cumplieron los hechos sucedidos en Alemania entre 1933 y 1945 en la desconfianza que genera confiar la protección de los derechos más esenciales a mecanismos institucionales que cedieron fácilmente ante la excepción política acaecida en ese país. La respuesta del Estado de Derecho material es también una respuesta a la pregunta de cuál es la mejor forma de proteger los derechos fundamentales frente a la excepcionalidad política.

La reacción crítica contra el déficit de legitimidad que el Estado de Derecho presentaba, fue seguida de la reformulación del concepto tradicional, dirigiéndolo ya no sólo a la delimitación y defensa de la libertad individual, sino también a la realización de tareas y la persecución de objetivos por parte del Estado.

La fórmula propuesta por los teóricos del Estado de Derecho material se dirige en particular contra la concepción tradicional de los derechos fundamentales. Los derechos como protección de la libertad individual frente al Estado, orientando la organización y el funcionamiento de éste, de manera de cautelar la no intervención, son reemplazados por unos derechos que aparecen como bienes o valores cuya función no es ya sólo *limitar* la acción del Estado sino *dirigir* dicha actuación a la realización de determinados objetivos, esto es, hacia la realización de los valores o bienes establecidos como derechos, que son concebidos como parámetros de justicia material.

Así, toda la acción del Estado queda dirigida ya por la decisión fundamental sobre el orden de cosas que debe imperar en el Estado de Derecho. No queda mayor margen de acción para la toma de decisiones estatales, más que la realización de los derechos fundamentales, que ya no son entendidos como límites a la esfera de acción del Estado sino que son entendidos como un "orden objetivo de valores" que el Estado debe realizar.

Una concepción del Estado de Derecho material equilibrada, para Ernst Benda [1925–2009], por ejemplo, involucra "que el poder estatal es considerado como vinculado sobre todo a determinados principios y valores jurídicos superiores". Para que esos principios puedan imponerse "deben disponer de un rango superior al de las decisiones de la mayoría parlamentaria de turno". El Estado de Derecho material exige la supremacía de la constitución. Sin embargo, la democracia "se ahogaría si las decisiones constitucionales adoptadas no dejaran margen suficiente de configuración a la política". De ahí la necesidad de cierto equilibrio:

> Determinados principios deben ser respetados porque parecen irrenunciables, pero el debate político debe discurrir permitiendo tener en cuenta el cambio de las circunstancias y de las ideas. El

debate político en libertad debe poder decidirse entre alternativas.[8]

Dichos principios irrenunciables son los derechos y principios fundamentales consagrados en la constitución, cuya vigencia jurídica no puede quedar encomendada a un órganos político, sino que debe quedar entregada a un tribunal.

La constitución como *orden objetivo de valores* parece decidir demasiado. Este orden, por lo menos, genera una relación de tensión con el propio núcleo fundamental del concepto de Estado de Derecho y con el principio de la democracia. En relación con el primero, la tensión se relaciona con el lugar de la libertad que el concepto formal de Estado de Derecho pretendía asegurar en forma categórica. La nueva formulación pasa por alto el contenido material de las garantías formales del Estado de Derecho y con ello genera una tensión irresoluble con la delimitación y garantía de la libertad individual que estaba en la base del origen y desarrollo del concepto. Ello es así, en la medida que

> [s]i se dota a los postulados ético-morales o a los valores materiales una vinculatividad jurídica que va más allá de la garantía de la libertad igual de todos y de las exigencias fundamentales de la vida en común ordenada, se llega inevitablemente a una socialización de la libertad y de la autonomía individuales. Estas quedan sometidas al dominio de los que ejercen el monopolio de la interpretación de estos postulados o valores, o que se los apropian [...] ¿No se abre entonces la puerta al totalitarismo constitucional? ¿Qué clase de seguridad en sí mismo tiene un pueblo que se cree obligado a fijar como intangibles, con la coacción del Derecho, los llamados valores fundamentales de la regulación de la vida y de su organización política, tanto para sí mismo como para las generaciones futuras, a las que con ello está negándoles desde el principio el reconocimiento de su propia madurez? [...] ¿en qué medida nos encontramos entonces aún ante una regulación de la libertad propia de un Estado de Derecho?.[9]

---

8   Manual de Derecho Constitucional: 490-491.

9   Estudios sobre el Estado de Derecho y la democracia: 42-43.

Una comprensión equilibrada del Estado de Derecho que no se entrometa de una manera inaceptable en la toma de las decisiones democráticas, pero que al mismo tiempo no se restrinja a establecer mecanismos institucionales que aparezcan como estériles frente a las exigencias de justicia material vertidas en el catálogo de derechos fundamentales, necesariamente tiene que tomar en cuenta tanto el objetivo principal del Estado de Derecho como su rol en un régimen democrático. En este sentido, la amenaza para la libertad individual y para el gobierno democrático que se erige en la concepción material-objetiva de la constitución, de los derechos fundamentales y del Estado de Derecho, aparece como un argumento a favor de volver a una concepción formal (o relativamente formal) del Estado de Derecho.

Que los derechos fundamentales y otros valores constitucionales se erijan como objetivos a ser realizados, hacen que estos entren en competencia con las decisiones del pueblo. en la función de guiar la actuación estatal. Al mismo tiempo que los derechos invaden la esfera pública que normalmente corresponde a la deliberación democrática, también tienden a invadir en la esfera privada. En la medida que los derechos fundamentales se transforman de libertades en valores, se vuelven pertinentes como razones de intervención estatal en áreas tradicionalmente entregadas a la autonomía de los ciudadanos.

Hablaremos ahora del *contenido del Estado de Derecho*. De la idea del Estado de Derecho como un principio constitucional liberal pueden concluirse dos principios que están contenidos en todas las formulaciones del Estado de Derecho. Ellos son, en la célebre formulación de Carl Schmitt, el principio de *distribución* y el principio de *organización*.

Por supuesto que con el tiempo, y con la elaboración doctrinal y jurisprudencial, dicho contenido ha tendido a sofisticarse. Así, por ejemplo, Benda considera que el concepto de Estado de Derecho involucra: (i) seguridad jurídica y justicia; (ii) que la Constitución sea la norma suprema; (iii) la vinculación de los poderes públicos a la ley y al derecho; (iv) vinculación de los poderes públicos por la primacía y reserva de ley; (v) división de poderes; (vi) protección de los derechos fundamentales; (vii) tutela judicial; (viii) protección de la confianza jurídica.[10]

---

10   Manual de Derecho Constitucional.

Como puede evidenciarse, al igual como el concepto de Estado de Derecho fue evolucionando a través de la historia, las instituciones y requisitos que lo componen también han variado. Sin embargo, todos estos contenidos, son subsumibles en las ideas más simples y generales de Schmitt. El principio de la *distribución* presenta la separación fundamental de la filosofía liberal entre la esfera pública y la esfera privada. El principio de la *organización* está dirigido a institucionalizar la protección del principio de la distribución, que aparece en un comienzo como un principio falto de concreción.

El principio de la distribución se puede definir de la siguiente manera:

La esfera de libertad del individuo se supone como un dato anterior al Estado, quedando la libertad del individuo ilimitada en principio, mientras que la facultad del Estado para invadirla es limitada en principio.[11]

La más famosa consagración constitucional del principio de la distribución es la establecida en la Declaración de los Derechos del Hombre y del Ciudadano de 1789 establecía:

Artículo 4.- La libertad consiste en poder hacer todo aquello que no perjudique a otro: por eso, el ejercicio de los derechos naturales de cada hombre no tiene otros límites que los que garantizan a los demás miembros de la sociedad el goce de estos mismos derechos. Tales límites sólo pueden ser determinados por la ley.

Artículo 5.- La ley sólo tiene derecho a prohibir los actos perjudiciales para la sociedad. Nada que no esté prohibido por la ley puede ser impedido, y nadie puede ser constreñido a hacer algo que ésta no ordene.

La implementación del principio de distribución es llevado a cabo por el establecimiento de los derechos fundamentales de libertad, que establecen la barrera última que el poder del Estado no puede flanquear.

---

11   Teoría de la Constitución: 138.

El principio de organización es presentado por Schmitt de la siguiente manera:

> Sirve para poner en la práctica el principio de distribución: el poder del Estado (limitado en principio) se divide y se encierra en un sistema de competencias circunscritas.[12]

Si bien Schmitt identifica el principio de organización con la separación de los poderes y la distribución de las competencias estatales entre ellos, la organización del Estado con la finalidad de implementar medidas que funcionalmente tiendan a garantizar el principio de distribución, puede entenderse más comprensivamente. Así, otras fórmulas de control del poder del Estado que se realizan mediante su organización forman parte del principio de organización.

En primer lugar, dentro de estas formas organizativas del Estado de Derecho, sin duda se encuentra la separación de poderes y distribución de funciones entre los órganos del Estado. La división de las funciones ejecutiva, legislativa y especialmente la judicial, forma parte del núcleo indubitado del estado de derecho.

Esta división de poderes contiene "el principio básico de la *mensurabilidad* de todas las manifestaciones del poder del Estado", que se desprende del principio de distribución. De esta manera:

> Todas las actividades estatales, incluso la legislación y el gobierno, se pueden reducir a un previo funcionamiento calculable, según normas fijadas de antemano.[13]

Luego, como concreción de la mensurabilidad general, se encuentra el principio de legalidad. En su versión más tosca, como la simple sujeción del Estado al derecho preestablecido. En su versión más propia, mediante la sujeción de la actuación de la administración a la ley y la revisabilidad de tal sujeción por parte de un juez independiente.

La independencia judicial, por tanto, es otra característica

---

12   Teoría de la Constitución: 138.

13   Teoría de la Constitución: 142.

organizativa, que se vincula, tanto a la separación de poderes, en la que recibe su realización más relevante, como a la legalidad. Con la legalidad tiene una relación de garantía de la posición del individuo frente a la administración, dándole eficacia a la garantía abstracta de la sujeción a la ley de esta. La independencia judicial tiene su explicación, desde el principio del Estado de Derecho, como la forma de garantizar el control judicial de la administración.

En relación con la legalidad en un sentido amplio, como sujeción al derecho preestablecido, se encuentra la vinculación del legislador a la ley constitucional. Como una reproducción de la relación entre ley y acto administrativo, las normas constitucionales como normas jurídicas se presentan como una exigencia competencial, procedimental y material al ejercicio del poder legislativo.

Como corolario y consecuencia de las formas organizativas básicas del Estado de Derecho, se puede observar una "conformación judicial general de toda la vida del Estado". Todos los conflictos dentro del Estado son solucionados en última instancia por un juez, que pretende solucionar los conflictos aplicando las normas preestablecidas por el orden jurídico vigente. Ello, si se mira este enunciado con algo de crítica, es imposible para varios de los supuestos de litigios constitucionales. La sujeción de la política al derecho no es posible en todos los supuestos, en especial allí donde faltan las bases para entender que un juez soluciona el asunto *aplicando* el derecho preestablecido. Ese es un problema en muchos casos de control de constitucionalidad de la ley o de otros actos de decisión política judicial.

El principio de Legalidad

El objetivo central del liberalismo y del Estado de Derecho como su implementación jurídica ha sido el de someter al poder del Estado. La particular forma de hacerlo ha sido obligarlo a respetar el derecho. Así, el derecho aparece como algo externo al Estado, algo que lo limita desde afuera. Ello parece contraintuitivo en la medida que en el Estado moderno es el Estado quién tiene el monopolio de los medios de producción del derecho. Quizás con una revisión del origen de la idea de la sujeción del Estado al derecho pueda aclararse de qué forma el Estado llegó a estar limitado por el derecho y por qué, antes que la constitución, ese límite se construyó en torno a la ley o al principio de legalidad.

En el Estado europeo del Siglo XIX, el Estado de Derecho se configuraba en torno al principio de legalidad de la administración. Ello tiene su explicación en que la libertad y la propiedad, que eran los objetos de atención de los defensores del estado de derecho se veían garantizados de mejor forma, no mediante la supremacía de la constitución, sino mediante la estructura de la organización del Estado. La mejor concreción de esa garantía organizativa, fue la idea del sometimiento de la administración a la ley.

La especial posición de la ley en el Estado europeo del Siglo XIX tenía como objetivo la limitación del poder del ejecutivo y del aparato administrativo y militar con que contaba. La administración debía quedar sujeta a las reglas que la ley estableciera. La justificación de este fenómeno puede encontrarse en las circunstancias históricas del surgimiento del Estado de Derecho como una respuesta al modelo de estado autocrático. Sobre esa base, la instauración del parlamento y la atribución de una potestad normativa especial, la ley, con el consecuente monopolio de su producción, constituía la forma en que en el poder del Estado se sometía al derecho.

La fórmula trivial para explicar esto, ya se ha mencionado, es que el Estado debe respetar el derecho preestablecido. Sin embargo, la expresión "el poder se somete al derecho", tiene un significado histórico más profundo. El Estado previo al surgimiento del parlamento moderno, es entendido como la abstracción del poder discrecional del monarca sobre los individuos. Con la implantación del parlamento, los individuos de la sociedad son representados en un órgano, cuya producción jurídica, la ley, constituye un límite al poder del monarca. Sobre esta base, el poder del monarca queda sometido por normas que son la expresión o fruto de un proceso de representación, publicidad y discusión, que no puede dejar de concordar con los designios de la filosofía política liberal, entendida como derecho natural racional. Es así como el poder (del monarca) antes arbitrario, se somete al derecho (natural) mediante la fórmula de la sujeción de la administración a la ley.

En la medida que la ley se erige como el límite para la acción de la administración, es ésta la norma superior del orden jurídico, no siendo objeto de limitaciones y teniendo el máximo grado de legitimidad. La posición de la constitución en este estadio de la evolución del Estado de Derecho si bien tiene un contenido similar al actual (establecimiento de los órganos del Estado, sus principales formas de actuación y los derechos fundamentales), no está atravesada por la idea de la supremacía constitucional y de la sumisión de la ley a la constitución. En ese sentido, la ley contaba con plena autonomía para determinar su propio contenido y "se admite como algo jurídicamente no contradictorio el que el legislador pueda dictar leyes contrarias a la constitución sin que ello implique su nulidad",[14] desvaneciéndose así la diferencia entre la constitución y las leyes.

El concepto de ley es desde su origen un elemento central del Estado de Derecho. La formulación tradicional de la ley como "una regla general que surge con el asentimiento de la representación del pueblo en un procedimiento caracterizado por la discusión y la publicidad",[15] hace referencia a la formulación originaria del Estado de Eerecho como una organización del Estado según los principios del liberalismo. Ese asentimiento de la ciudadanía da forma al autogobierno; la generalidad de sus contenidos garantiza a la libertad respecto de la actuación arbitraria del Estado; y la racionalidad del contenido de la legislación está garantizada por el procedimiento de discusión legislativa.

El concepto *formal* de ley es aquel que la determina basado únicamente en la satisfacción de requisitos de forma o procedimentales que se establecen para la formación de la ley y excluye cualquier requisito en el contenido de las normas jurídicas producidas mediante dicho procedimiento. De esta manera, que la norma jurídica con el nombre de "ley" deba provenir del órgano "parlamento" y que deba sujetarse para su aprobación por este a un procedimiento llamado "de formación de la ley" son los elementos paradigmáticos del concepto formal de ley.

El concepto *material* de ley es, por otro lado, aquel que se determina no solo basado en la satisfacción de requisitos procedimentales, sino que

---

14   Derecho Constitucional. Sistema de Fuentes: 130.

15   Estudios sobre el Estado de Derecho y la democracia: 23.

requiere además de la satisfacción de ciertos requisitos de contenido en las normas producidas. En particular, la materia que la potestad legislativa regulaba y la estructura que tenían las normas dictadas en su ejercicio. Así, por ejemplo, el concepto de ley propio del modelo monárquico exigía que la ley sólo contuviera normas respecto a la propiedad y la libertad individual. También se consideró relevante que ciertas propiedades de las normas deberían ser exigidas para considerarlas leyes, por ejemplo, su generalidad y abstracción.

El fundamento de cada uno de los conceptos de ley recién explicados reside en la posición que la ley ocupa en el sistema de fuentes del ordenamiento jurídico. De esta manera es sencillo ver las conexiones del concepto formal de ley con el modelo parlamentario francés y del concepto material de ley con el modelo monárquico alemán. En el primero, el concepto formal de ley está en conexión con la comprensión de la ley como la voluntad soberana. En el segundo, el concepto material de ley está en conexión con la distribución de competencias entre la legislación y la administración y por cierto, con la idea de que la ley es la manera de garantizar la propiedad y la libertad burguesas y sólo eso.

Sin embargo, desde la adopción del principio de supremacía constitucional, que implementa ya no sólo límites procedimentales sino también límites materiales infranqueables para la potestad legislativa, la necesidad de contar con un concepto material de ley se ha hecho innecesaria. El rol de garantía que cumplía el concepto de ley en el modelo monárquico ahora es asumido directamente por la constitución, mediante la sumisión del legislador al respeto de los derechos fundamentales. Por otro lado, la omnipotencia del legislador soberano, propia del modelo parlamentario, no es conciliable con la vigencia de la constitución, que reduce a aquél a un poder constituido más, que debe adaptarse tanto en su procedimiento de actuación como en su contenido a las disposiciones constitucionales.

El rol que el principio de legalidad cumple en un orden estatal distinto al de los modelos monárquico y parlamentario estará dado principalmente por la posición que ocupe en aquél, la ley y el parlamento.

En un Estado en que existe una constitución fruto del ejercicio del poder constituyente del pueblo, no puede existir más soberano que éste. En este Estado, todos los órganos constituidos y sus distintas potestades son fruto de una atribución del poder constituyente. Así, no es posible que el parlamento tenga una posición en que no se ve vinculado por normas, como en el modelo parlamentario, pues aún en el caso que el poder constituyente le concediera una notable libertad de acción, el legislador estaría restringido por las normas constitucionales que le atribuyen, ya sea normas procedimentales (por ejemplo, el procedimiento de creación de la ley), ya normas sustantivas que deben respetar (por ejemplo, los derechos fundamentales). Esta idea es aplicable a todos los órganos del Estado que son establecidos por la constitución.

Que todos los órganos del Estado estén sujetos a la constitución, por lo cual su libertad no es ilimitada, tiene como contrapartida que el poder constituyente sí es libre para atribuir potestades a su voluntad entre los órganos constituidos, pudiendo distribuir potestades normativas entre parlamento y administración y pudiendo también regular a su discreción las relaciones entre éstas. El principio de legalidad pasa a ser una decisión del poder constituyente y su contenido particular pasa a quedar determinado por las normas de la constitución de cada Estado.

Esto trae como consecuencia desde la perspectiva de la ordenación del sistema de modos de producción de normas:

(1)   el derrumbamiento del dogma de que la ley es la voluntad del soberano (art. 1 Código Civil);

(2)   la apertura a la consideración de distintas posibilidades en la relación ley-reglamento, que incluyen, por cierto, la distribución de materias entre ley y reglamento, para una regulación administrativa autónoma de algunas materias;

(3)   el sometimiento de la ley y de las demás normas jurídicas a la supremacía de la constitución, con lo que se derrumba la equiparación entre constitución y ley; y

(4)   de la mano del anterior punto, la posibilidad de un control de constitucionalidad de la ley, de la misma manera que la administración es examinada en su legalidad.

La democracia es en el Estado Constitucional lo que determina que la ley deba tener una posición preferente frente a la administración y a la producción normativa de los demás órganos del Estado, pudiendo configurarse por el poder constituyente de otra manera.

El principio democrático exige que la ley ocupe un lugar de preferencia por su procedencia: proviene del órgano que representa, de una manera más completa, al pueblo. Esta característica fundamenta una serie de prerrogativas con que cuenta la ley respecto a las demás normas que integran el ordenamiento jurídico.

En primer lugar, el principio democrático exige del procedimiento para implementar la sujeción de la ley a la constitución ciertas prerrogativas con que no cuentan las demás formas de sujeción de los actos estatales al derecho. Así, se ha afirmado que un modelo de control constitucional concentrado y de la presunción de la constitucionalidad de la ley en dicho control, vienen exigidas por el principio democrático.

En segundo lugar, el principio democrático fundamenta la *fuerza de ley* con que cuenta esta clase de normas.

En tercer y último lugar, el principio democrático funda la relación de subordinación de las potestades normativas de la administración ante la ley, ya no por las razones fundadas en la calidad autocrática de la administración o en la soberanía del parlamento, sino en la particular forma del procedimiento legislativo frente al procedimiento de creación de normas de la administración.

La "fuerza de ley" es la expresión para denotar la diferente naturaleza y jerarquía normativa de las normas jurídicas creadas por el parlamento en el modelo parlamentario. En su origen, la fuerza de ley significaba la posición de supremacía en que la ley se encontraba respecto de todas las demás normas del ordenamiento jurídico. En ese entendido, la fuerza de ley implicaba que la ley podía derogar o modificar cualquier norma jurídica (fuerza activa) y que sólo mediante una ley se podía modificar o derogar una norma con fuerza de ley (fuerza pasiva). De ello se deducen dos características: (a) la ley es la norma de máxima jerarquía; y (b) la ley posee una expansividad ilimitada, esto es, puede regular todas las materias.

En el Estado Constitucional, sin embargo, la fuerza de ley ha perdido ambas características distintivas. Por un lado, ya no es más la norma de máxima jerarquía, lugar que ha pasado a ocupar la constitución en cuanto ley constitucional. Sin embargo, descontando la constitución, la ley sigue afirmando su mayor jerarquía respecto de todas las normas creadas por la administración. Si bien no se ubica en la máxima jerarquía normativa, la ley conserva su mayor jerarquía normativa respecto de, por ejemplo, los reglamentos. De esta manera, la fuerza de ley sigue siendo un concepto útil para la comprensión de la posición de la ley en el ordenamiento jurídico. Por otro lado, la expansividad ilimitada de la ley, propia del modelo parlamentario, puede quedar limitada, y así pasa en la Constitución Política, por el principio de distribución de competencias entre el legislador y la administración.

La expresión fuerza de ley adquiere unos contornos más precisos y limitados. Ella hace referencia al lugar en la jerarquía normativa que la ley, y las demás normas que tienen esa jerarquía porque la constitución se las atribuye, tienen dentro del ordenamiento jurídico.

La posición de subordinación entre la ley y las normas administrativas se funda en la posición del parlamento y la naturaleza del procedimiento legislativo.

Esto dice relación con la *reserva legal*. Las reservas de ley corresponden a la exigencia de que sea la ley y no otro tipo de norma, la que regule determinadas materias descritas por la constitución. Así,

> la materia reservada queda sustraída por imperativo constitucional a todas las normas distintas de la ley, lo que significa también que el legislador ha de establecer por sí mismo la regulación y que no puede remitirla a otras normas distintas, en concreto el reglamento.[16]

La reserva de ley tiene, por tanto, dos destinatarios. Por un lado, se dirige a la administración, estableciendo una prohibición de actuación o ejercicio de potestades normativas en ciertas materias reservadas a la ley. Por otro, se dirige al parlamento, estableciendo una prohibición de

---

16   Derecho Constitucional. Sistema de Fuentes: 151.

delegación de dichas materias a la administración, por lo que la reserva de ley no sólo consiste en "la facultad del legislador de decidir cuál será el rango de las normas que regulen" una materia, sino que establece que el parlamento no podrá renunciar a la regulación de dichas materias, estableciendo lo que se ha llamado también una *reserva de parlamento*.

El razonamiento detrás de la reserva de ley, no puede ser hoy el mismo que fundaba la reserva de la libertad y la propiedad en el modelo monárquico. Allí, la reserva de ley se fundaba en el carácter autocrático del monarca y el rol de garantía que cumplía dicha reserva a su respecto. En este sentido, debe buscarse una justificación adicional, para explicar por qué existe una reserva de materias de un poder constitucionalmente establecido y legitimado democráticamente, como el parlamento, respecto de otro que cuenta con las misma características, como el Presidente de la República.

Dicha razón pasa por entender, como ya se señaló, la influencia del principio de la democracia en el sistema de fuentes. En ese entendido, puede formularse la idea de que la regulación de ciertas materias mediante el procedimiento de formación de la ley le otorga un plus de legitimidad democrática de la que la regulación administrativa carece. Las reservas de ley tienen la función de obligar a que se someta a la regulación de determinadas materias a la discusión pública parlamentaria, que está atravesada por la idea de la deliberación, en la que las distintas opiniones son expresadas en un debate libre y opciones políticas se ven representadas por la conformación pluralista del parlamento, lo que permite a todos los involucrados y en especial a aquellos que van a ser destinatarios de las normas, expresar sus puntos de vista. Por el contrario, el procedimiento de formación de las normas administrativas, no recoge los principios de la deliberación.

En *sentido amplio* el principio de legalidad equivale a la idea de que el Estado debe sujetarse al derecho preestablecido para su actuación. Así, el principio de legalidad en sentido amplio y la sujeción al derecho son sinónimos. De Otto señala al respecto:

> El principio de legalidad [en sentido amplio] exige que la actuación
> de los órganos del Estado, en concreto la de la administración,

mediante actos administrativos y la de los tribunales mediante resoluciones judiciales, se lleve a cabo con sujeción al ordenamiento jurídico.[17]

Este sentido del principio de legalidad es también llamado principio de juridicidad, en la medida que somete a los órganos del Estado ya no meramente a la ley, sino a todas las normas del orden jurídico. Surge a propósito de este sentido amplio, la pregunta sobre si la administración y los tribunales no se ven vinculados también por la constitución y sin no está el legislador, a su vez, vinculado por las demás normas del ordenamiento jurídico.

La supremacía constitucional es un principio que sólo afecta directamente al legislador. Y sólo indirectamente o especialmente a la administración y a los tribunales.

El legislador no puede verse vinculado por sus propias decisiones, y no se ve vinculado por las decisiones administrativas reglamentarias de manera directa, sino que se ve vinculado por el principio de distribución de materias respecto de ellas. Así, el legislador sólo está limitado por la constitución.

La legalidad en sentido amplio exige que la actuación de los órganos del Estado no sea libre, sino que esté vinculada al derecho preestablecido. Así, las expectativas de los ciudadanos respecto al comportamiento del Estado estarán aseguradas y la actuación del Estado estará limitada. Esta formulación no es más que una concreción de la idea central del principio de Estado de Derecho. Falta sin embargo, determinar cuál es el alcance de este principio de juridicidad. La idea de que los órganos del Estado tengan que someter su acción al derecho, no es una idea demasiado novedosa: *"por definición* todo ordenamiento prohíbe la actuación antijurídica". Si el principio de legalidad en sentido amplio se limita a afirmar esto, no se ubicaría como un principio demasiado importante. Sin embargo, es posible entenderlo de una forma más relevante: el principio de legalidad exige que el ordenamiento someta a una vinculación jurídica a la actuación de la administración y los tribunales. Dicho en otros términos:

---

17   Derecho Constitucional. Sistema de Fuentes: 157.

Exige que no se autorice a la Administración para perseguir libremente sus fines, que se le concedan apoderamientos en blanco y que las normas sirvan de criterio para enjuiciar en su contenido la actuación administrativa. De este principio nace todo el Derecho Administrativo y la sujeción de la Administración al control de los tribunales.[18]

Esta forma de entender el principio de legalidad tiende a ser equivalente a la fuerza positiva de la sujeción de la administración a la ley, propia del modelo parlamentario. De esta manera, la exigencia de que la actuación de la administración esté más o menos predeterminada por el derecho, y en ese sentido se trate del ejercicio de potestades regladas, se traduce en una prohibición de la actuación discrecional de la administración o del otorgamiento a ésta de potestades discrecionales de actuación.

La otra alternativa que da contenido al principio de legalidad, pone mayor atención en cuál es la posición de la ley dentro del ordenamiento jurídico. Este particular sentido del principio de legalidad postula la sujeción de la administración a la ley en lo que dice relación con sus potestades normativas. El principio de legalidad, en este *sentido estricto*, exige que la potestad reglamentaria de la administración se vea vinculada por la potestad normativa del parlamento. Sin embargo, la vigencia del principio de legalidad así entendido, es algo que no viene exigida de manera perentoria por el Estado de Derecho, como sí es el caso de la legalidad como sujeción al derecho. De esta manera, la vigencia del principio de legalidad es algo que dependerá de la particular regulación del sistema de modos de creación del derecho que la constitución establezca.

La vinculación de la potestad normativa administrativa a la ley no puede afirmarse como un principio general. Esta idea está sujeta a que la constitución no excluya dicha vinculación en razón de, por ejemplo, una distribución de materias entre la ley y el reglamento. La atribución constitucional de potestades autónomas a la administración podría reclamar un título de excepción para la vigencia del principio de legalidad.

Queda determinar cuál es el alcance que tiene el principio de legalidad para aquella reglamentación administrativa que la constitución no excluye,

---

18   Derecho Constitucional. Sistema de Fuentes: 158.

y que por medio de la vinculación jerárquica del reglamento a la ley, debiera quedar vinculada a esta última. No cabe discutir la vinculación negativa del reglamento a la ley. Si cabe determinar, cuál es el grado de vinculación positiva que debe existir, y en ese sentido, cuál debe ser el estándar para considerar que una ley *habilita* al reglamento. Para quienes sostienen un principio de *legalidad formal*, inspirado en el modelo parlamentario, la potestad reglamentaria solo requiere una habilitación legal. Para quienes defienden un principio de *legalidad sustancial*, se requiere que exista una regulación legal mínima, esto es, que la propia ley establezca una regulación, que sólo puede ser *completada* por el reglamento.

No existen dudas respecto a que la Constitución Política establece el principio de la legalidad en su sentido amplio, esto es, como sujeción del Estado al derecho. Tanto el artículo 6 como el 7 de la Constitución tienen como finalidad determinar los contornos más precisos de esa idea básica.

La disposición del artículo 6 de la Constitución al establecer que "[l]os órganos del Estado deben someter su acción a la Constitución y a las normas dictadas conforme a ella" consagra el principio de la legalidad en sentido amplio, cuyo destinatario es tanto el legislador, bajo el supuesto de la vinculación de la ley a la Constitución Política, como la administración y los tribunales, mediante la vinculación a la Constitución, a la ley y a las demás normas consideradas como integrantes del orden jurídico nacional.

De las disposiciones consideradas no es posible concluir que la legalidad en sentido amplio o juridicidad en la Constitución Política requiera ser entendida en un sentido positivo y sustancial. Con la simple sujeción, esto es, no contradicción, de la Constitución y a las demás normas parece satisfacerse la exigencia de predeterminación. Sin embargo, es una cuestión que debe analizarse con mayor detalle, tomando en consideración la tensión entre la sujeción del Estado que el Estado de Derecho exige y la libertad de configuración que el principio democrático exige para el ejercicio de las funciones estatales entregadas a órganos representativos. Dicha tensión repercutirá en la presentación de opciones interpretativas más estrechas y formales o más amplias y sustanciales del principio de juridicidad.

Si bien cierta doctrina considera que el principio de legalidad en sentido estricto, esto es, la necesidad de la vinculación de la administración a la ley, se encuentra consagrado en los artículos 6 y 7 de la Constitución, no parece plausible concluir del sometimiento de la administración a la ley como un principio específico. En ese entendido, si la configuración constitucional garantiza ámbitos de autonomía para la administración (como lo hace respecto de la potestad reglamentaría autónoma), esta no estará vinculada a la ley, sino sólo a la Constitución.

Así, no parece poder encontrarse un principio de legalidad en sentido estricto de la administración de formulación y aplicación general. Sin embargo, ese principio puede ser construido y formulado respecto a ciertas materias, fundamentalmente por la existencia de la institución de las reservas de ley en la Constitución y por la existencia de una potestad administrativa normativa que, establece el artículo 32 número 6:

> Ejercer la potestad reglamentaria en todas aquellas materias que no sean propias del dominio legal, sin perjuicio de la facultad de dictar los demás reglamentos, decretos e instrucciones que crea convenientes para la ejecución de las leyes;

En este artículo se reconoce la sujeción especial de la potestad normativa de administración en relación a la ley en aquellas materias en que la potestad reglamentaria no puede actuar autónomamente (art. 32 n° 6 *vis-a-vis* art. 63).

Cómo puede verse, la sujeción de la administración a la ley no tiene en el derecho nacional una consagración como principio general. Más allá de la sujeción que la administración debe, en su actuación particular, a todas las normas jurídicas que integran el sistema jurídico. Pero como se ha señalado más arriba, afirmar la existencia del principio de legalidad en sentido amplio como un principio de carácter formal es equivalente a afirmar el deber de respetar el derecho vigente. Eso que parece ser bastante menos de lo que otras formulaciones del principio de legalidad exigen.

El contenido del Estado de Derecho en la Constitución Política de la República

Comenzaremos por examinar la recepción en nuestro texto

constitucional del *principio de distribución*. El artículo 5 inciso 2° establece:

> El ejercicio de la soberanía reconoce como limitación el respeto a los derechos esenciales que emanan de la naturaleza humana. Es deber de los órganos del Estado respetar y promover tales derechos, garantizados por esta Constitución, así como por los tratados internacionales ratificados por Chile y que se encuentren vigentes.

(i)   *El enunciado del artículo 5 inciso 2° como consagración del principio de distribución.* La afirmación de que el Estado tiene un deber de respetar los derechos fundamentales es la afirmación central del estado de derecho e implementa de esa manera el principio de distribución entre lo permitido y lo no permitido para el Estado. La Constitución establece, mediante el reconocimiento del principio de la distribución, la primacía de la libertad del individuo respecto de la potestad estatal de limitar dicha libertad, la que debe realizarse mediante la dictación de normas jurídicas mediadas por un procedimiento racional de elaboración.

(ii) *El Estado de Derecho material en la Constitución Política.* La cuestión interesante es determinar cuál es el significado del deber de promoción que acompaña al deber de respeto de los derechos fundamentales. El deber de respeto afirma, sin lugar a dudas, la obligación de abstención de parte del Estado, de toda acción que afecte los derechos fundamentales. El deber de promoción, afirma la obligación que tiene el Estado, no solo de abstenerse, sino también de realizar acciones positivas que contribuyan a realizar dichos derechos. En este sentido, el deber de promoción coincide con el imperativo de lo que más arriba se ha llamado Estado de Derecho material. La cuestión de cómo se realiza la vinculación de los poderes estatales a los derechos fundamentales, si directamente o mediada por la intervención del los órganos políticos superiores, típicamente mediante la ley, es una cuestión que dicha afirmación no puede resolver.

(iii) *La garantía del principio de distribución.* El principio de distribución es una exigencia de justicia material. La forma en la cual el resultado

exigido por el principio de la distribución se lleva a cabo, permite diversas implementaciones. En primer lugar, está la decisión de concretar el principio de la distribución mediante un catálogo taxativo de derechos fundamentales. Esa ha sido la tendencia en el derecho contemporáneo. En segundo lugar, está la decisión sobre cuál va a ser el rol de dicho catálogo. En la concepción del estado de derecho formal, el catálogo de derechos no puede tener un rol más allá del simbolismo político. La declaración de derechos es una decisión que expresa el principio de la distribución, pero que no implementa un sistema de protección o garantía directo de los derechos fundamentales en sí mismo. La protección de la esfera individual frente al poder del Estado debe ser buscada en otros arreglos institucionales, particularmente a través del principio de la organización. En la concepción del Estado de Derecho material, el catálogo de derechos tiene un rol que va más allá del simbolismo político. Los derechos fundamentales son garantizados de forma directa, típicamente mediante su protección judicial. Sin embargo, esta alternativa de garantía directa no obsta a que el principio de organización sea considerado, todavía en el Estado de Derecho material, algo necesario para la cabal protección de los derechos fundamentales.

(iv) *Los derechos fundamentales en la Constitución Política.* El principio de distribución establecido en el artículo 5 inciso 2° es complementado mediante una regulación pormenorizada de los derechos fundamentales establecida en el artículo 19 de la Constitución Política. Allí, se garantizan los principales derechos liberales que son reconocidos en el surgimiento y la evolución del estado de derecho.

(v) *Los derechos como límites a la soberanía.* La afirmación de que los derechos esenciales que emanan de la naturaleza humana pueden limitar el poder del pueblo de decidir sobre la normalidad y la excepción, es la afirmación por parte de la Constitución de que el poder constituyente al configurar el régimen jurídico y político que se sostienen en la Constitución Política, tuvo en especial consideración la tradición liberal que considera que los derechos individuales son anteriores al Estado y que estos deben ser garantizados para que los individuos puedan perseguir la realización del propio plan de vida, por sobre la consideración de los intereses colectivos. Sin embargo, tal afirmación, en la medida que es establecida en el ejercicio del poder constituyente, no pudo en ningún sentido limitarlo. La expresión "reconoce" hace referencia a que el límite no está impuesto a la soberanía, por el contrario, es en ejercicio del poder constituyente del soberano que se reconoce esta limitación.

La consideración anterior ve reforzada su posición, luego que el inciso afirma que el Estado sólo se verá obligado por esos derechos que emanan de la naturaleza humana, si estos están consagrados o garantizados en la Constitución Política o en los tratados internacionales. En ese sentido, los derechos esenciales que no estén positivados en uno de esos instrumentos no podrán obligar al Estado.

Hablaremos ahora sobre la recepción en nuestra Constitución del *principio de organización*. Éste aparece como un sistema de arreglos institucionales que la Constitución Política presenta para la limitación del poder del Estado frente a la posible afectación de los derechos fundamentales. Estos principios tienen un carácter formal y se presentan fundamentalmente mediante dos clases de medidas: la sujeción de la autoridad estatal al derecho y la separación de las competencias estatales en órganos diferenciados. Dentro de la primera clase, puede colocarse a (1) la supremacía constitucional; y (2) la legalidad en sentido amplio, esto es, la vinculación de los órganos del Estado al derecho. Dentro de la segunda clase, pueden colocarse a (1) la división de poderes y la independencia judicial; y (2) la distribución de competencias.

El artículo 6 establece la siguiente disposición:

Los órganos del Estado deben someter su acción a la Constitución y a las normas dictadas conforme a ella, y garantizar el orden institucional de la República.

Los preceptos de esta Constitución obligan tanto a los titulares o integrantes de dichos órganos como a toda persona, institución o grupo.

La infracción de esta norma generará las responsabilidades y sanciones que determine la ley.

Por su parte, el artículo 7 establece:

Los órganos del Estado actúan válidamente previa investidura regular de sus integrantes, dentro de su competencia y en la forma que prescriba la ley.

Ninguna magistratura, ninguna persona ni grupo de personas pueden atribuirse, ni aun a pretexto de circunstancias extraordinarias, otra autoridad o derechos que los que expresamente se les hayan conferido en virtud de la Constitución o las leyes.

Todo acto en contravención a este artículo es nulo y originará las responsabilidades y sanciones que la ley señale.

El artículo 7° de la Constitución señala que los órganos públicos no podrán atribuirse más competencias que las otorgadas por la Constitución. El principio de la distribución de competencias tiene, en la Constitución Política, tres reglas: una positiva, donde señala cuáles son los requisitos que debe cumplir un órgano estatal para actuar validamente; y una negativa, en que se afirma una prohibición de invadir las competencias de otros órganos estatales. Por último, tiene una regla que imputa una sanción a la infracción de las normas anteriores.

El inciso primero del artículo 7° de la Constitución Política establece la regla básica de actuación de los órganos del Estado de Chile: los órganos del Estado actúan válidamente previa investidura regular de sus integrantes, dentro de su competencia y en la forma que prescriba la ley. El concepto de órgano es el elegido para denominar al sujeto estatal titular de competencias de actuación estatal; en la Constitución Española y en la Ley Fundamental de Bonn, en cambio, se utiliza la expresión *poderes públicos*.

El problema de la teoría del órgano del Estado consiste en explicar cómo una voluntad de un individuo humano puede valer como la voluntad del Estado. En palabras de Jellinek:

Un individuo cuya voluntad valga como voluntad de una asociación debe ser considerado, en tanto que subsista esta relación con la asociación, como instrumento de la voluntad de ésta, es decir, como órgano de la misma[19].

Una asociación Estatal no puede existir sin órganos. Es más, Jellinek sostiene que en toda forma de organización humana existen, aunque no estén formalizados, órganos. Sin embargo, cuando el desarrollo de la organización social llega a superar el umbral del Estado moderno, la formalización implica:

Que la designación de un individuo como órgano sólo puede tener lugar sobre la base de una designación llevada a cabo de acuerdo con el orden jurídico. Además, la competencia de los órganos y el modo en que éstos han de exteriorizar su voluntad, las condiciones bajo las cuales pueden exigir para ésta validez jurídica, necesitan estar determinadas.[20]

Puede verse en esta afirmación de Jellinek un antecedente conceptual del artículo 7° de la Constitución Política. La importancia de la reglamentación de la designación y de la actuación de los órganos del Estado reside en que, en la medida que siempre será un individuo (un ciudadano) quien expresará la voluntad del órgano, deben existir elementos que permitan juzgar cuándo ese individuo expresa la voluntad del Estado y cuándo expresa su voluntad privada.

Jellinek clasifica a los órganos del Estado de una manera principal en mediatos e inmediatos. Los *órganos inmediatos* son aquellos cuya existencia está prevista en la Constitución del Estado. Estos órganos no están obligados sólo frente al Estado, sino también a la Constitución, por lo que no pueden estar sometidos al poder de otro órgano del Estado. Ejemplo de estos órganos son los individuos actuando como ciudadanos electores o el Congreso Nacional. Los *órganos mediatos,* en cambio, son aquellos cuya existencia "no descansa de modo inmediato en la Constitución, sino en una comisión especial. Son responsables y están

---

19   Teoría General del Estado: 485.

20   Teoría General del Estado: 488.

subordinados a un órgano inmediata, directa o indirectamente"[21].

Jellinek propone otras clasificaciones. Así, por ejemplo, para Jellinek los órganos inmediatos pueden ser *primarios* o *secundarios*. Son *primarios* aquellos que no pueden expresar su voluntad por sí mismo sino que requiere un órgano secundario para hacerlo. Un órgano *secundario*, no expresa su voluntad propia sino que expresa la voluntad del órgano primario (ya sea ordinaria como extraordinariamente). Por ejemplo, el Presidente actúa como un órgano secundario del poder legislativo cuando dicta decretos con fuerza de ley. El parlamento expresa la voluntad del pueblo, por eso debe considerarse como un órgano secundario respecto de éste.

Volvamos al artículo 7º de nuestra Constitución. Como hemos dicho, los requisitos que establece dicha disposición para que un órgano estatal actúe validamente, son los siguientes: (a) investidura previa y regular; (b) órgano con competencia; y (c) actuación en la forma que prescribe la ley.

Los órganos son partes del Estado; ellos representan al Estado, y éste actúa a través de ellos. La voluntad de los órganos del Estado es expresada por las autoridades que integran o tienen a su cargo el órgano. La imputación de la voluntad del órgano estatal a la voluntad de quien integra o tiene a su cargo el órgano es realizada por las normas de *competencia personal*. Ellas típicamente exigen la realización de ciertos procedimientos, como es el caso de la investidura regular. Ella se refiere al cumplimiento de todos los requisitos establecidos por el derecho para el acceso del titular al cargo. Esos requisitos pueden consistir en su elección, designación, nombramiento o, en casos muy excepcionales, sorteo (piénsese en los vocales de las mesas receptoras de sufragios). Así, por ejemplo, los funcionarios públicos deben contar con un decreto de nombramiento que esté tramitado de acuerdo a las normas contenidas en la Ley de la Contraloría; los jueces, parlamentarios y presidentes deben "jurar" que desempeñarán fielmente su cargo para poder acceder a él, pudiendo los dos últimos también "prometer".

La referencia a que la investidura debe ser previa, requiere que la actuación del órgano del Estado se realice con posterioridad a la investidura

---

21   Teoría General del Estado: 499.

y, por tanto, prohíbe la actuación a nombre del Estado, a cualquier sujeto cuyo procedimiento de investidura no haya sido concluido con anterioridad a la manifestación de voluntad.

Un segundo requisito establecido por el artículo 7°, inciso 1°, es que el órgano que actúa debe hacerlo dentro de su competencia, esto es, ser competente y actuar dentro del ámbito de su competencia. Esto significa, en primer lugar, que debe estar autorizado por una norma jurídica para realizar alguna actuación a nombre del Estado: debe tener competencia, o dicho de otra manera, debe ser un órgano del Estado. Para ello, el sujeto debe estar investido como un órgano del Estado.

Sin embargo, y más relevante, debe tener atribuida una competencia con anterioridad a través de una norma válida para realizar un determinado tipo de actos, como legislar, sancionar, etcétera. En efecto, la ley, y en algunos casos la Constitución, fijan competencias para los órganos públicos. Así, por ejemplo, el Presidente no puede regular la extracción de minerales, materia de ley orgánica constitucional; un alcalde no puede decretar impuestos; y así sucesivamente. Recordemos que en el derecho público sólo se puede hacer lo expresamente permitido por la ley. Cuándo la norma jurídica que establece la competencia hace referencia al acto que autoriza a realizar al órgano del Estado, puede hablarse del objeto de la competencia. La determinación del objeto de la competencia es trascendental para poder ejercer la competencia, dado que si no se tiene certeza respecto de cuál es la actuación que se está autorizando a realizar difícilmente puede ésta ser realizada.

En segundo lugar, la actuación que realiza debe ser realizada dentro de la competencia del órgano; esto es, no debe realizar una actuación autorizada a otro órgano del Estado de manera exclusiva o una actuación no autorizada a ningún órgano estatal. Esta referencia está hecha indudablemente a la *competencia material* del órgano estatal. Para ello, debe satisfacer en su actuación los requisitos materiales de actuación, que implica que deben verse satisfechas las circunstancias que el derecho establece para que la realización de la actuación sea valida. Esas circunstancias pueden estar constituidas por diversos elementos: por los destinatarios de la actuación estatal que se realiza; por el ámbito territorial dentro del cuál la actuación puede realizarse; por el ámbito temporal en que la competencia puede ejercerse; o por la finalidad que la actuación puede perseguir.

Un tercer requisito es que la actuación en cuestión se realice en la forma que prescribe la ley. La comprensión tradicional de esta disposición considera que la referencia a la "forma" está hecha al procedimiento mediante el cual los órganos del Estado actúan. Dicho procedimiento debe ser reglado por la ley. De esta manera la disposición se referiría a las normas formales de competencia, señalando que la actuación del órgano debe adecuarse a las normas legales que han sido establecidas para su actuación.

Sin embargo, esta disposición es susceptible de otra lectura. Según ella, lo relevante de la disposición no es la expresión forma, sino la expresión ley. La forma es solamente una referencia a la actuación estatal como un todo, comprendiendo tanto el procedimiento como la competencia material (esto es, como sinónimo de manera). La relevancia de la imputación a la ley de la regulación de dicha forma es que permitiría fundar un principio de legalidad en sentido estricto en la Constitución Política. De esta manera, la actuación de cualquier órgano estatal debe estar habilitada por la ley y las excepciones serían sólo para los órganos habilitados ya por la Constitución.

En efecto, la ley no solamente establece competencias sino también procedimientos que regulan la actividad de los órganos del Estado. Según el artículo 18 de la Ley de Procedimiento Administrativo, el procedimiento administrativo "es una sucesión de actos trámite vinculados entre sí, emanados de la Administración y, en su caso, de particulares interesados, que tiene por finalidad producir un acto administrativo terminal". La misma ley, en su artículo 3º, define el acto administrativo como aquellas "decisiones formales que emitan los órganos de la Administración del Estado en las cuales se contienen declaraciones de voluntad, realizadas en el ejercicio de una potestad pública".

El inciso final del artículo 7 establece dos instituciones fundamentales del derecho público, la nulidad y la responsabilidad. Señala dicha disposición:

Todo acto en contravención a este artículo es nulo y originará las responsabilidades y sanciones que la ley señale.

La fórmula consagrada en el inciso final del artículo 7° de la Constitución es, sin duda, una de las de más controvertida interpretación. Tradicionalmente se ha entendido esta disposición como el fundamento para la acción de nulidad de derecho público, que se dirige a invalidar las actuaciones de los órganos estatales realizadas con infracción del artículo 7° en cualquiera de sus diversos aspectos.

Un sector de la doctrina administrativista afirma que esta nulidad se caracteriza por ser una nulidad absoluta, de pleno derecho, con efecto retroactivo, insubsanable, no revocable, imprescriptible y de orden público. Estas características se enfrentan con problemas importantes en el ámbito de la seguridad jurídica (razón por la cual la doctrina y la jurisprudencia actuales han llegado a la conclusión de que la nulidad debe ser declarada por la judicatura en un juicio ordinario, y no puede ser solicitada una vez transcurridos los plazos de prescripción).

Ciertamente, la utilización racionalizada de la acción de nulidad ha sido un éxito de la doctrina del derecho administrativo. Sin embargo, más allá de los problemas sustantivos de la nulidad, para quienes pretenden fundar la acción de nulidad de derecho público directamente en el artículo 7° se presentan al menos dos problemas de orden sistemático. La acción de nulidad de derecho público, si bien tiene un amplio desarrollo doctrinal y jurisprudencial, no tiene sustento legal. No hay atribución legal de competencia a un tribunal para su conocimiento, ni hay una tramitación procedimental regulada. Ello obliga a recurrir al propio artículo 7° para fundamentar en relación a las reglas generales del procedimiento judicial una atribución residual para conocer de esta acción en los juzgados de letra mediante el procedimiento ordinario. Para fundar un conocimiento general de los problemas de ilegalidad administrativa que no tienen un procedimiento especial establecido, esta opción no parece descabellada.

Ello, en todo caso, tiene el inconveniente de dejar entregado a un tribunal ordinario, un asunto fundamental como es la infracción de la Constitución por parte de cualquier órgano estatal, para los cuales la misma Constitución ha establecido competencias excepcionalísimas en el Tribunal Constitucional. De alguna manera ello se transforma en una atrofia en el sistema de competencias constitucionales; y no parece del todo ilógico pensar que, si bien puede fundar un acceso general a la justicia ante actuaciones del Estado, la correcta interpretación del inciso 3° del artículo 7° no pasa por entregar el control de constitucionalidad de los actos del Estado a cualquier tribunal.

Parece entonces, que la mejor forma de leer el inciso 3° implica reconocer la antijuridicidad de los actos estatales como una infracción a ser sancionada. La naturaleza de la sanción y el tipo de procedimiento en el cuál ésta se persiga, debe ser especificada de una forma más detallada, ya sea por otras normas constitucionales, como el artículo 93 de la Constitución en relación con la Ley Orgánica Constitucional del Tribunal Constitucional, ya sea por otras disposiciones constitucionales o legales. Así, cómo principio general, la nulidad de actos estatales antijurídicos no parece tener consecuencias asistemáticas.

Es sólo mediante un sistema de control de constitucionalidad material, que el principio de distribución surge como un arreglo institucional de protección directa de los derechos fundamentales. Hasta antes de la incorporación de los tribunales constitucionales – en Chile hasta el año 1970 –, la protección del principio de distribución, esto es, de los derechos fundamentales se llevaba a cabo mediante la organización estatal propia del Estado de Derecho: separación de poderes, legislación democrática, independencia judicial y legalidad de la administración.

No obstante que la Constitución de 1925 consagraba un catálogo de derechos fundamentales que expresaban la idea de la distribución, su garantía no quedaba entregada directamente a un juez o tribunal. Así, debe concebirse la incorporación de un tribunal constitucional como una manifestación a favor de la implementación de un mecanismo directo de control de constitucionalidad. Si bien dicha incorporación parece reflexionar sobre el fracaso de los mecanismos organizativos del Estado de Derecho con respecto a su objetivo, no puede perderse de vista la importante labor que dichos mecanismos siguen cumpliendo y cuya desatención por parte de la doctrina y los demás operadores jurídicos podría socavar las bases en las que se asienta el Estado de Derecho jurisdiccionalizado.

Es sobre esta base que debe tenerse en cuenta, tanto las críticas dirigidas a la adopción de una concepción material del Estado de Derecho y sus correspondientes mecanismos jurisdiccionales, como las virtudes de la tradición formalista del Estado de Derecho.

Para defender este punto de vista en nuestra realidad, se puede, junto con apuntar a los problemas democráticos que generan las decisiones político-morales del Tribunal Constitucional contra decisiones políticas tomadas por órganos legitimados democráticamente, poner de relieve cuánto pierden los mecanismos formales del Estado de Derecho con la acción concreta del Tribunal Constitucional chileno.

Con ocasión de la discusión sobre la anticoncepción de emergencia, tanto el Tribunal Constitucional como la Contraloría General de la República evidenciaron, mediante sus pronunciamientos en este asunto, una tendencia a no someterse a las competencias que el derecho constitucional y legal les ha conferido, justificada en la finalidad superior de la protección de los derechos fundamentales. Ellos se evidencia, en el caso de la sentencia 591 de 2007 del Tribunal Constitucional, en su decisión de controlar una resolución administrativa que no tenía competencia para controlar, con el argumento que su verdadera naturaleza era la de un decreto sujeto a control. En el caso del dictamen N° 31356 de 2009 del Contralor General de la República, se revela en su creencia de encontrarse habilitado para interpretar los fallos del Tribunal Constitucional, atribuyéndoles además un valor normativo que ni la Constitución ni ley alguna les otorga.

Esto sugiere que la consideración aislada de la supremacía constitucional o la protección de los derechos fundamentales puede ocasionar serias heridas a nuestro sistema de mecanismos de freno de la arbitrariedad. No parece sensato fundar la acción del Tribunal Constitucional y la Contraloría de no someterse al derecho preestablecido con la excusa de poder someter al derecho preestablecido a otros órganos estatales, más cuando esos otros órganos cuentan con una legitimidad democrática de la cuál éstos carecen.

Como reflexión final, debe tomarse en consideración que los mecanismos jurisdiccionales para la protección de los derechos fundamentales vienen a perfeccionar un sistema de mecanismos institucionales formales y no a reemplazarlo. Si el costo de implementarlos pasa por desestimar las formas del derecho público que vienen informadas por una reflexión centenaria, parecen existir buenas razones para echar pie atrás en la configuración jurisdiccional de la vida estatal. Si por el contrario, pueden conciliarse – y esa parece ser la dirección que hay que tomar para la discusión posterior –, la acción de la justicia constitucional deberá conformarse con ocupar un lugar más en el sistema de mecanismos formales, respetando la forma de organización con que la libertad individual se ha garantizado.

La forma jurídica del Estado

Los estados suelen clasificarse por la doctrina contemporánea en unitarios y federales. Dicha distinción atiende a una característica que no se presenta claramente como suele pensarse. La idea de la clasificación entre unos y otros, como una dicotomía completa, es ya equívoca. Es por eso que debe aclararse qué se quiere decir con ella. Dicha aclaración pasa, no sólo por un esclarecimiento conceptual sino también por dar cuenta de la pluralidad de puntos de vista que son capaces de describir el fenómeno que esta dicotomía sólo puede exponer parcialmente.

En primer lugar, bajo el rótulo de forma del Estado, suele querer tratarse la organización territorial del Estado. A esto se denomina a veces "forma jurídica del Estado". Este enfoque, como se verá, pretende presentar las formas de organización del Estado, tomando en consideración la organización interna del Estado, especialmente, pero no sólo, a lo que dice relación con su organización territorial.

Desde esta perspectiva, el análisis se centra en el funcionamiento de los factores de centralización y descentralización de las competencias estatales. Así, se puede considerar al Estado unitario como una forma jurídicamente centralizada y al Estado federal como una forma jurídicamente descentralizada de Estado. Sin embargo, ambos no son más que una muestra de las diversas posibilidades de combinaciones de centralización y descentralización y su estudio sólo significa una muestra ejemplar, cuya selección se corresponde con su calidad de paradigmas históricos, de unos principios más abstractos.

Otra perspectiva, quizás menos práctica pero igualmente interesante para el estudio del fenómeno estatal, corresponde a la distinción entre Estado unitario y Estado federal desde la perspectiva de las formas de vinculación entre estados. Si bien dos o más estados pueden vincularse sin perder su calidad de tal, existe un umbral de vinculación, no claramente determinado, en el que los estados asociados pierden su calidad de tales y pasan a formar meras partes de un Estado mayor. Ese umbral debe ser entendido desde la teoría de la federación.

Finalmente, una última perspectiva que interesa tratar aquí es la función y el alcance que puede tener un principio constitucional de carácter normativo que consagre la forma de Estado unitaria o federal. El desarrollo más interesante en este sentido es aquel realizado en los países de organización federal, como Estados Unidos y Alemania, en cuyos sistemas jurídicos el principio federal tiene un rol activo y un alcance determinado por la jurisprudencia constitucional. Este enfoque, sin embargo, no es tan rico en los estados unitarios.

El Estado federal

La pregunta sobre la unidad del Estado está respondida de antemano por el concepto del Estado como unidad de acción política formalizada. Desde ese punto de vista conceptual todo Estado es unitario; respecto de su población y dentro de su territorio sólo él tiene competencias para establecer normas en lo que se ha llamado en principio de la impenetrabilidad. Sin embargo, desde la perspectiva de la organización territorial del poder, surge históricamente una forma de Estado que divide el ejercicio de potestades en distintos niveles, entregando a divisiones territoriales internas significativas potestades. Ese fenómeno es denominado como *federalismo*.

La forma federal puede producirse como (a) una vinculación entre Estados hasta entonces independientes uno de otro, o puede deberse a (b) una reconfiguración de la forma de organización estatal de un Estado hasta entonces unitario. Los Estados Unidos de Norteamérica constituyen el primer caso histórico de Estado federal, por lo cual resulta útil examinar el surgimiento y la evolución del federalismo en dicho país.

Durante e inmediatamente después de la independencia, las 13 colonias inglesas en Norteamérica decidieron darse forma estatal. Así, cada una estableció para sí misma una constitución. Este conjunto de estados constitucionales e independientes decidieron crear una confederación. La confederación consistía en una unión entre los estados con finalidades tales como defensa y seguridad especialmente. En esta confederación cada estado conservaba su independencia y toda competencia que no haya libremente delegado al Congreso de los Estados Unidos, que era el único órgano de la confederación y estaba compuesto por tantos representantes como estados miembros. Tenía a su cargo, particularmente, las relaciones internacionales.

El federalismo surge en Estados Unidos como una respuesta a un fenómeno que preexiste a la independencia: las trece colonias se sentían independientes una de otra, contando con sus respectivos órganos y asambleas representativas. El primer documento constitucional de ese país, los Artículos de Confederación y Unión Perpetua de 1777, estaba más cerca de un tratado entre naciones similar a la Unión Europea que a una Constitución como nosotros la entendemos; entre otras cosas, carecía de un Ejecutivo y un poder judicial, estableciendo tan sólo un Congreso con limitados poderes. En opinión de algunos, este marco no favorecía el desarrollo y la estabilidad del nuevo país; algunas asambleas legislativas, por ejemplo, devalúan la moneda y condonan deudas, como observa Madison en *El Federalista*.

Esta confederación fue remplazada mediante la dictación de la Constitución federal, que configuró una nueva forma política para los Estados Unidos y que fue ratificada por los estados miembros de la antigua confederación. Las razones fundamentales para adoptar esta nueva forma fueron la necesidad de un poder efectivo frente a los nuevos problemas militares y económicos que acechaban a las antiguas colonias. En la discusión sobre la forma que debía adoptar la nueva constitución se enfrentaron posturas que querían un Estado federal más fuerte y otras que querían conservar en esencia la organización confederada, solucionando algunos problemas puntuales. Así, se puede entender que la Constitución federal consistió en un compromiso entre las dos posturas: federalistas y antifederalistas. En particular, se entregaron a la Unión las competencias necesarias para resolver los problemas pero se mantuvo la autonomía de los estados federados. En ese sentido, se hace necesario concluir que la Constitución de Estados Unidos no está animada por el propósito de reducir el poder del Estado o del ejecutivo, si no más bien de centralizar el poder y vigorizar el ejecutivo a fin de perseguir el desarrollo económico.

De todas maneras, subyacente a ese compromiso se encuentra el compromiso entre los Estados grandes y los pequeños, en torno a la clase de representación que gobernaría el Estado federal, para satisfacer a los primeros se creó una cámara de representación proporcional a la población, para satisfacer a los segundos se contrapesó dicha cámara con una de representación estadual en la que los estados partes concurrían en términos de igualdad. También subyacente se encuentra el compromiso entre el norte y el sur en relación a la esclavitud. Dicho compromiso acordó mantener el *status quo* en relación a esta cuestión al menos por un período.

El compromiso federal estaba consagrado en los siguientes términos: la Constitución delega en el gobierno federal expresamente ciertas competencias, las competencias no delegadas permanecen y pertenecen a los estados miembros. Rápidamente se adhirieron a estos poderes federales expresamente establecidos, ciertos poderes que se consideró se encontraban implícitos en los primeros, abriéndose la puerta a toda una constelación de interpretaciones judiciales que con el tiempo fueron relegando la idea de la competencia originaria y residual de los estados miembros a una idea secundaria y poco importante. Ello no parece extraño si se considera que quien tiene la competencia para determinar qué competencia pertenece a cada quien, es precisamente un órgano federal (la Corte Suprema).

Así, como todos los compromisos, el compromiso federal norteamericano dio estabilidad al país y potenció, junto a otros factores, la transformación de los Estados Unidos en una potencia mundial. Pero también como todos los compromisos, generó una tensión entre las partes que debió ser resuelta de una u otra manera, más temprano o más tarde.

La postura que veía en el empoderamiento de la federación una traición al compromiso federal se polarizó a propósito del involucramiento del gobierno federal (dominado por los estados ricos del norte), y al debate político siguió la guerra civil, entre los estados del sur y sus homólogos del norte. Sustentando la posición de los sureños se presentaba el argumento de que la Constitución federal es un pacto entre estados y en la medida que los órganos de la federación abusen de los poderes que el pacto les otorga surge el derecho de los estados parte para anular el pacto y separarse de la unión.

Frente a esta postura, los federalistas defendieron la idea de que la Unión no es una alianza entre estados sino un Estado en sí mismo. De esa calidad nace el derecho de responder a la traición de quien intente dividir el Estado. La tesis defendida por los estados del norte era la relativización de la autonomía estatal frente a la afirmación de la soberanía del pueblo del Estado federal.

Estas posturas se enfrentaron en la guerra civil que arrojó al norte como vencedor y consolidó el tránsito de los Estados Unidos hacia un Estado con una marcada unidad jurídica y política. La guerra civil giró precisamente en torno a una discusión de federalismo: si cada estado debiera decidir si aceptaba la esclavitud, o bien si sería una resolución de alcance nacional. El triunfo de los estados del norte se tradujo no sólo en la abolición de la esclavitud, mediante la 13ª Enmienda a la Constitución, sino que también se tradujo en la expansión de los derechos establecidos en la Constitución federal a los estados:

> Ningún Estado podrá crear o implementar leyes que limiten los privilegios o inmunidades de los ciudadanos de los Estados Unidos; tampoco podrá ningún Estado privar a una persona de su vida, libertad o propiedad, sin un debido proceso legal; ni negar a persona alguna dentro de su jurisdicción la protección legal igualitaria (*14ª Enmienda*).

El principio federal, después de la guerra civil, quedó relegado a un principio de segundo orden, como un particular contenido de la idea del Estado de Derecho. Por añadidura, desde entonces los poderes de la federación sólo han tendido a ampliarse. Así, por ejemplo, la 16ª Enmienda le entregó al Congreso federal en 1913 el poder de establecer impuestos a la renta, no permitidos hasta entonces según la Corte Suprema. El New Deal impulsado en los 30' por el Presidente Franklin Delano Roosevelt significó una expansión radical del aparato administrativo, reforma inicialmente resistida por la Corte Suprema pero respaldada a partir de la sentencia *West Coast Hotel Co. v. Parrish* de 1937. En los 40' se empieza a hablar de la administración federal como un cuarto poder del Estado; y en los 70' se empieza a hablar de la 'presidencia imperial' para referirse a la expansión de los poderes presidenciales, incluso a costa del Congreso.

En consecuencia, el carácter federal de la organización política de los Estados Unidos ya no puede sostenerse sino vinculado a la organización de las competencias jurídicas formales, que como se verá, no difiere categorialmente de la descentralización de un Estado unitario como Chile. Si la separación de poderes garantiza la posición del individuo separando el poder funcionalmente, el principio federal garantiza dicha posición separando el poder territorialmente.

La categoría de Estado federal queda relegada, por tanto, a una forma de organización territorial del Estado. Una forma que se ubica dentro de las diversas forma de centralización o descentralización del poder del Estado.

Examinemos ahora el concepto mismo de Estado federal. Estado federal es aquel que constituye un conjunto de agrupaciones estatales que cuentan con una potestad estatal propia, que se denominan Estados miembros o federados, en relación con un Estado central o global. Pueden observarse, preliminarmente, tres estados involucrados en la organización federal: (a) el Estado federal como un todo; (b) los estados miembros; y (c) el Estado central, que es la parte del Estado federal distinta a los estados miembros, pero no idéntico al Estado federal en la medida que el Estado federal está compuesto también por los Estados miembros.

Cada Estado miembro debe tener un orden estatal completo y el Estado central cuenta necesariamente con un orden estatal. No obstante esta conclusión preliminar, una de las principales discusiones relativas a la naturaleza del Estado federal gira en torno a la pregunta sobre cuál es la naturaleza estatal del Estado miembro. Una respuesta razonable al respecto es aquella que sostiene que no obstante tener el Estado miembro la calidad de Estado para el derecho político estatal, no tiene dicha categoría para el derecho internacional.

El fundamento de la forma de organización federal coincide parcialmente con las razones que existen para la descentralización estatal en general. Particular importancia adicional, vinculadas con problemas de

identidad nacional, tienen las razones fundadas en la autonomía cultural
que la estructura federal posibilita.

> En este aspecto, la organización federal es particularmente
> adecuada para salvaguardar la existencia de naciones culturales
> en el marco de una organización estatal […] pues, aquí, cada
> nación cultural posee, simultáneamente a su patrimonio histórico,
> un cierto grado de organización política, a través del cual puede
> salvaguardar su propia existencia nacional.[22]

En principio, parece contradictorio que una comunidad política que
adquiere su identidad de tal justamente mediante la decisión de querer
configurar una unidad política, tome la decisión de organizarse mediante
una tendencia a la división o separación. La paradójica tensión entre
unión y diversidad es inmanente al Estado federal.

El Estado federal tiene una constitución federal en la cual se establece
dicha forma de organización estatal. El que el Estado federal cuente con
una constitución, hace que la forma federal sea una decisión constitucional
que presupone una unidad de decisión y no se deja clasificar como un
pacto entre los estados parte.

El contenido de la constitución federal cuenta con ciertas notas
distintivas que le son propias: (a) siempre implica la organización del aparato
del Estado federal y el reconocimiento de los Estados miembros mediante
un sistema de regulación de las relaciones entre el primero y los segundos
y de los estados miembros entre sí; y (b) la constitución federal comprende
ciertos componentes básicos que las constituciones estatales debe respetar.
Esos componentes se presentan como una exigencia de homogeneidad de
las organizaciones estatales de los estados miembros. La formulación de la
homogeneidad puede ser positiva o negativa: será positiva cuando exige
la incorporación de cierto contenido en las constituciones estatales, será
negativa cuando prohíbe algún contenido. Ejemplo de la primera es la
tradicional imposición de la forma republicana y de la democracia como
forma de gobierno por los Estados miembros. Ejemplo de la segunda la
prohibición de la afectación de los derechos fundamentales reconocidos
por la Constitución federal en su artículo 28.

---

22   Derecho constitucional comparado: 217.

Una materia de gran importancia en la Constitución federal es la distribución de competencias entre los distintos niveles. La distribución se hará tomando en cuenta primariamente un criterio material:

Materias privativas. Son las materias que corresponden, ya al Estado federal, ya a los estados miembros exclusivamente, que en su caso ejercen la potestad legislativa y las potestades de ejecución. Las materias que típicamente son privativas del Estado federal son: (i) la política exterior; (ii) la administración de las fuerzas armadas; (iii) la política comercial exterior; (iv) el sistema monetario; (v) la normas sobre la organización federal, incluida la solución de conflictos entre el Estado federal y los estados miembros y entre éstos.

Materias no privativas. Son las materias que corresponden al Estado federal y a los estados miembros. Esa concurrencia puede deberse a distintas razones. Puede deberse, en primer lugar, a que la potestad legislativa se encuentre en manos del Estado federal y la ejecución en manos de los estados miembros, o viceversa. Puede deberse, también, a que la Constitución federal admite la actuación concurrente del Estado federal y los estados miembros. Ello puede tener las siguientes variables: (a) Los estados miembros pueden actuar mientras el Estado federal no actúe; (b) El Estado federal puede actuar en materias entregadas en principio a los miembros cuando lo establece como "necesario"; y (c) La legislación básica o general corresponde al Estado federal y el desarrollo más concreto y detallado a los estados miembros.

Otro asunto de gran importancia es la delimitación de las competencias. En este sentido, la Constitución federal puede echar mano a diversas técnicas. La más común es la enumeración de un catálogo de competencias reservadas al Estado federal, quedando todas las demás entregadas a los estados miembros. También puede seguirse la solución inversa.

Las relaciones entre los estados miembros y entre éstos y el Estado federal están marcadas por las siguientes características: (a) son relaciones de derecho interno, de naturaleza constitucional, y no de derecho internacional; (b) dichas relaciones terminan por favorecer la libertad de los ciudadanos del Estado federal, por lo que puede incorporársela como un elemento del Estado de Derecho en los Estados federales; (c) en principio los estados miembros participan en igualdad de condiciones en el conjunto federal. Esta característica, sin embargo, tiende a ser limitada, por consideraciones democráticas.

La influencia de los estados miembros en el Estado federal se concreta a través de la participación de los estados como sujetos en los órganos de la estructura estatal federal. Esa participación se concreta típicamente en la conformación de una cámara federal dentro de la organización legislativa federal. Ello configura al órgano legislativo del Estado federal compuesto, por un lado, por una cámara de representación popular, integrada por representantes del pueblo de todos los estados miembros, y por otro, por una cámara federal integrada por representantes de los estados miembros, ya sea elegidos por el gobierno local o por un procedimiento que típicamente puede estar entregado a la configuración constitucional de los estados miembros. Por ejemplo, la Ley Fundamental alemana establece la provisión de los representantes de la Cámara Federal con delegados de los gobiernos. La Constitución de los Estados Unidos, por otro lado, establece una elección semi-directa por el pueblo del estado miembro de los senadores federales. Una de las cuestiones más relevantes de la composición de la cámara federal es que ella debe necesariamente desconocer el criterio de la asignación proporcional a la población de los escaños parlamentarios, al menos parcialmente.

En cuanto a la influencia del Estado federal respecto a los estados miembros se pueden señalar: (i) la autonomía constitucional de los estados miembros está limitada por la Constitución federal; (ii) es normal que el derecho federal tenga primacía, dentro del ámbito de su competencia, sobre el derecho estatal; (iii) el órgano que resuelve los conflictos de competencia federal-estatal es un órgano federal, típicamente el tribunal constitucional; (iv) la competencia del Estado federal para actuar coactivamente respecto al estado miembro, es vigilarlo e inspeccionarlo[23].

Desde una perspectiva crítica, el Estado federal tiene la más importante de las competencias estatales,

tiene la competencia para determinar su propia competencia. Por

---

23   Derecho constitucional comparado: 237ss.

consiguiente, puede reducir progresivamente la de los Estados particulares, sea por medio de su legislación federal [...] sea por modificaciones de su propia Constitución. En todo super-Estado federal existe una fuerza centralizadora contra la que los Estados asociados apenas pueden defenderse.[24]

Ahora bien, un concepto que suele relacionarse con el de federalismo es el de la *federación*. Para entender este concepto debemos indicar que el Estado puede, sin perder su calidad estatal, vincularse con otros estados mediante su voluntad subjetiva. De forma idéntica en como los individuos se relacionan en el tráfico privado, el Estado puede relacionarse con otros Estados, quedando incluso vinculado por un tratado, que generará obligaciones para los estados partes del mismo, en la medida que puedan reconocer la fuerza obligatoria que aquél tiene, típicamente fundada en los principios del derecho internacional como *pacta sunt servanda* o buena fe.

Esas formas de vinculación son reguladas por el derecho internacional y pueden implicar un menor o un mayor grado de vinculación entre los estados. A saber, puede hablarse de relaciones entre dos estados que se vinculan por un *tratado* en el que regulan alguna materia particular, pero los tratados también pueden crear formas de vinculación entre los estados que no se refieran a materias particulares sino que creen una organización general destinada a perseguir objetivos comunes. La participación de los estados en organizaciones internacionales que adquieren una personalidad de derecho internacional propia, pero que por otro lado, no tiene una voluntad que sea distinta de aquella suma de voluntades de los estados parte, es la plasmación de este tipo de vinculación. Ejemplos de estas organizaciones son la ONU o la OEA.

Cuando un tratado crea una vinculación permanente entre los estados parte, pero además tiene como consecuencia cambiar el *status* político de los estados partes, suele llamarse federación. En palabras de Schmitt:

La Federación es una unión permanente, basada en el libre convenio, y al servicio del fin común de la autoconservación de todos los miembros, mediante la cual se cambia el total status

---

24   Derecho constitucional e instituciones políticas: 177.

político de cada uno de los miembros en atención al fin común.[25]

La federación plantea una paradoja, en la medida que la entrada a la federación sólo puede realizarse por una expresión libre del estado miembro, como un acto de su independencia, pero tras el ingreso y su incorporación a una nueva forma política y jurídica, el estado no aparece como libre o independiente para realizar acciones que atenten contra el orden político del cual ahora es parte y, por tanto, no es libre para retirarse de la federación si dicha posibilidad no está contemplada por aquella.

Dicha particularidad deriva de la naturaleza constitucional del pacto federal. La decisión de integrar una federación implica la decisión constitucional de pertenecer a una nueva unidad política. La nueva unidad política federal constituye para estos efectos una unidad de decisión que no puede reducirse a la decisión de las partes componentes. Dicho de otra forma, el pacto federal es contenido tanto de la constitución en sentido político (no de la ley constitucional) de los estados partes, como de la constitución de la federación que no está disponible para la modificación unilateral por los estados partes.[26]

La Constitución federal garantiza la existencia de los estados parte dentro de la federación y frente a las potencias extranjeras. Pero al mismo tiempo se inmiscuye en numerosos asuntos que antes eran propios de los estados parte. Existe así una relación en que la federación se vincula políticamente con los estados parte como una unidad.

Sin embargo, esta construcción está basada en una contradicción. Como pone de relieve Schmitt, la configuración de la federación se encuentra con una antinomia. Por un lado, se afirma la unidad política de la federación y, por otro, la unidad política de los estados miembros. ¿Es posible afirmar la unidad y la pluralidad de unidades simultáneamente? Sin duda esa situación de equilibrio conducirá a muchos conflictos en los cuales ambas unidades se enfrentarán. La cuestión central de la teoría de la federación es cómo se resolverán esos conflictos.

Una respuesta estandarizada es la que se funda sobre *la distinción entre*

---

25   Teoría de la Constitución: 348.

26   Teoría de la Constitución: 348-350.

una federación y un Estado federal. En el primer caso, no se trata más que de un conjunto de estados que han decidido llevar ciertos asuntos comunes de forma conjunta, asignándole competencias a un órgano supraestatal para desarrollar, por ejemplo, sus relaciones internacionales. En el segundo caso, se trata de un genuino Estado, que cuenta con una constitución estatal que regula las relaciones entre los estados partes, entre éstos y el Estado federal y por supuesto, entre el Estado federal y sus ciudadanos. Se trata de una constitución interna y no de un instrumento de derecho internacional como en el primer caso. La diferencia fundamental entre un orden estatal y por consiguiente un Estado y un orden jurídico que agrupe y coordine jurídicamente a varios estados, valiéndose de las herramientas del derecho internacional, esto es, una agrupación de estados (federación), es que no se constituye una relación directa entre las personas individuales de cada uno de los estados parte y la agrupación de Estados. Dichas agrupaciones típicamente carecen de potestades susceptibles de ser dirigidas a los individuos y solamente cuentan con potestades respecto de los estados miembros.[27] Ello tiene su explicación en que la agrupación de estados se funda en un acuerdo de voluntades entre los estados, en cambio la expresión de la voluntad del pueblo es necesaria para la formación de la constitución de un Estado federal. La agrupación de estados, carece de constitución en el sentido relevante de una decisión del poder constituyente del pueblo.

Según esta distinción, la solución del conflicto federal pasa en el caso de la federación, por la solución a favor de la independencia de los Estados miembros, en el caso del Estado federal la solución a favor del mismo,

> porque priva a los Estados de la decisión independiente sobre su existencia política, y sólo les deja un "derecho de legislación autónoma".[28]

Schmitt afirma, sin embargo, que según esta distinción, el Estado federal pierde su característica propiamente federal, en la medida que

> corresponde a la esencia de la Federación el que – en tanto que

---

27   Teoría General del Derecho y del Estado: 383.

28   Teoría de la Constitución: 354.

ella exista como tal, junto a los Estados-miembros como tales – se mantenga abierta la cuestión de la soberanía entre una y otros. Si se habla de una Federación en que los Estados-miembros no son soberanos, sino que lo es la Federación como tal , es hablar de una estructura en la que sólo la "Federación", esto es, el todo, tiene existencia política, con lo que nos encontramos en realidad ante un Estado unitario soberano. De tal sencilla manera se soslaya el verdadero problema de la Federación.[29]

La existencia de la federación como concurrencia de unidades políticas estatales que coexisten, tiene necesariamente que dejar abierta la cuestión de cómo se solucionan los conflictos entre dichas unidades. Si dichos conflictos se quieren evitar, ya otorgándole la solución a un órgano federal, ya entregándosela a la voluntad de los estados miembros, lo que se hace con ello es eliminar la posibilidad de la federación. El caso de Estados Unidos hasta la guerra civil, que ya hemos visto, muestra las tensiones inherentes a la forma federativa.

Finalmente, y como un modelo a medio camino entre el Estado federal y el Estado unitario, cabe señalar la existencia del *Estado autonómico*. El concepto de autonomía es susceptible de dos concepciones. La más amplia, considera que la autonomía es una libertad garantizada por el derecho; es la posibilidad de actuar libremente dentro del marco que el ordenamiento jurídico establece. Sin embargo, esta concepción amplia contribuye muy poco a entender el significado de un Estado autonómico. La concepción estricta de autonomía, la presenta como una autonomía de tipo político. La autonomía es la particular forma de organización territorial de un Estado, mediante la cual las unidades territoriales particulares ostentan cierto poder político de autorregulación. Ello implica, no sólo que la unidad autónoma es regulada por una potestad normativa particular, esto es, que crea normas que tienen vigencia sólo dentro del territorio de la unidad autónoma, sino que dicha potestad normativa es ejercida por órganos que son generados por la propia unidad autónoma.

Siendo aún más estrictos, puede entenderse autonomía como la titularidad de las unidad territoriales parciales, no de cualquier potestad normativa, sino del ejercicio de la potestad legislativa. Esta es la noción

---

29   Teoría de la Constitución: 354.

propia de autonomía del Estado español como Estado de autonomías.

Ahora bien, el Estado autonómico se mueve dentro de la descentralización que es posible dentro de un Estado unitario. La diferencia central de un Estado autonómico respecto de un Estado federal es que las unidades territoriales autónomas (comunidades autónomas en la terminología de la Constitución Española) no comprenden entre sus potestades la de darse una constitución. Eso implica que

> La norma institución básica de las Comunidades autónomas se encuentra en una ley del Estado, en un Estatuto de Autonomía, mientras que los Estados miembros de una Federación se dan por sí mismos una Constitución en el marco de la federal.[30]

Bajo este entendido, la comunidad autónoma en el ejercicio de las potestad de atribuidas a los órganos descentralizados no se diferencia de un Estado federal. La diferencia radica en que la comunidad autónoma no es autónoma para regular la atribución de dichas potestades, competencias que radica en el Estado central.

En lo que respecta relaciones entre la legislación estatal y la legislación autonómica y a la distribución de funciones entre el Estado central y la comunidad autónoma, las formas en que se puede configurar y distribuir son esencialmente las mismas que en el Estado federal.

El Estado unitario

El Estado unitario es aquel que solamente admite una organización y un ordenamiento jurídico estatal. En dicho caso, las formas que admite la descentralización del Estado no pueden ser de tal magnitud que permitan el surgimiento de otras organizaciones estatales completas dentro del Estado unitario.

---

30   Derecho Constitucional. Sistema de Fuentes: 247.

En ese sentido, las diferencias fundamentales entre un Estado unitario y descentralizado y un Estado federal son las siguientes:

(a) los estados miembros de un Estado federal cuentan con una autonomía constitucional, esto es, cuentan con la potestad constituyente autónoma, característica de la cual carece cualquier localidad autónoma en un Estado unitario. El estatuto de autonomía de las localidades autónomas siempre será, al menos parcialmente, un asunto del Estado federal.

(b) los estados miembros tienen una participación en la formación de la voluntad del Estado federal, típicamente a través de la conformación de la cámara federal. Esa es una participación que no está considerada en un Estado unitario, por más descentralizado que sea.[31]

La decisión fundamental de organizar el Estado de una forma unitaria, se manifiesta en la prohibición de organizaciones locales con una autonomía de grado estatal. De esta manera, el principio de unidad estatal no prejuzga necesariamente sobre el grado de concentración o desconcentración de las potestades estatales, sino que afirma un límite a la descentralización.

El principal límite consiste en que, bajo la forma unitaria, el sistema de fuentes del derecho no puede ser totalmente descentralizado. Ello en la medida que es sólo el Estado central quién puede implementar la descentralización. La vigencia de normas centrales que descentralicen el ejercicio de las potestades hacia unidades territoriales parciales se erige como una necesidad del Estado unitario.

En segundo lugar, en el Estado central debe permanecer la potestad de revocar y volver a centralizar las potestades descentralizadas. La forma en que ellos se implementan es la necesaria titularidad por parte del Estado central de la potestad de reforma de la constitución. Este segundo límite se constituye también en la frontera conceptual entre el Estado federal y un Estado unitario sumamente descentralizado (como el Estado autonómico).

Pueden encontrarse, vinculados a la unidad del Estado, otros límites

---

31   Derecho constitucional comparado: 243ss.

a la descentralización.

El principio de *solidaridad* entre las unidades territoriales de un Estado unitario es necesaria consecuencia de la comprensión del pueblo del Estado como una comunidad política de iguales. El grado y la forma de descentralización no puede traicionar la solidaridad estatal.

Vinculado al anterior se encuentra el principio de igualdad entre todas las personas. Un Estado unitario tiene que asegurar una regulación más o menos homogénea para todos sus habitantes. Al menos debe intentar establecer un balance entre las cargas y los beneficios que los individuos obtienen del Estado. La regulación particular para una unidad territorial parcial, no puede implicar una regulación más favorable para ciertas personas que no esté racionalmente justificada.

Finalmente, el grado de descentralización no puede afectar el derecho fundamental de toda persona a desplazarse libremente por el territorio del Estado.[32]

En el marco del Estado unitario, cobran relevancia el estudio del tránsito de la *centralización* a la *descentralización*. Hans Kelsen presenta la dicotomía entre centralización y descentralización como las opciones de la forma de organización territorial del Estado. Dicha dicotomía dice relación con la referencia a modelos de configuración de la organización del Estado, siendo proporcional el nivel de centralización con la ausencia de descentralización en un orden estatal particular. Así las cosas, resulta difícil encontrar casos de centralización total y resulta imposible encontrar casos de descentralización total dentro de un Estado, por ser necesaria una mínima centralización para poder describir esta cuestión como algo que afecta al concepto de Estado:

> Hay un cierto *mínimum* al cual no puede descender la centralización [...] sin que se produzca la disolución de la comunidad jurídica; una norma cuando menos, la básica, tiene que ser norma central, es decir, tiene que ser válida para todo el territorio, a que de otro modo éste no sería el territorio de un solo orden jurídico [...]. El derecho positivo sólo conoce la centralización y la

---

32   Derecho constitucional comparado: 252-253.

descentralización parciales.[33]

Es más conveniente, por tanto, entender la dicotomía entre centralización/descentralización como un continuo de posibilidades de organización estatal y a los modelos como proporcionalmente más centralizados o descentralizados.

La opción fundamental del *modelo centralizado* de organización del Estado está dada por la tendencia a la acumulación de las potestades estatales en una sola estructura central Estatal que configura un solo sistema jurídico general. El ámbito de dichas potestades estatales abarca todo el territorio estatal y las normas que son dictadas conforme a ellas tienen validez en todo el territorio del Estado. Por eso pueden denominarse potestades y normas centrales.

La opción fundamental del *modelo descentralizado* de organización del Estado está dado por la distribución de las potestades estatales de creación y ejecución en varias estructuras relativamente independientes del orden estatal central, que configuran varios subsistemas jurídicos también independientes. El ámbito de dichas potestades estatales abarca sólo parcialmente el territorio del Estado y las normas dictadas conforme a ellas sólo tendrán vigencia en esa localidad. Por esa razón es que pueden denominarse potestades y normas locales. Es posible constatar que en el modelo descentralizado existe una coexistencia entre un orden, potestades y normas centrales con otros órdenes, potestades y normas locales. En ese sentido, el orden estatal en un modelo descentralizado estará compuesto tanto por el orden parcial central como por los órdenes parciales locales, los que juntos configurarán un orden estatal total.

La diferencia fundamental entre estos dos mecanismos de la atenuación de la centralización consiste en la creación de personas jurídicas autónomas.

La *desconcentración* no involucra la creación de personas jurídicas autónomas; por lo tanto, en este caso de lo que se trata es sencillamente de la transferencia de potestades decisorias a un órgano subordinado respecto del órgano central. En este caso estamos sencillamente frente al caso en

---

33   Teoría General del Derecho y del Estado: 364.

que un órgano inferior tiene un superior jerárquico que puede "revisar" su actuar y carece de una personalidad jurídica autónoma. Equivale, en consecuencia, a la delegación de funciones por parte del órgano superior hacia el inferior.

La *descentralización* consiste en la creación de personas jurídicas autónomas, por ejemplo el Banco Central o las municipalidades. En este caso, se trata de personas jurídicas de rango constitucional respecto de las cuales el Presidente no tiene ninguna atribución; en cambio, respecto de aquelas creadas por la ley, tales como el Servicio Nacional del Consumidor, el Presidente tiene un función de supervigilancia que se ejerce mediante el ministerio respectivo (en este caso, el Ministerio de Economía).

La desconcentración y la descentralización pueden tener un carácter territorial o funcional. Así, tenemos desconcentración territorial en el caso de las secretarías regionales ministeriales o Seremis, y descentralización territorial en el caso de las municipalidades. Por otro lado, tenemos desconcentración funcional respecto de las diversas tareas específicas que desarrolla cada servicio público. Las direcciones regionales de dichos servicios públicos nos ofrecen un caso de desconcentración funcional.

La descentralización puede proceder por diversos criterios, siendo los más relevantes: (a) el tipo de potestad que se descentraliza, siendo posible descentralizar la potestad legislativa, la ejecutiva, la administrativa, la gubernativa o la judicial; y (b) la materia que se descentraliza, por ejemplo, los asuntos penales, comerciales, de aseo y ornato, educacionales, de salud, etc. Dichos criterios de descentralización son posibles de implementar en diversos niveles, siendo posible la combinación de ambos criterios de una forma que permita una maniobra especial respecto de las necesidades de organización, en cada territorio estatal.

Las razones que existen para adoptar un modelo descentralizado son de diversa índole. La más poderosa de ellas es aquella que sostiene que es conveniente regular de manera distinta iguales materias tomando en cuenta las diferencias características de los distintos territorios locales. Ello en realidad no dice nada a favor de la descentralización, en la medida que un órgano central es perfectamente capaz de determinar una regulación diferente para distintas unidades territoriales tomando en cuenta las características locales que hacen conveniente tal diversidad.

Una segunda razón, enlazada con la anterior presenta la conveniencia de la descentralización argumentando que esta posibilita un contacto directo de las autoridades estatales con la realidad local, lo que serviría para justificar la mejor posición en la que estas se encuentran para ejercer las potestades estatales de manera diferenciada.

Este argumento presupone que los órganos descentralizados tienen su ubicación en dicho lugar geográfico, algo que es contingente para el modelo de la descentralización. Es perfectamente compatible con la descentralización, que el órgano que ejerce potestades locales este localizado en el mismo lugar geográfico que la organización central y en un lugar diverso de aquel donde su potestad tiene efecto. Sin embargo, esta razón contribuye a construir un modelo de descentralización que parte de la base de que el órgano desconcentrado debe estar territorialmente en la localidad parcial del Estado que a él incumbe, algo que hasta ahora no había sido establecido como necesario.

Una tercera razón, que ahonda en la necesidad de localización del órgano descentralizado, sostiene que la organización descentralizada otorga la posibilidad de generación local de autoridades estatales. Dicha generación local acercaría el ejercicio de las potestades estatales a la comunidad política local. Ello es parcialmente cierto. Es cierto allí donde las autoridades locales son efectivamente susceptibles de elección por parte de la comunidad.

Ahora bien, cuando la descentralización se combina con la elección de la autoridad estatal por la comunidad local, se posibilita un caso de autonomía local. Dependiendo de cuáles y cuántas sean las potestades que se encuentran descentralizadas, la autonomía local podrá acercarse más a la constitución de una organización estatal autónoma y en ese sentido asimilarse a la configuración de un Estado. Típicamente, la descentralización de la potestad legislativa es la que confiere un *plus* de autonomía política respecto a autonomías locales que se limitan a una descentralización administrativa.

El criterio que se erige como un límite entre la forma de un territorio con autonomía local legislativa, esto es, entre el grado sumo de descentralización dentro de un Estado unitario y un Estado componente de un Estado federal, es la titularidad de la posibilidad de ejercer la potestad constituyente por parte de las autoridades descentralizadas.

La regulación de la forma estatal del Estado de Chile y del grado de descentralización que comprende está regulada por el artículo 3 de la Constitución Política:

Artículo 3°.- El Estado de Chile es unitario.

La administración del Estado será funcional y territorialmente descentralizada, o desconcentrada en su caso, de conformidad a la ley.

Los órganos del Estado promoverán el fortalecimiento de la regionalización del país y el desarrollo equitativo y solidario entre las regiones, provincias y comunas del territorio nacional.

Al definir el artículo 3 de la Constitución que "[e]l Estado de Chile es unitario" se fija como un principio fundamental de la Constitución el modelo de organización jurídica del Estado. Al mismo tiempo, dicha disposición cumple el rol de excluir cualquier iniciativa que intente plasmar la estructura federal de organización en nuestro sistema, a menos que venga acompañada de una reforma al artículo que se comenta.

El principio de la unidad jurídica del Estado se ve complementado en el mismo artículo 3 de la Constitución con otros principios y declaraciones relativas a su forma jurídica. Ellos son los principios de descentralización y desconcentración de la administración (inc. 2°) y el principio de regionalización (inc. 3°). Ellos no entran en tensión con el principio de unidad estatal expresado en el inciso 1° en la medida que la descentralización que promuevan se mueva dentro del ámbito propio de un único Estado dentro del territorio de la República de Chile.

Veamos ahora los conceptos de *descentralización* y *desconcentración* de la Administración del Estado en la Constitución. Según el inciso 2° del artículo 3:

La administración del Estado será funcional y territorialmente descentralizada, o desconcentrada en su caso, de conformidad a la ley.

Esa norma señala imperativamente la forma de la distribución de las competencias dentro de la administración del Estado. Ello contrasta con la formulación original del precepto, que establecía un encargo no concluyente, utilizando la expresión "la ley propenderá". De ello se desprende que la organización de la administración no podrá ser centralizada, encargando a la ley que realice tal atribución de competencias utilizando las técnicas de la descentralización y la desconcentración, en sus modalidades territorial o funcional.

Este mandato constitucional debe considerarse a partir de la base histórica de centralización como criterio rector de la organización de la administración del Estado de Chile.

La descentralización es aquella técnica de organización de la administración que atribuye competencias administrativas a órganos que tienen una relación de independencia o autonomía respecto a la administración central del Estado, pese a seguir formando parte del aparato administrativo. Éste ejerce respecto de estos órganos descentralizados ya no un control jerárquico sino una labor de supervigilancia.

Como características de la descentralización pueden indicarse las siguientes: (a) el órgano al cual se le atribuye la competencia que se descentraliza tiene personalidad jurídica propia, no es, por tanto, parte de la administración central del Estado; (b) normalmente dicho órgano tiene un patrimonio propio, lo que garantiza la independencia jerárquica respecto de la administración central; (c) su creación es realizada por la ley o la propia Constitución; y (d) la relación que tienen respecto de la administración central es una relación de supervigilancia y control por parte de la administración central.

La descentralización territorial es realizada tomando la distribución geográfica como criterio rector. El fundamento de la descentralización territorial es que la gestión administrativa local es mejor realizada por órganos independientes respecto de la administración central ubicados allí donde su actuación tiene influencia. Ejemplos de descentralización territorial son las municipalidades (constitución) y los gobiernos regionales (ley).

La descentralización funcional por otro lado, es realizada tomando la necesidad de contar con un órgano especializado para la realización de ciertas tareas estatales como criterio rector. Por ello, la atribución de una función especial respecto de la administración central, se cuenta como principal y especial característica de esta técnica. Ejemplos de descentralización funcional son el Banco Central (constitucional) y las superintendencias (legal).La desconcentración es aquella técnica de organización de la administración que transfiere competencias administrativas desde órganos superiores a órganos inferiores en la jerarquía de la administración pública, disminuyendo así, pero no eliminando, el grado de subordinación de los primeros frente a los segundos. Los órganos desconcentrados siguen formando parte del aparato administrativo central, que ejerce respecto de estos órganos un control jerárquico. La desconcentración, puede proceder según los criterios territorial y funcional de la misma manera que la descentralización. Ejemplos de administración desconcentrada son los servicio de salud (ley) y los SEREMI (ley).

Tanto la descentralización como la desconcentración son técnicas de organización de la administración del Estado y por lo mismo su desarrollo, sistematización y explicación profundizada pertenece a la disciplina del derecho administrativo.

Por último, refirámonos a la *regionalización*. El inciso 3° del artículo 3 de la Constitución Política dispone:

> Los órganos del Estado promoverán el fortalecimiento de la regionalización del país y el desarrollo equitativo y solidario entre las regiones, provincias y comunas del territorio nacional.

Del análisis de tal disposición se desprende que contiene dos normas relativas a distintas cuestiones.

La regionalización es una técnica de organización ya no sólo de la administración pública del Estado sino dirigida al desarrollo de ciertas competencias autónomas de gobierno, planificación y desarrollo por parte de las unidades territoriales denominadas regiones. Las regiones por tanto son antes que órganos del Estado, unidades territoriales de acción del Estado. Son características de la regionalización como forma de organización territorial, el que ésta (a) no es obligatoria, sino que es una norma directiva. Por estar consagrada constitucionalmente y no estar dirigida específicamente a un órgano del Estado, como en el caso de la descentralización y desconcentración, (b) su realización no sólo corresponde a la ley sino a todos los órganos del Estado.

La segunda parte del inciso 3º del artículo 3º establece una directriz dirigida hacia los órganos estatales, para que consideren en su actuación, la variable de la desigual potencialidad de desarrollo con que cuentan las diversas unidades territoriales.

Este artículo se ve reafirmado con lo establecido por el inciso 1º artículo 115 de la Constitución Política, como en el desarrollo posterior que ese mismo artículo hace: "Para el gobierno y administración interior del Estado a que se refiere el presente capítulo se observará como principio básico la búsqueda de un desarrollo territorial armónico y equitativo. Las leyes que se dicten al efecto deberán velar por el cumplimiento y aplicación de dicho principio, incorporando asimismo criterios de solidaridad entre las regiones, como al interior de ellas, en lo referente a la distribución de los recursos públicos" (inc. 1º).

Capítulo VI:

LA PROTECCIÓN DE LA CONSTITUCIÓN

La concepción de que la constitución consiste en una cierta disposición del orden político cuyas características específicas deben ser preservadas y protegidas de ciertas amenazas para garantizar la subsistencia es antigua como la idea misma de constitución. Ya Aristóteles, al estudiar la existencia de constituciones monárquicas, aristocráticas y democráticas, observaba que cada una de ellas podía corromperse y decaer, transformándose en tiránicas, oligárquicas y oclocráticas. En Roma, el estadista y pensador Cicerón [106–43 a.C] muestra en su diálogo *De la República* al general Publio Cornelio Escipión Emiliano [185–129 a.C.] refiriéndose a la Constitución romana como un sistema mixto de gobierno que ha logrado hasta el momento preservar tal condición y que debe luchar por defender su constitución de los peligros que la amenazan. A través de dicho texto, el propio Cicerón buscaba combatir las presiones caudillistas –'cesaristas' diríamos hoy, anunciando el desenlace de la crisis republicana– que amenazaban con destruir al equilibrio constitucional republicano, transformando a uno de los héroes militares más prestigiosos del pasado reciente en portavoz de sus propias preocupaciones.

Lo que estos antecedentes nos revelan es una comprensión *política* de la constitución y, en consecuencia, una preocupación por las amenazas políticas a la misma. A su vez, la paulatina diferenciación entre derecho y política que se inicia durante la Edad Media y emerge con mayor fuerza durante la temprana Modernidad crea también una creciente consciencia sobre el peligro de que los propios actos estatales o gubernativos vulneren a un orden normativo superior del cual derivan su validez y su legitimidad. Uno de los ejemplos más tempranos se encuentran en el caso inglés *Bonham v College of Physicians* o 'Caso del Doctor Bonham', resuelto en 1610 por Sir Edward Coke [1552–1634] en su calidad de *Chief Justice of the Common Pleas*. En aquel fallo, Coke declaró que "cuando una Ley aprobada por el Parlamento es contraria a común justicia y razón, o repugnante, o imposible de ser cumplida, el derecho común (*Common Law*) la revisará, y declarará tal ley nula".[1]

La perspectiva de Coke revela una vinculación profunda con la creencia en una racionalidad inmanente a lo jurídico, descubierta paulatinamente a través del despliegue histórico de la jurisprudencia, en cuyo acatamiento encuentra legitimidad el orden político temporal. La idea de que el derecho debe estar sometido a los dictados de unos principios de justicia inmodificables inspira a su vez a los movimientos constitucionales francés y norteamericano, pero en una versión vinculada a la teoría política contractualista; en consecuencia, en una versión más filosófica que jurisprudencial, más universalista que historicista. Esa vinculación puede respaldarse en la identidad entre el contenido de las primeras declaraciones constitucionales y los principios de derecho natural propuestos por los filósofos políticos ilustrados. A partir de estas fuentes surge el principio de la supremacía constitucional, encarnación de la idea más general del Estado de Derecho, la cual examinaremos más adelante.

Las dos perspectivas que hemos visto sobre la defensa de la Constitución son consistentes, a grandes rasgos, con considerar a la constitución como un objeto fundamentalmente político o como un objeto fundamentalmente normativo, y que son conceptualizadas por sus mejores exponentes, Schmitt y Kelsen respectivamente, como la decisión sobre el modo y forma de la unidad política y como la norma que regula la producción de normas. Ahora bien, Schmitt y Kelsen no sólo articularon teorías rivales sobre el concepto de Constitución; también, y sobre la base de dichas teorías, debatieron sobre la manera adecuada de proteger la Constitución en el contexto de la República de Weimar. A continuación examinaremos tanto los planteamientos teóricos de ambos autores como el devenir institucional que en la materia ha caracterizado a nuestra nación.

---

1   The selected writings of Edward Coke: 275.

La defensa política de la Constitución

Comprender la Constitución como una decisión sobre la forma concreta de la unidad política lleva a quienes valoren la decisión concreta en cuestión a plantear la necesidad de defender dicho orden contra las posibles alteraciones en su substancia que lleven a su transformación en un orden político distinto y peor; es decir, que lleven a su corrupción. Esta matriz conceptual, como hemos dicho, se hallaba presente ya en Aristóteles, y se expresó con particular dramatismo en la historia republicana de Roma, cuyos orígenes míticos se entrelazan con la rebelión de Lucio Junio Bruto contra el rey devenido en tirano Tarquino el Soberbio, y cuyos estertores históricos se sitúan en el asesinato del dictator perpetuo Julio César a manos de Marco Junio Bruto.

¿A qué responde la defensa política de la Constitución? Los ejemplos señalados nos permiten sugerir que ella busca preservar una determinada institucionalidad política debido a que ella es considerada como la personificación de algún valor último, fundante; la libertad, tanto para la retórica republicana como para la liberal; la igualdad, desde un registro democrático; la soberanía de la clase trabajadora, en los así llamados socialismos reales. Del valor fundante que se considere protegido derivarán las estrategias, mecanismos, o métodos considerados idóneos para la defensa del orden político. Ahora, también es posible recorrer el camino inverso y concluir, del análisis detenido de los medios considerados como necesarios en un determinado contexto para proteger la Constitución, qué se entiende en ese lugar por Constitución. La elevación de la prohibición del comunismo a principio del orden constitucional, contenida en la Constitución de 1980 entre 1981 a 1989, dice mucho sobre el verdadero carácter de la decisión política contenida en dicho texto, dando sustento a la caracterización de dicho período como un autoritarismo de libre mercado.

Históricamente, la historia romana se presenta a sí misma como el momento de génesis de la praxis defensora, a través de la institución de la *dictadura*. La dictadura en Roma, por cierto, no se corresponde exactamente con el concepto moderno que designamos con el mismo término; ella desempeña una serie de labores asociadas al orden político de una sociedad premoderna como la romana, incluyendo no sólo la preservación del orden interno y la defensa externa, sino también la satisfacción de determinados deberes religiosos. Sin perjuicio de ello, es la reflexión sobre dicha institución lo que lleva a los humanistas del Renacimiento, particularmente a Maquiavelo, a reflexionar sobre los mecanismos de protección del orden político:

> [E]s notorio que el dictador, cuando llegó a serlo por nombramiento legal y no por autoridad propia, siempre hizo bien a Roma. Perjudican a las repúblicas las magistraturas creadas y la autoridad concedida por procedimientos extraordinarios; pero no si lo han sido conforme a las leyes.

> Así se ve que durante larguísimo tiempo todos los dictadores hicieron en Roma gran bien a la república. Y la razón de ello es notoria. Primeramente es preciso para que un ciudadano pueda causar daño adquiriendo extraordinaria autoridad, que concurran en él varias condiciones, las cuales en la república donde haya pureza de costumbres jamás puede reunir ninguno, porque necesita ser riquísimo o contar con gran número de adeptos y partidarios, cosa imposible donde las leyes se cumplen; y si, a pesar de todo, hubiera hombres en este caso, serían tan temidos que nunca encontrarían apoyo en el sufragio libre. Además, la dictadura era un cargo temporal: nombrábase dictador para resolver determinado conflicto y hasta que desapareciera; su poder alcanzaba a determinar por sí mismo los remedios al urgente peligro, a ponerlos en práctica sin necesidad de consulta, y a castigar sin apelación; pero no podía hacer cosa alguna que alterase las instituciones del Estado, como lo sería privar de su autoridad al Senado o al pueblo, o derogar la antigua constitución política para establecer otra nueva. De manera que por la brevedad del tiempo que la dictadura duraba, por la autoridad limitada que el dictador ejercía y por la pureza de costumbres del pueblo romano, era imposible cualquier extralimitación en daño de Roma. En cambio, la experiencia demuestra que esta situación siempre le produjo beneficios, mereciendo especial estudio por ser una de las que más contribuyeron al poderío de Roma, y sin la cual difícilmente hubiera triunfado en los grandes peligros que

amenazaron su existencia. Los procedimientos de gobierno en las repúblicas son lentos. No pueden hacer nada por sí los consejos ni los magistrados, necesitando en muchos casos los unos de los otros para tomar resolución, y como en el acuerdo de las voluntades se emplea tiempo, las determinaciones son tardías, y a veces peligrosas cuando tienen por objeto remediar lo que no admite espera.

Todas las repúblicas deben, por tanto, establecer entre sus instituciones una semejante a la dictadura[…]

La república en que falta una institución de esta clase se ve obligada a perecer por conservar sus procedimientos constitucionales o a salvarse quebrantándolos, y en un Estado bien regido no debe ocurrir cosa que haga indispensable acudir a remedios extraordinarios, porque aun cuando éstos produjeran buen resultado, el ejemplo será peligroso. La costumbre de quebrantar la constitución para hacer el bien conduciría a quebrantarla con tal pretexto, para, en realidad, hacer el mal. Jamás será, pues, perfecta la organización de una república si sus leyes no proveen a todo, fijando el remedio para cualquier peligro y el modo de aplicarlo. Termino diciendo que las repúblicas que para peligros urgentes no tienen el recurso de la dictadura o de otra idéntica institución, siempre las arruinará cualquier grave accidente.[2]

Otra reflexión clásica en esta materia es la de Locke, cuya teoría del poder de prerrogativa sirve de marco conceptual para la comprensión tanto de la conducción cotidiana de los asuntos del poder político como de las implicancias de la defensa misma del orden político:

[A]llí donde el poder legislativo y el ejecutivo residen en manos distintas –como ocurre en las monarquías moderadas y en los gobiernos bien estructurados– el bien de la sociedad requiere que varios sean los asuntos que se dejen a la discreción de quienes ostenten el poder ejecutivo, pues como los legisladores no pueden prever y procurar mediante leyes todo lo que pueda serle útil a

---

2   Discursos sobre la primera década de Tito Livio: 344-345.

la comunidad, el ejecutor de las leyes, al tener el poder en sus manos, tiene, por ley común de la naturaleza, el derecho de hacer uso de dicho poder para el bien de la sociedad, en los muchos casos en que las leyes municipales no hayan dado dirección, hasta que los legisladores puedan reunirse en asamblea y dictar la ley adecuada para el caso. Hay muchas cosas que en modo alguno pueden ser previstas por la ley; y ésas son las que han de dejarse necesariamente a la discreción de quien tenga el poder ejecutivo en sus manos, para que él decida según lo que el bien y el beneficio del pueblo requieran[...] Este poder de actuar a discreción para el bien público, sin hacerlo conforme a lo prescrito por la ley, y aún contra ella en ciertos casos, es lo que se llama prerrogativa. Pues como en algunos gobiernos el poder legislativo no está siempre en activo, y suele ser también muy numeroso y, por ende, muy lento en despachar sus decisiones al ejecutivo; y como es imposible prever y abarcar con las leyes todas las posibles eventualidades y necesidades que puedan afectar al pueblo; y como es asimismo imposible hacer leyes que no produzcan daño cuando son aplicadas con rigor inflexible en todas las ocasiones y a todas las personas que estén en su camino, hay un margen que es dejado al poder ejecutivo para que éste tome decisiones que la ley no ha prescrito.[3]

Las reflexiones de Maquiavelo y de Locke articulan los dos paradigmas existentes en materia de protección del orden político en la moderna tradición constitucional: uno, el maquiaveliano, consistente en reivindicar la determinación de una esfera estable de potestades de defensa; la segunda, la lockeana, consistente en argumentar sobre la necesidad de confiar en la capacidad del ejecutivo de actuar discrecionalmente en defensa del orden político debido a la imposibilidad epistémica de conocer con anticipación las amenazas que le acecharán en el futuro. La primera alternativa, la maquiaveliana, se corresponde, a grandes rasgos, con la técnica de los *estados de excepción constitucional*, descripciones típicas realizadas por la propia norma constitucional que identifican tanto un determinado conjunto de situaciones de emergencia como las medidas que la autoridad podrá tomar ante ellas. La segunda alternativa, la lockeana, se corresponde

---

3   Dos Ensayos sobre el Gobierno Civil: 322-323.

con la noción schmittiana de dictadura comisaria, que es aquella que, si bien "ignora el derecho, es tan sólo para realizarlo",[4] pues "protege una determinada Constitución contra un ataque que amenaza echar abajo esta Constitución".[5] No está de más notar la paradoja de que quien aparezca en el imaginario colectivo como defensor de la razón de Estado sea quien elabora el planteamiento más normativista y representativo del espíritu de limitación del poder político, mientras que el así llamado padre del constitucionalismo liberal afirme aquí la verdadera imposibilidad e inconveniencia de intentar tipificar de antemano la respuesta excepcional ante la situación de emergencia.

¿Qué situaciones pueden constituir amenazas para el orden político en el sentido aquí señalado? La infinidad de posibilidades que caben dentro de este ámbito pareciera ser reconducible a dos hipótesis fundamentales: la destrucción de la forma política a manos de la violencia de uno o más agentes, o bien como consecuencia de la fuerza de las circunstancias. Dentro de la primera hipótesis se encuentran tanto los intentos populares por derrocar una monarquía como la toma indefinida del poder por parte de militares en el contexto de una democracia; dentro de la segunda se encuentran las crisis económicas o las catástrofes naturales que amenazan con hacer imposible la mantención del orden social sobre el cual se construye el orden político.

De lo anteriormente dicho, podemos concluir que la potestad de defensa de la Constitución tiene un carácter *instrumental*, pues encuentra su justificación en la capacidad que las medidas en cuestión tengan de preservar un determinado orden que se considera valioso. Por ello, la discusión sobre dichos mecanismos a menudo giran en torno a la idoneidad de los mismos para alcanzar dicho objetivo, siendo dos los cuestionamientos más recurrentes de que son objeto: el primero, que son insuficientes en magnitud o extensión para lograr con su cometido, por lo cual no lograrán defender la Constitución; el segundo, que son excesivos, que alteran radicalmente la configuración interna del orden político, por lo que terminarán destruyendo ellos mismos la Constitución. Ambas argumentaciones aparecen reiteradamente en la discusión pública

---

4   La Dictadura: 27.

5   La Dictadura: 182.

y profesional de los diseños institucionales orientados a dar protección a la estructura del orden político, y de la oportunidad o conveniencia del ejercicio de dichas potestades.

La teoría y sus cuestionamientos

Queda dicho que Schmitt concibe la Constitución como una decisión concreta sobre el tipo y forma de la unidad política. Para el mismo, en consecuencia, la defensa de la Constitución es por definición una labor política, que, lógicamente, sólo puede ser acometida políticamente. Esta idea, a su vez, está íntimamente vinculada con el concepto de política que el propio Schmitt ha elaborado, y que caracteriza al trazar la distinción entre amigos y enemigos como el acto político por excelencia. Es comprensible, en consecuencia, el riesgo que entraña una lectura normativa o prescriptiva de esta articulación teórica, que adopte entusiastamente los planteamientos de Schmitt como una receta para la solución de los desacuerdos políticos o, más generalmente, de las tensiones involucradas en la convivencia entre distintas sensibilidades culturales; la receta, desde dicha perspectiva, sería la supresión del sujeto que –al menos, desde la perspectiva de la autoridad, es decir, de quien decide– amenaza a la comunidad. La historia política de la humanidad, y de la modernidad occidental en general, está marcada de ejemplos que atestiguan dicha tendencia a la exclusión. Ahora bien, la propuesta de Schmitt tiene dos méritos teóricos. El primero, es que nos entrega la gramática conceptual necesaria para entender dichos actos de exclusión. La exclusión tiene un carácter constitutivo respecto de la comunidad que excluye: como vimos con el ejemplo de la interdicción constitucional del comunismo, ella nos dice mucho sobre qué tipo de comunidad es aquella que excluye. Los proscritos son el espejo monstruoso en el cual la comunidad busca, por negación, el reflejo de sus virtudes. El segundo, es que metodológicamente ella nos enseña a buscar dichos actos de exclusión en toda comunidad. Dado el rol constitutivo de la identidad de la comunidad que tiene la exclusión, el científico deberá buscar en las cloacas de la exclusión, más allá de las invocaciones retóricas a ilustrados y altruistas principios, la verdadera identidad de la unidad política, su auténtica decisión concreta sobre su forma de existencia. Es en este sentido que autores como Mouffe o el filósofo italiano Giorgio Agamben [1942–] han empleado la matriz conceptual de Schmitt.

Veamos ahora la forma en que el propio Schmitt entendió y empleó la noción de la defensa de la Constitución. Su investigación parte con una ojeada histórica a los precursores modernos de esta idea:

La demanda de un protector, de un defensor de la Constitución es, en la mayoría de los casos, indicio de situaciones críticas para la Constitución. Resulta, por ello, muy interesante e instructivo comprobar que los planes y proposiciones para instituir un protector semejante se inician, en la nueva Historia constitucional, primeramente en Inglaterra, y de modo preciso a la muerte de [Oliver] Cromwell (1658), es decir, después de los primeros ensayos modernos de Constituciones escritas y en una época de interna desintegración política del Gobierno republicano, ante un Parlamento incapaz de adoptar decisiones concretas y en vísperas ya de la restauración de la monarquía. Entonces se propuso por ejemplo, una corporación especial que, a la manera del eforato espartano, viniera a mantener la ordenación existente del commonwealth y a impedir la restauración de la monarquía. Las ideas referentes a un "defensor de la libertad" a un "defensor de la Constitución", se abrieron paso, particularmente, en el círculo de [James] Harrington. Allí tiene su origen la idea de aquellas instituciones que, a través de las cartas constitucionales de Pensilvania, llegan hasta la Revolución francesa. En Francia misma, en la constitución del año VII (1799) aparece un senado como defensor (*conservateur*) de la Constitución. En este caso, también, semejante instituto precede inmediatamente a una reacción política, la de la época de Napoleón I. Por esto es doblemente interesante comprobar que el *Sénat Conservateur* no desempeñó su papel tutelar de la Constitución hasta la derrota militar de Napoleón, cuando por decreto de 3 de abril 1814 declaró que Napoleón y su familia quedaban desposeídos del trono por haber vulnerado la Constitución y los derechos del pueblo.[6]

Ahora bien, Schmitt caracteriza el contexto en el cual elabora su propia propuesta afirmando que "[l]a situación constitucional concreta

---

6   El defensor de la Constitución: 27-28.

del actual Reich alemán puede quedar caracterizada, en resumen, por tres conceptos: pluralismo, policracia y federalismo", conceptos que entre sí a su juicio sólo están unidos "por una antítesis común, la que les separa de la unidad política hermética".[7] Esta tríada que tensiona la homogeneidad interna del cuerpo político resulta de interés en vistas a la praxis concreta de defensa de la Constitución que Schmitt terminará reivindicando. Esto, pues si el federalismo disgrega la capacidad de decisión característica de toda unidad política en dos niveles, el estadual y el federativo; y si el pluralismo revela la existencia de grupos de interés que concurren al proceso político a presentar sus demandas particulares; la policracia consiste, en la particular terminología de Schmitt, en la existencia de "un conjunto de titulares, jurídicamente autónomos, de la economía pública, en cuya independencia encuentra una limitación la voluntad política", que se hace posible "sobre la base de desprender del Estado una serie de haciendas autónomas y de independizarlas frente a la voluntad política".[8] Ahora bien, Schmitt hace una observación fundamental sobre el contexto característico en el que paradigmáticamente se desarrolla la unidad política contemporánea: "[e]n todo Estado moderno, la relación entre Estado y Economía constituye la materia genuina de las cuestiones inmediatamente actuales de la política interior".[9] Para Schmitt, esta realidad contrasta con aquella en cuyo seno se había formado tanto el paradigma del Estado de Derecho como de los derechos fundamentales:

> La tendencia del liberal siglo XIX era la de limitar en lo posible el Estado a un mínimo, impedirle ante todo intervenciones y ataques a la Economía, y neutralizarlo en absoluto, en lo posible, frente a la sociedad y a sus pugnas de intereses, para que la Sociedad y la Economía adoptaran en su sector respectivo las necesarias decisiones, según sus principios inmanentes. En el libre juego de las opiniones sobre la base de una franca competencia se crean partidos cuyas discusiones y luchas ideológicas dan lugar a la opinión pública, y vienen a determinar el contenido de la voluntad estatal; en el libre juego de las energías sociales y económicas impera la libertad económica y contractual, que

---

7   El defensor de la Constitución: 125.

8   El defensor de la Constitución: 126.

9   El defensor de la Constitución: 139.

parece asegurar la máxima prosperidad económica, porque el mecanismo automático de la economía libre y del mercado libre se mueve y regula a sí mismo según leyes económicas (mediante la oferta y la demanda, el intercambio de prestaciones, la fijación de los precios, la formación de la renta en la economía nacional).[10]

En cambio, "[e]n el Estado actual, y tanto más cuando se trata de un Estado industrial moderno, las cuestiones económicas constituyen el contenido capital de las dificultades de orden político interior: la política interior y exterior es, en gran parte, política económica, aun en sectores distintos de la política aduanera y comercial o de la política social".[11] Por esto, afirma Schmitt, "la exigencia de la no intervención significaría una utopía y hasta una contradicción con el Estado mismo, pues la no intervención vendría a representar que en los antagonismos y conflictos sociales y económicos, que hoy no se ventilan con recursos puramente económicos, se dejara libre curso a los distintos grupos o potencias".[12] La no intervención, concluye, "no es otra cosa que una intervención a favor de los que en aquel momento son superiores y más desaprensivos".[13] Incluso más, en este contexto la policracia a la que Schmitt hiciera referencia anteriormente "revela la falta de líneas normativas homogéneas, una desorganización y una falta de plan, e incluso una aversión hacia todo plan, que llega a revestir excepcional importancia porque el Estado hace tiempo que ha iniciado su traslación hacia el Estado económico".[14]

Ahora bien, tras hacer un análisis de las instituciones y mecanismos de la Constitución de Weimar que se han demostrado incapaces de afrontar las demandas propias del Estado moderno, Schmitt afirma que "[e]l sentido de toda Constitución racional es procurar un sistema de organización que permita formar una voluntad política e instituir un Gobierno capaz de gobernar",[15] máxima pragmática que le lleva a mirar hacia "una

---

10   El defensor de la Constitución: 134-135.

11   El defensor de la Constitución: 139.

12   El defensor de la Constitución: 139-140.

13   El defensor de la Constitución: 140.

14   El defensor de la Constitución: 155-156.

15   El defensor de la Constitución: 188.

respuesta más eficaz y más adecuada al espíritu de la Constitución que la que representan los desgloses de poder y manifestaciones de autonomía que cada vez son más extremadas".[16] Esta respuesta radica, a juicio de Schmitt, en la práctica de la legislación delegada o ley habilitante (*Ermächtigungsgesetz*), mediante la cual el Parlamento autorizó al Presidente del Reich a dictar normas en materia fiscal, y en el ejercicio de su amplia atribución para tomar medidas de emergencia, conferida en el artículo 48, inciso 2°, de la Constitución de Weimar:

Artículo 48.

En el caso de un estado que no cumpla con los deberes que le haya impuesto el Reich, la Constitución o las leyes del Reich, el presidente del Reich podrá hacer uso de las fuerzas armadas para compelerlo a hacerlo.

Si la seguridad y el orden público al interior del Reich son severamente dañados o están en peligro, el presidente del Reich podrá tomar las medidas necesarias que lleven a restablecer el orden, interviniendo con la asistencia de las fuerzas armadas, de ser necesario. Para este propósito, podrá suspende temporalmente, totalmente o en parte, los derechos fundamentales proveídos en los artículos 114 (libertad personal), 115 (inviolabilidad del domicilio), 117 (inviolabilidad correspondencia), 118 (libertad expresión), 123 (derecho de reunión), 124 (libertad asociación) y 153 (derecho de propiedad).

El presidente del Reich debe informar al Reichstag sin demora sobre todas las medidas tomadas de acuerdo a los párrafos 1 y 2 de este artículo. Estas medidas pueden ser revocadas a petición del Reichstag.

Si el peligro es inminente, el Gobierno del Estado puede tomar medidas temporales para su propio territorio, como lo provee el inciso 2°. Estas medidas pueden ser revocadas a petición del

---

16   El defensor de la Constitución: 189.

Reichstag.

Los detalles serán determinados por una ley del Reich.

Ahora bien, al momento de plantear Schmitt su postura sobre el tema, éste percibía la existencia de una "transición desde el estado excepcional en el aspecto policíaco-militar al estado excepcional en el orden económico-financiero".[17] Schmitt consideraba que las crisis económicas por las que atravesaba Alemania en 1929-1931, época en la que publica la primera y segunda versiones de *Der Hüter der Verfassung*, se debían en parte a "la gran debilidad que caracteriza a un Estado económico como consecuencia de los métodos pluralistas propios del Estado de partidos en coalición lábil",[18] debilidad que se debía a la estructura política adoptada por la República de Weimar y que se traducía en una constante emergencia económica.

En estas circunstancias es que Schmitt registra que se verificó una "transformación en la práctica del artículo 48, que para la estructura de la situación constitucional del presente reviste especial importancia porque se ha visto obligada a moverse en un sector económico y financiero".[19] Schmitt apunta así al Presidente del Reich, quien "trata de salvar al Estado legislativo constitucional, cuyo órgano legislativo está dividido de modo pluralista, liberándolo de un pluralismo anticonstitucional"[20] en su condición de "organismo que no es superior, sino coordinado", es decir, "tercero neutral".[21]

La tesis de Schmitt tiene un destino trágico. Las facultades de emergencia del artículo 48 fueron utilizadas el 20 de julio de 1932 por el Presidente del Reich, Paul von Hindenburg [1847–1934], para destituir al gobierno del estado de Prusia, compuesto por socialdemócratas, liberal demócratas y centristas, poniendo fin así al poder de la coalición que le había dado hasta el momento estabilidad a la república de Weimar, y nombrando en su lugar al nacionalista Franz von Papen [1879–1969]

---

17   El defensor de la Constitución: 207.

18   El defensor de la Constitución: 207.

19   El defensor de la Constitución: 211.

20   El defensor de la Constitución: 237.

21   El defensor de la Constitución: 240.

como Comisionado del Reich para Prusia. Schmitt colaborará con la defensa de la medida del Presidente del Reich ante el Tribunal del Reich Alemán en el caso *Preußen contra Reich* (1932). En tanto, la praxis de la delegación legislativa alcanzará el paroxismo con la Ley para solucionar los peligros que acechan al Pueblo y al Estado (*Gesetz zur Behebung der Not von Volk und Reich*), de 1933, que para todos los efectos puso fin al Estado de Derecho, y particularmente a la necesidad de aprobar el presupuesto nacional a través del proceso legislativo:

Ley para solucionar los peligros que acechan al Pueblo y al Estado

El Reichstag ha puesto en vigor la siguiente ley, la cual es proclamada con el consentimiento del Reichsrat, habiendo sido establecido que los requisitos para una enmienda constitucional han sido cumplidos:

Artículo 1 — En adición al procedimiento establecido por la Constitución, las leyes del Reich pueden también ser emitidas por el Gobierno del Reich. Esto incluye a las leyes referidas en los artículos 85, párrafo 2 y artículo 87 de la Constitución.

Artículo 2 — Las leyes emitidas por el Gobierno del Reich pueden diferir de la Constitución en tanto no contradigan las instituciones del Reichstag y del Reichsrat. Los derechos del Presidente quedan sin modificación.

Artículo 3 — Las leyes emitidas por el gobierno del Reich deben ser promulgadas por el Canciller y publicadas en el diario oficial del Reich. Tales leyes entrarán en efecto al día siguiente de la publicación salvo que se indicase una fecha diferente. Los artículos 68 al 77 de la Constitución no se aplican a las leyes emitidas por el gobierno del Reich.

Artículo 4 — Los tratados celebrados por el Reich con Estados extranjeros que afecten materia de las legislación del Reich no necesitarán la aprobación de las cámaras legislativas. El gobierno del Reich debe promulgar las reglas necesarias para la ejecución de tales tratados.

Artículo 5 — Esta ley entra en vigor el día de su publicación. Queda sin vigencia el 1 de abril de 1937 o si el actual gobierno del Reich fuese sustituido por otro.

El devenir nacional

La primera mención de la racionalidad de la dictadura comisaria que podemos encontrar en la historia de nuestras leyes constitucional ocurre en el artículo 26 del Reglamento Constitucional Provisorio de 1812, ubicado al final de dicho texto, y que señala que "[s]ólo se suspenderán todas estas reglas invariables en el caso de importar a la salud de la Patria amenazada; pero jamás la responsabilidad del que las altere sin grave motivo". Esta disposición también participa de la idea maquiaveliana de que todo poder extraordinario que no sea ejercido en beneficio de la república debe ser considerado como un grave atentado contra la misma (dejando de lado, desde luego, la interesante pregunta filosófica de si es posible hablar de Constitución y de república en el contexto del Chile de 1812).

Durante nuestra historia patria independiente, nuestros textos constitucionales han recurrentemente contemplado poderes particularmente amplios para el Presidente orientados a depositar en sus manos la protección del orden político. Así, el artículo 82 de la Constitución de 1833 establecía como atribución especial del Presidente "[d]eclarar en estado de sitio uno o varios puntos de la República en caso de ataque esterior, con acuerdo del Consejo de Estado, i por un determinado tiempo", atribución que recibía su contenido del artículo 161 del mismo cuerpo normativo:

Declarado algún punto de la República en estado de sitio, se suspende el imperio de la Constitución en el territorio comprendido en la declaración; pero durante esta suspensión, i en el caso en que usase el Presidente de la República de facultades estraordinarias especiales, concedidas por el Congreso, no podrá la autoridad pública condenar por sí ni aplicar penas. Las medidas que tomare en estos casos contra las personas, no pueden esceder de un arresto o traslación a cualquier punto de la República.

Adicionalmente, la Constitución autorizaba al Congreso, en su artículo 36 N° 6, a "[a]utorizar al Presidente de la República para que use de facultades extraordinarias, debiendo siempre señalarse expresamente las facultades que se le conceden, i fijar un tiempo determinado a la duración de esta lei". En ejercicio de esta atribución de delegar facultades extraordinarias en el presidente, el Congreso aprobó la siguiente ley:

El Congreso Nacional declara en estado de sitio el territorio de la República por el tiempo que durase la actual guerra con el Perú i queda, en consecuencia, autorizado el Presidente de la República para *usar de todo el poder público, que su prudencia hallare necesario para rejir el Estado*, sin otra limitacion que la de no condenar por sí, ni aplicar penas, debiendo emanar estos actos de los tribunales establecidos, o que en adelante estableciere el mismo Presidente.

Dios guarde a V. E.

Santiago, Enero 30 de 1837.

Al Presidente de la República.

El Presidente José Joaquín Prieto, aconsejado por su Ministro de Justicia Mariano Egaña, decidió emplear las amplísimas facultades que se le habían conferido aprobando un conjunto de leyes, entre las cuales se encuentran la Ley sobre Implicancias y Recusaciones, de 2 de febrero de 1837; la Ley sobre Fundamentación de las Sentencias, de 2 de febrero de 1837; y la Ley sobre procedimiento ejecutivo y concurso de acreedores, de 8 de febrero de 1837, todas ellas parte de un proyecto de código de procedimiento civil que en aquel entonces Egaña estaba preparando y que estaba en conocimiento del Congreso, del cual Egaña mismo era parte como senador. La burla al procedimiento legislativo que entraña este artilugio es evidente. Huneeus, escribiendo en 1879, observa lo siguiente respecto a la ley delegatoria en cuestión:

Esta lei incalificable violó la Constitución, asignando a la duracion de las facultades estraordinarias un tiempo indeterminado (el que *durare* la guerra); la violó, *no fijando las facultades* concedidas, pues subordinó todo a la *prudencia* del Ejecutivo; la violó, facultándole para establecer tribunales, que solo pueden ser creados por *lei*, con arreglo a los arts. 108 i 109. ¡Ya se vé! Esto último no debe parecer sorprendente, desde que el Ejecutivo quedaba revestido de la plenitud del poder público, pudiendo lejislar sobre toda materia, como lo hizo efectivamente durante los años 1837 i 1838.[22]

Si bien esta medida fue criticada como un aprovechamiento de la Constitución, ella prefigura dos medidas legislativas extraordinarias de gran importancia en la historia constitucional posterior: los decretos leyes, consistentes en disposiciones de pretensiones nomogenéticas dictadas por gobiernos de facto, esto es carentes de un mandato democrático y en ausencia del Congreso, instrumento empleado por la Junta de Gobierno de 1924-1925, la República Socialista de 1932, y la Junta Militar entre 1973 a 1981; y los decretos con fuerza de ley, correspondientes a casos de legislación delegada por el Congreso, práctica que se inicia en 1927 con la reorganización de diversos órganos públicos. Según se ha observado, desde esa fecha en adelante se dictaron durante la vigencia de la Constitución de 1925 más de 25 leyes delegatorias, y si bien la doctrina discrepaba sobre su constitucionalidad, la Corte Suprema optó por considerar que "la constitucionalidad de la delegación legislativa que realizaba el Congreso Nacional al Presidente era una materia que escapaba a su jurisdicción, al tratarse de un hecho que es consecuencia de factores políticos o sociales que están al margen de un juzgamiento propiamente jurídico".[23] Finalmente, este instrumento fue incorporado a la Constitución mediante la Ley de Reforma Constitucional N° 17.284 de 1970, contenido que materialmente encontró continuidad en la Constitución de 1980.

Por otro lado, en la Constitución de 1833 la sujeción del Ejecutivo a la legalidad, incluyendo dentro de ella a la propia ley constitucional, estaba encomendada no al Poder Judicial sino que al Congreso. Durante el período de sesiones ordinarias del mismo, que iba del 1 de junio al 1 de septiembre, ejercía tal rol el Congreso en su conjunto a través de la acusación

---

22   La Constitución ante el Congreso: 123.

23   La legislación delegada en el derecho chileno y su función constitucional: 56.

constitucional –de la cual el Presidente estaba, significativamente, excluído–
mientras que durante el resto del año dicha labor estaba encomendada a
la Comisión Conservadora, órgano de clara inspiración francesa y que,
compuesta por siete senadores, tenía como atribuciones según el artículo
58 de la Constitución el "[v]elar sobre la observancia de la Constitución i
de las leyes", y "[d]irijir al Presidente de la República las representaciones
convenientes a este efecto; i no bastando las primeras, las reiterará [por]
segunda vez, de cuya omisión será responsable al Congreso".

El paulatino cambio hacia mediados del siglo XIX en la estructura
informal del poder político, que sometió a crítica la distribución de
competencias entre Ejecutivo y Congreso, llevó a que mediante ley de
reforma constitucional del 24 de octubre de 1874 fuera modificada
la extensísima potestad contemplada en el artículo 36 N° 6. Ella fue
reemplazada por el siguiente texto:

Dictar leyes excepcionales y de duración transitoria que no podrá
exceder de un año, para restringir la libertad personal y la libertad
de imprenta, y para suspender o restringir el ejercicio de la libertad
de reunión, cuando lo reclamare la necesidad imperiosa de la
defensa del Estado, de la conservación del régimen constitucional
o de la paz interior.

Si dichas leyes señalaren penas, su aplicación se hará siempre por
los tribunales establecidos.

Fuera de los casos prescritos en este inciso, ninguna ley podrá
dictarse para suspender o restringir las libertades o derechos que
asegura el artículo 10.

Y mientras la facultad presidencial de declarar estado de sitio con
acuerdo del Consejo de Estado se mantuvo, los contornos concretos de
dicha atribución, determinados en el artículo 161, variaron notoriamente:

Cuando uno o varios puntos de la República fueren declarados en
estado de sitio, en conformidad en lo dispuesto en la parte 20ª del
Art. 82, por semejante declaración sólo se concede al Presidente

de la República las siguientes facultades:

1.ª La de arrestar a las personas en sus propias casas o en lugares que no sean cárceles ni otros que estén destinados a la detención o prisión de reos comunes.

2.ª La de trasladar a las personas de un departamento a otro de la República dentro del continente y en un área comprendida entre el puerto de Caldera al norte y la provincia de Llanquihue al sur.

Las medidas que tome el Presidente de la República en virtud del sitio, no tendrán más duración que la de éste, sin que por ellas, se puedan violar las garantías constitucionales concedidas a los Senadores y Diputados.

Ahora bien, durante el siglo XX se consolidaron tres espacios de defensa política de la Constitución: la legislación extraordinaria, de la cual hablaremos en el siguiente volumen; la regulación de los estados de excepción constitucional, que desarrollan y sofistican, a menudo en un sentido represor y en ocasiones en un sentido garantista, la reglamentación reformada del estado de sitio de la Constitución de 1833; y la interdicción del pluralismo político. En esta última concentraremos nuestra atención aquí.

Durante la vigencia de la Constitución de 1925 fue dictada una ley que reviste particular importancia a efectos de nuestro análisis: la Ley N° 6.026, de Seguridad Interior del Estado, de 11 de febrero de 1937. Este cuerpo legislativo, elaborado por el gobierno de Alessandri Palma, busca proteger el orden político contra quienes "[i]nciten a la subversión del orden público o a la revuelta o alzamiento contra el Gobierno constituído" o "[i]nciten, provoquen o fomenten la rebelión contra las instituciones nacionales o contra la forma de Gobierno de la República", al decir de su artículo 1°. Esta ley vulneraba seriamente derechos políticos tales como los de reunión y libre expresión; así, por ejemplo, su artículo 4° prohibía "el uso de banderas, emblemas, uniformes o signos de carácter disolvente o revolucionario. La fuerza pública procederá a disolver todo desfile, reunión o manifestación en que se usen algunos de los signos o distintivos indicados en este artículo". Modificada en 1948, reestructurada en 1958, reformada y refundida en 1975, ella subsiste hasta el día de hoy.

La modificación más importante a la Ley sobre Seguridad Interior del Estado se realizó mediante la Ley N° 8.987, de Defensa Permanente de la Democracia, publicada el 3 de septiembre de 1948, más conocida como la *Ley Maldita*. Dicha ley restringía severamente las libertades de expresión, de movimiento, de reunión, y el derecho a huelga, entre otros derechos constitucionales, y añadía el siguiente artículo a la Ley en cuestión:

> Artículo 3°.- Se prohíbe la existencia, organización, acción y propaganda de palabra, por escrito, o por cualquier otro medio, del Partido Comunista y, en general, de toda asociación, entidad, partido, facción o movimiento, que persiga la implantación en la república de un régimen opuesto a la democracia o que atente contra la soberanía del país.

> Sólo se tendrán como regímenes opuestos a la democracia los que, por doctrina o de hecho, aspiren a implantar un Gobierno totalitario o de tiranía, que suprima las libertades y derechos inalienables de las minorías y, en general, de la persona humana.

> Las asociaciones ilícitas a que se refieren los incisos anteriores importan un delito que existe por el solo hecho de organizarse.

El artículo 1° transitorio de la norma establecía que "[d]entro del plazo de diez días contados desde la vigencia de la presente ley, el Director del Registro Electoral procederá a cancelar sin más trámite la inscripción registrada de los Partidos Comunista de Chile y Progresista Nacional".

Como se ha dicho, a través de la Ley N° 12.927, de 6 de agosto de 1958, modificó la Ley de Seguridad del Estado, estableciendo un nuevo contenido en el cual ya no figuraba la prohibición del Partido Comunista. En ella se tipificaban una serie de conductas contra la soberanía nacional y la seguridad exterior del Estado, contra la seguridad interior del Estado, contra el orden público, y contra la normalidad de las actividades nacionales. Es interesante, a efectos históricos, señalar que los hechos del 11 de septiembre de 1973 estaban específicamente tipificados en dicho cuerpo normativo en su artículo 4°, literal c), el que establecía que cometen delito contra la seguridad interior del Estado "[l]os que se reúnan, concierten, o faciliten reuniones destinadas a proponer el derrocamiento del Gobierno constituído o a conspirar contra su estabilidad".

Como sabemos, dicha disposición nada pudo hacer frente a la violencia militar. En cuanto a nuestro asunto de interés, es necesario recordar que el propósito inmediato de la intervención militar en 1973 fue el derrocar a Salvador Allende, poniendo fin al primer gobierno socialista democráticamente elegido en América Latina. Asimismo, el esfuerzo de la Junta Militar por erigirse a sí misma en defensora de la legalidad involucró desde un primer momento el acusar de ilegitimidad de Allende, operación reforzada por la ilegalización de sus partidarios. Este propósito se llevó a cabo mediante el Decreto Ley N° 77, de 13 de octubre de 1973, que prohibía y declaraba disueltos:

> los Partidos Comunista, Socialista, Unión Socialista Popular, Movimiento de Acción Popular Unitario, Radical, Izquierda Cristiana, Acción Popular Independiente y todas aquellas entidades, agrupaciones, facciones o movimientos que sustenten la doctrina marxista o que por sus fines o por la conducta de sus adherentes sean sustancialmente coincidentes con los principios y objetivos de dicha doctrina y que tiendan a destruir o a desvirtuar los propósitos y postulados fundamentales que se consignan en el Acta de Constitución de esta Junta.

Posteriormente, fue la propia Constitución de 1980 la que delimitó la esfera constitucionalmente aceptable del pluralismo político, excluyendo a los movimientos de izquierda mediante su artículo 8°:

> Todo acto de persona o grupo destinado a propagar doctrinas que atenten contra la familia, propugnen la violencia o una concepción de la sociedad, del Estado o del orden jurídico, de carácter totalitario o fundada en la lucha de clases, es ilícito y contrario al ordenamiento institucional de la República.Las organizaciones y los movimientos o partidos políticos que por sus fines o por la actividad de sus adherentes tiendan a esos objetivos, son inconstitucionales.

El Tribunal Constitucional aplicó el artículo 8° en dos ocasiones. La primera, en su sentencia de 31 de enero de 1985, recaida en la Causa Rol N° 21. En esta sentencia, y a petición de un grupo de personas vinculadas a la Unión Demócrata Independiente entre las cuales se encontraban Jaime Guzmán, Andrés Chadwick y Pablo Longueira, el Tribunal declaró la inconstitucionalidad del Partido Comunista, el Movimiento de Izquierda Revolucionaria, el Partido Socialista de Chile (la fracción encabezada por Clodomiro Almeyda), y de la organización conformada por dichos grupos y denominada Movimiento Democrático Popular. La segunda, en su sentencia de 21 de diciembre de 1987, recaida en la Causa Rol N° 46, mediante la cual privó de sus derechos políticos a Clodomiro Almeyda [1923–1997], profesor exonerado de la Facultad de Ciencias Jurídicas y Sociales de la Universidad de Chile y ex Ministro de Relaciones Exteriores de Salvador Allende.

El artículo 8° fue derogado en 1989, siendo su objetivo reemplazado por el artículo 19 N° 15, inciso 6°, el cual señala:

Son inconstitucionales los partidos, movimientos u otras formas de organización cuyos objetivos, actos o conductas no respeten los principios básicos del régimen democrático y constitucional, procuren el establecimiento de un sistema totalitario, como asimismo aquellos que hagan uso de la violencia, la propugnen o inciten a ella como método de acción política.

En vista de lo anterior, y en su Causa Rol N° 113, mediante sentencia del 14 de agosto de 1990, el Tribunal Constitucional modificó la sentencia N° 46, señalando que "la conducta por la cual fue sancionado don José Clodomiro Almeyda Medina no tiene en la actualidad y, en virtud de una enmienda constitucional, sanción alguna, debiendo aplicarse el principio *pro reo* descrito en el considerando tercero de esta resolución" (Considerando 5°).

Ahora bien, el Tribunal Constitucional ha interpretado mucho más restrictivamente esta disposición que lo que hiciera respecto del antiguo artículo 8°. Como señaló el Tribunal, resolviendo el 2 de junio de 2010 un requerimiento parlamentario para la declaración de inconstitucionalidad del Movimiento Patria Nueva Sociedad contenido en su Causa Rol N°

567, "a partir de la reforma constitucional de 1989, se establece un modelo radicalmente distinto al previsto de conformidad al derogado artículo 8° de la Constitución. El actual artículo 19 N° 15°, inciso sexto, no consagra una excusión ideológica ni limita el pluralismo; por el contrario, lo considera como un valor" (Considerando 18°). En consecuencia, en aquella ocasión el Tribunal resolvió lo siguiente:

> que no existen antecedentes suficientes para declarar la inconstitucionalidad del movimiento político requerido y la responsabilidad de Alexis López Tapia en los hechos imputados por los requirentes, a la luz de lo dispuesto por el artículo 19 N° 15°, inciso sexto. En autos no se logró acreditar la existencia de objetivos, actos o conductas, imputables a dicha organización política, que no respeten los principios básicos del régimen democrático y constitucional; tampoco se acreditó que dicha organización haga uso de la violencia, la propugne o incite a ella como método de acción política (Considerando 88°).

Que las limitaciones formales al pluralismo hayan sido disminuidas mediante la reforma de 1989 no significa, sin embargo, que el proceso político haya sido configurado de manera de representar sin distorsiones el equilibrio político. La masacre de la dirigencia de izquierda inmediatamente tras el golpe, la desarticulación de sus movimientos sociales, y el amedrentamiento a través de la violencia durante todo el período de quienes constituyeran su fuerza electoral; la búsqueda por parte de sectores de la centro-izquierda, hacia mediados de los 80', de alianzas que aislaran a la izquierda chilena; y la existencia de un sistema electoral binominal, que tiende a la desaparición de terceras fuerzas, desincentivando la participación de quienes las respaldan; son todos mecanismos informales, pero no por ello menos eficaces, de supresión de la presencia de la izquierda en la política reciente. Si el Decreto Ley N° 77 y el artículo 8° buscaban este fin mediante la ilegalización, estas otras estrategias lo lograron, primero, mediante la violencia, y a continuación, mediante la fuerza de las circunstancias, el 'peso de la noche'.

El control jurisdiccional de la supremacía constitucional

Al entender a la Constitución como una norma situada en la cúspide de un ordenamiento jurídico estructurado por relaciones de validez jerárquicamente, la cuestión de su defensa pasa a ser vista como una relación de conformidad procedimental y substantiva entre la norma suprema y las normas subordinadas. La supremacía constitucional continúa la idea propia del principio de Estado de Derecho, en orden a que el poder del Estado debe quedar sujeto al derecho preestablecido a su actuación. En ese sentido, el principio de supremacía constitucional representa una ampliación del principio de legalidad. En la medida que la ley no puede servir como límite al propio legislador, el derecho preestablecido al cual éste debe sujetarse debe estar en una jerarquía normativa superior a la ley. La supremacía constitucional hace referencia entonces a la jerarquía superior de las normas constitucionales que ni el legislador ni órgano estatal alguno puede infringir. La afirmación de la diversa jerarquía de las normas tiene como principal implicancia el que cuando una norma inferior contradice a una norma jerárquicamente superior, la primera pierde su validez. Ello es consecuencia de que la afirmación de la jerarquía superior de una norma transforma a esa norma en un criterio de validez de la norma inferior.

El primer sistema jurídico cuya praxis institucional incorporó de manera significativa esta concepción de la supremacía constitucional fue el estadounidense. Allí el razonamiento ya identificado de Coke, junto a la concepción propia del *common law* que le asigna a la judicatura un importante papel en el desarrollo y elaboración de contenidos normativos, fueron el sustrato que durante la era colonial alimentó la cultura jurídica de este país. Una vez obtenida la independencia, la Convención Constitucional de 1787, que redactó la que se transformaría en la Constitución de los Estados Unidos, discutió la posibilidad de explícitamente entregarle a los jueces el poder de declarar inconstitucionales las leyes. Finalmente no se dijo nada explícito al respecto en la Constitución.

Así y todo Hamilton defendió la existencia de este poder en *El Federalista*. Hamilton parte de la siguiente consideración:

[C]ualquiera que considere atentamente los distintos poderes públicos deberá percibir que en un sistema de gobierno en que ellos estén separados, el Judicial, por la naturaleza de sus funciones, será siempre el menos peligroso para los derechos políticos constitucionales; ya que será el menos capacitado para afectarlos o dañarlos.[24]

Hamilton argumenta que mientras el Ejecutivo "detenta la espada de la comunidad" y la legislatura "no sólo controla la billetera, sino que prescribe las reglas según las cuales los deberes y derechos de los ciudadanos serán regulados", la judicatura "no posee fuerza ni voluntad, sino tan sólo juicio".[25] "Se puede decir de aquel", prosigue, "que no tiene fuerza ni voluntad, sino tan sólo juicio, y debe depender en última instancia de la ayuda del brazo ejecutivo incluso para la eficacia de sus resoluciones".[26] Ahora bien, Hamilton introduce en este contexto institucional la idea de que ningún acto legislativo contrario a la Constitución puede ser válido, señalando que negar esta tesis "sería afirmar que el mandatario es más que su mandante; que el funcionario está por encima de su amo; que los representantes del pueblo son superiores al propio pueblo; que los hombres que actúan en virtud de ciertas atribuciones, pueden hacer no sólo aquello que sus poderes no les autorizan a hacer, sino que incluso les prohíben".[27] Esta perspectiva podría ser calificada de funcionalista, en cuanto ella plantea que la existencia de una función de control constitucional está inscrita en la idea misma de Constitución. Para ella, resulta absurdo contar con una Constitución si ésta no se va a constituir como un límite para el ejercicio de las potestades públicas. La infracción de la Constitución debe conllevar la nulidad de la norma jurídica infractora, justamente por haber sido creada ésta última contrariando una norma de superior jerarquía, la norma de superior jerarquía de todo el orden jurídico.

Este tipo de razonamiento encontrará rápidamente un respaldo institucional en el caso *Marbury v. Madison*, de la Corte Suprema de Estados Unidos, **resuelto en 1803 por** John Marshall [1755–1835],

---

24   El Federalista N° 78.

25   El Federalista N° 78.

26   El Federalista N° 78.

27   El Federalista N° 78.

Chief Justice de la Corte Suprema de Estados Unidos. Surgido como el resultado de una controversia sobre el nombramiento judicial de William Marbury, tramitada por el mismo Marshall como Secretario de Estado antes de su asunción como Chief Justice y cuya entrega le fuera denegada a Marbury por James Madison, este caso le permitió a Marshall reclamar para la Corte la potestad de declarar nulas las leyes inconstitucionales. Así, Marshall sostiene lo siguiente:

> Está fuera de toda duda que o la Constitución se impone a cualquier Ley que la contradiga o, por el contrario, el legislativo puede modificar la Constitución a través de una Ley cualquiera.

> Entre estas dos opciones no hay término medio. O la Constitución es un Derecho superior, principal, e inmodificable a través de mecanismos ordinarios o, por el contrario, se sitúa al mismo nivel que las leyes ordinarias y, como toda Ley, es modificable cuando así lo disponga la voluntad del legislativo.

> Si la primera parte de la alternativa fuese cierta, entonces una Ley contraria a la Constitución no es Derecho. Si la cierta fuese la última parte, entonces las Constituciones escritas no serían más que intentos absurdos del pueblo de limitar un poder que por naturaleza escaparía a todo límite…

> Si dos normas entran en conflicto, los Tribunales deben decidir cuál es la aplicable al caso.

> De este modo, si una Ley está en contradicción con la Constitución, y si ambas, la Ley y la Constitución se aplicaran a un caso particular, entonces el Tribunal debiera decidir este caso de conformidad con la Ley, rechazando la Constitución, o de conformidad con la Constitución, rechazando la Ley. El Tribunal debe determinar cuál de las normas en conflicto rige el caso. Éste es el verdadero sentido de la función judicial.

> Si los Tribunales deben tomar en consideración la Constitución,

y la Constitución es superior a cualquier Ley ordinaria que haya aprobado el poder legislativo, será entonces la Constitución y no la referida Ley la que resolverá la controversia a la cual las dos podrían en principio aplicarse.

Quienes niegan el principio de que los Tribunales deben considerar la Constitución como derecho superior, deben entonces admitir que los Tribunales deben cerrar sus ojos a la Constitución y regirse sólo por las leyes.

Esta idea alteraría los fundamentos básicos de todas las Constituciones escritas. Supondría que una ley por completo nula según los principios y la teoría de nuestro sistema de gobierno sería en realidad del todo obligatoria. Supondría declarar que si el legislativo hace aquello que está expresamente prohibido, dicha Ley, a pesar de la prohibición expresa, desplegaría plenamente su eficacia y efectos. Supondría también otorgarle al legislativo una omnipotencia casi absoluta, a pesar de que se dice que sus poderes están limitados. Se estarían estableciendo límites, y al tiempo se estaría declarando que dichos límites pueden ser sobrepasados a voluntad del sujeto limitado.[28]

Ahora bien, si bien es posible aceptar que la supremacía de la constitución pueda derivarse de su función, se requiere una argumentación adicional que explique cómo puede concluirse que la supremacía constitucional acarrea la intervención de los tribunales de justicia. Tal argumentación es presentada en Marbury de la siguiente forma. La función de los tribunales es aplicar la ley que corresponde al caso. En ese entendido, si dos leyes están en conflicto entre sí, el juez debe decidir la aplicación o inaplicación de cada una. Cuando para un caso pueda ser aplicable la ley y también la Constitución, el juez debe poder decidir entre una y otra norma. En ese caso, según la idea de la supremacía constitucional, el juez debe fallar conforme a la Constitución; si no lo hiciera, quebraría el razonamiento antes expuesto.

Finalmente queda por determinar cuál es la amplitud del poder

---

28   Las sentencias básicas del Tribunal Supremo de los Estados Unidos de América: 117-118.

de revisión judicial de constitucionalidad que concedida por la doctrina de Marbury. Esa cuestión no fue resuelta expresamente por aquel fallo, pero la evolución de la doctrina en él establecida consideró que la órbita de esta atribución se identifica con el control del respeto a los derechos individuales por parte de los órganos del Estado, así como con el control del respeto a los principios que informan la Constitución tales como el federalismo o la limitación y división de poderes.

Otra cuestión que determinó la amplitud de la revisión judicial fue la de cuál es el parámetro de constitucionalidad de la revisión de la ley. En un comienzo ella procedió solamente por infracción a la distribución de competencias, pero luego se pasó a implementar un juicio de mérito respecto de la ley, mediante la imputación del "debido proceso legal" en el que se juzgará la racionalidad de la medida legislativa examinada.

Si bien la supremacía constitucional se afirmó paulatinamente como un principio constitucional básico del sistema jurídico norteamericano, en Europa no fue recibido hasta 1920, año en que la Constitución de Austria estableció un tribunal constitucional encargado de controlar la constitucionalidad de la legislación. El sistema austriaco fue la concreción de las ideas de Hans Kelsen sobre el control de la constitucionalidad de las leyes. Debido a ciertas características de la cultura jurídica continental, entre ellas la noción estricta de la separación de poderes, el temor a la intromisión de los jueces en la política, y el peso del principio democrático, en dicho ámbito la revisión judicial de las leyes no había tenido cabida anteriormente como arreglo institucional. Allí, particularmente en un principio, la supremacía constitucional se sostiene no por el inmanente carácter supremo de la Constitución, sino por la asignación explícita de una competencia a un órgano estatal para controlar que la Constitución no sea infringida por otras normas. Así, la defensa jurisdiccional de la Constitución es llevada a cabo mediante el control de constitucionalidad de la legislación, la potestad reglamentaria y demás actos administrativos; es decir, mediante la facultad de los tribunales de revisar los actos de gobierno y los productos del proceso legislativo y verificar su conformidad con la Constitución.

Como resultado de estas distintas aproximaciones, existen dos modelos paradigmáticos de control de constitucionalidad en el derecho comparado. En primer lugar, el sistema norteamericano de control judicial de constitucionalidad, también llamado control difuso, en el cual cualquier tribunal puede, en principio, declarar una norma como contraria a la constitución. En segundo lugar, el control concentrado, en el cual un órgano acumula las competencias para el control judicial de constitucionalidad, labor que les está vedada a los tribunales ordinarios. El ejemplo más importante de este sistema, actualmente, es el Tribunal Constitucional Federal Alemán.

Veamos en primer lugar el modelo del *control difuso* de constitucionalidad. Es necesario observar que la Constitución estadounidense, tal como ella fue promulgada en 1787, no contenía una declaración de derechos constitucionales. Dichos derechos fueron agregados a ellas por enmiendas modificatorias. Asimismo, como ya se ha dicho, tampoco existe en la Constitución norteamericana una consagración expresa de protección judicial de la constitución, proclamación que fue hecha de manera autocomprensiva por la propia Corte Suprema mediante el fallo de *Marbury v. Madison*. El mecanismo procesal mediante el cual los derechos fundamentales son protegidos tiende a ser caracterizado como un sistema *difuso* de control constitucional, pues cualquier tribunal puede invalidar una ley determinada –que sea aplicable a un caso en actual conocimiento del mismo tribunal– mediante el planteamiento de un incidente procesal. Sin embargo, por el expediente de la doctrina del precedente –mediante el cual las decisiones anteriores de los tribunales, vinculan para casos análogos a los tribunales inferiores–, recae en la Corte Suprema, en definitiva, la decisión final sobre la constitucionalidad de una ley u otra acción normativa estatal.

Como se puede ver, el control constitucional en la jurisprudencia norteamericana es un control *a posteriori*, esto es, un control *de* la ley vigente, y es un control *concreto*, nunca un control *abstracto* de proyectos de ley. Es esta última nota distintiva la que plantea una de las diferencias fundamentales entre el sistema jurídico estadounidense y los sistemas continentales. En el sistema norteamericano, la división de poderes no resulta ser un argumento de peso cuando estamos frente a una antinomia entre la Constitución y la legislación: la supremacía constitucional debe ser protegida a toda costa. Esta característica tiene su explicación en la diversa concepción del principio de la separación de poderes, que se desarrolló a uno y otro lado del Atlántico: separación como *aislamiento, en el caso de Europa continental,* y separación como *contrapeso*, en el caso de Estados Unidos.

Nos referiremos ahora al *control concentrado* de constitucionalidad, teniendo en mente como modelo el sistema de competencias del Tribunal Constitucional Federal alemán. Este órgano puede conocer del control de constitucionalidad mediante tres tipos de procedimiento. En primer lugar, el Tribunal puede controlar la constitucionalidad de los contenidos normativos de un proyecto de ley antes que aquel entre en vigencia. En segundo lugar, el Tribunal puede también controlar la constitucionalidad de leyes vigentes en el caso en que se lo solicite un tribunal ordinario, cualquiera sea su jerarquía, cuando éste considere que una norma, de cuya validez depende su decisión, es inconstitucional. Por último, el Tribunal también conoce del recurso de amparo constitucional, el cual es planteado directamente por quien considere que una determinada actuación normativa estatal, incluso una sentencia judicial, afecta sus derechos fundamentales. En estos dos últimos casos, el juicio de constitucionalidad que el Tribunal hace no es ya un control preventivo sino que tiene lugar tras la promulgación de la norma y su aplicación por un ente administrativo o judicial, y que se plantea a la luz de un caso concreto en el cual se pueden hallar los particulares, ya sea una contienda con un ente estatal o bien una disputa jurídica entre particulares.

La teoría y sus cuestionamientos

Si para Schmitt la Constitución es un orden político concreto, para Hans Kelsen la Constitución es una norma de normas; es decir, desde una perspectiva *material*, la Constitución es un fenómeno de carácter jurídico que consiste en la regulación de la producción de normas, particularmente de leyes. Adicionalmente, en un sentido *formal*, la Constitución se ve expresada en la diferencia entre los quórums de aprobación de leyes y los quórums de reforma constitucional, diferencia que le da a la Constitución su mayor rigidez respecto del resto del ordenamiento jurídico. Por lo tanto la defensa de la Constitución, responde Kelsen a Schmitt, es una actividad jurisdiccional:

Carl Schmitt no puede negar que un Tribunal, cuando rechaza la aplicación de una ley inconstitucional y anula consecuentemente su validez para un caso concreto opera realmente como garante de la Constitución, aun cuando no se le confiera el altisonante título de 'defensor de la Constitución'".[29]

Desde la perspectiva de Kelsen, este planteamiento se ve reforzado por una consideración pragmática: quien puede poner en riesgo la Constitución, entendida como norma de normas, es precisamente el poder público, particularmente el Presidente y el Congreso, quienes pueden exceder su órbita de atribuciones o competencias. "Como toda norma, también la Constitución puede ser violada sólo por aquellos que deben cumplirla".[30] Así, observa Kelsen,

> La función política de la Constitución es la de poner límites jurídicos al ejercicio del poder. Garantía constitucional significa generar seguridad de que esos límites jurídicos no serán transgredidos. Si algo es indudable es que ninguna otra instancia es menos idónea para tal función que aquélla, precisamente, a la que la Constitución confiere el ejercicio total o parcial del poder y que, por ello, tiene en primer lugar la ocasión jurídica y el impulso político para violarla. Pues sobre ningún otro principio jurídico se puede estar tan de acuerdo como que nadie puede *ser juez de su propia causa*.[31]

El planteamiento de Kelsen, caracterizado por una aguda coherencia conceptual, también ha sido institucionalmente exitoso, pues dio sustento teórico a los numerosos órganos constitucionales surgidos durante la segunda mitad del siglo XX en Europa continental y Latino América. Sin embargo, y precisamente debido a dicho éxito, es necesario apuntar que este modelo no carece de problemas teóricos y prácticos. Un primer problema resulta de la colisión entre culturas jurídicas. Así lo observara Schmitt, quien llamaba la atención sobre la incompatibilidad del modelo norteamericano con la tradición continental:

---

29   ¿Quién debe ser el defensor de la Constitución?: 304.

30   ¿Quién debe ser el defensor de la Constitución?: 291.

31   ¿Quién debe ser el defensor de la Constitución?: 293.

La propensión a considerar los Tribunales sentenciadores como garantía máxima de una Constitución se explica, principalmente, por una opinión muy generalizada acerca del Tribunal Supremo de los Estados Unidos de América. Este Tribunal, justamente famoso en todo el mundo, se ha convertido, al parecer, para ciertos juristas alemanes, en una especie de mito... En contraposición a ello, permítasenos recordar en pocas palabras que el Tribunal Supremo de los Estados Unidos, teniendo en cuenta su autoritaria interpretación respecto a conceptos tales como propiedad, valor y libertad, ocupa como con razón se ha dicho, 'una posición singularísima en toda la historia universal', sobre todo en el sector económico, y que, en consecuencia, no puede ser adaptado sin más requisitos a la situación, política y socialmente distinta, de un Estado continental Europeo. La posición del Tribunal Supremo de los Estados Unidos se ha desarrollado en el ámbito de un Estado anglo-sajón de tipo judicialista, que, como un Estado sin Derecho administrativo, se halla en evidente oposición a los Estados del Continente europeo, siendo indiferente en absoluto, a este respecto, que el Estado europeo sea una República como Francia o un Estado monárquico y burocrático como la Prusia del siglo XIX.

Como hemos visto, el modelo de Kelsen intentaba sortear dicho problema a través de la creación de un órgano distinto a los tribunales ordinarios para que ejerciera el control judicial. El establecimiento de mecanismos especiales de control de la constitucionalidad de la ley, además, vino a satisfacer al principio de supremacía constitucional de una manera compatible con la estricta adhesión a la idea de separación de poderes.

Pero para Schmitt, ese no es todo el problema de aspirar a imitar al modelo norteamericano a través de la creación de una jurisdicción constitucional:

Por lo que se refiere a su importancia y eficacia prácticas, y teniendo en cuenta la excepcional situación presente de Alemania, conviene examinar su actividad no ya en las épocas de prosperidad económica y tranquilidad política de la nación norteamericana, sino en los momentos críticos e inquietos. Es entonces cuando los famosos precedentes de la época de la Guerra civil –sentencias que se refieren a cuestiones políticas muy debatidas, como la esclavitud o la depreciación monetaria– revelan que la autoridad del Tribunal en cuestión se vio amenazada y que sus opiniones sobre la materia no lograron general aquiescencia.

En otras palabras, según Schmitt la capacidad de los tribunales de resolver cuestiones de carácter constitucional depende de la existencia de un cierto tipo de orden social y político, que podríamos caracterizar como de relativa despolitización de dichas controversias. En un contexto controversial y agonístico, que es el que más nos interesa, la eficacia en el espacio público de los tribunales se ve considerablemente reducida. En dichos contextos, Schmitt observa, la idea de la jurisdicción constitucional envuelve riesgos adicionales:

> Lo más cómodo es concebir la resolución judicial de todas las cuestiones políticas como el ideal dentro de un Estado de Derecho, olvidando que con la expansión de la Justicia a una materia que acaso no es ya justiciable sólo perjuicios pueden derivarse para el poder judicial. Como frecuentemente he tenido ocasión de advertir tanto para el Derecho constitucional como para el Derecho internacional, la consecuencia no sería una judicialización de la Política, sino una politización de la Justicia.[32]

Para Schmitt, en conclusión, el control jurisdiccional de la legislación y los actos de gobierno presentan dos inconvenientes: el primero, la ineficacia de la justicia en situaciones controversiales; el segundo, su propia politización, o, lo que es lo mismo, su controversialización. En dicho escenario, es la idea misma de jurisdicción lo que sufre. Una objeción adicional contra dicho control jurisdiccional surge en Estados Unidos, al calor de las disputas sobre la legitimidad de determinadas intervenciones concretas de la judicatura en el conflicto político: el déficit democrático de la misma, o, según la expresión acuñada por el constitucionalista norteamericano Alexander Bickel [1924–1974], su *dificultad contramayoritaria*. Esta objeción parte de la premisa de que la conducción de los asuntos de la

---

32   El defensor de la Constitución: 41.

comunidad debe estar entregado al pueblo mediante las decisiones de sus representantes, no a los jueces mediante la interpretación constitucional. En la medida que para la implementación de la supremacía constitucional se recurre a órganos que no emanan directamente del electorado ni son responsables ante él, se ve reducido el espacio de la democracia como forma de gobierno.

Se puede responder que es el pueblo mediante el ejercicio del poder constituyente quien ha decidido limitar así a la democracia, estableciendo el principio de la supremacía constitucional como expresión del reconocimiento del principio de Estado de Derecho. Sin embargo, eso sólo podría establecer una legitimación democrática abstracta y limitada para la actuación del órgano de control de constitucionalidad de la ley. En este sentido, la supremacía constitucional sólo está justificada desde el punto de vista democrático cuando actúa como un marco en que se garantizan las condiciones de ejercicio de la democracia. En la medida que la supremacía constitucional incorpora la idea del Estado de Derecho material y considera que la Constitución incluye la dirección de la acción del Estado, la democracia se ve reducida y controlada mediante la supremacía constitucional a una mera decisión técnica acerca de los medios para lograr los fines que la Constitución ya ha decidido.

Ahora bien, ya hemos mencionado el rol de Kelsen en la reivindicación de la jurisdicción constitucional. El propio Kelsen, sin embargo, no era ciego a los peligros de una jurisdicción constitucional todopoderosa. En su opinión, la idea de que tribunal constitucional "llamado a decir sobre la constitucionalidad de una ley, la anule en razón de que es injusta" le parecía que tornaría el poder del tribunal "insoportable".[33] Por esto, Kelsen creía en la necesidad de contar con Constituciones mínimas en lo semántico; si la Constitución "invoca los ideales de equidad, de justicia, de libertad, de igualdad, de moralidad, etcétera, sin precisar, absolutamente, lo que es necesario entender con ello", esto "significa únicamente, a falta de una precisión de estos valores, que el legislador, así como los órganos de ejecución de la ley, están autorizados a llenar, discrecionalmente, el ámbito que les es abandonado por la Constitución y la ley".[34]

---

33   La garantía jurisdiccional de la Constitución: 35.

34   La garantía jurisdiccional de la Constitución: 35.

Sin embargo, la práctica institucional ha dado a los tribunales una autoridad mucho más amplia que la que el propio Kelsen deseaba, gracias a la protección de los derechos fundamentales. Desde la perspectiva de estos últimos, la limitación de la democracia inmanente a la jurisdicción constitucional –su carácter contramayoritario– no representa un déficit sino una virtud. Dworkin es autor de la defensa más prístina y reconocida del carácter contramayoritario de los derechos individuales:

Los derechos individuales son triunfos políticos en manos de los individuos. Los individuos tienen derechos cuando, por alguna razón, una meta colectiva no es justificación suficiente para negarles lo que, en cuanto individuos, desean tener o hacer, o cuando no justifica suficientemente que se les imponga alguna pérdida o perjuicio".[35]

Tener derechos, según Dworkin, equivale precisamente a tener la posibilidad de llevarle la contra a otros; incluso, si es necesario, a la mayoría.

La genealogía de esta concepción de los derechos se enlaza con la historia de la justificación del poder político en la modernidad. De alguna forma ella está prefigurada en la tradición filosófica que se inicia con Thomas Hobbes; mucho más clara, desde luego, es la huella de John Locke en dicha concepción. A su vez, esta tradición se alimenta de fuentes más antiguas aún, incluyendo el normativismo del mundo clásico y el iusnaturalismo religioso de Agustín de Hipona y Tomás de Aquino, todas fuentes en las que se considera que las instituciones sociales no pueden contrariar ciertas normas de carácter trascendental. Ahora bien, si este compromiso con un *nomos* trascendental no es problemático para el mundo premoderno, cuyas instituciones sociales de manera general carecen de autoreflexividad y de modificabilidad inmediata, sí lo es para el mundo moderno, donde el rango de posibilidades de transformación del orden social se amplía considerablemente. La soberanía popular, entendida como el derecho de la comunidad política a darse a sí misma las instituciones de su preferencia, es entonces en una primera aproximación un compromiso que diverge respecto de la titularidad de derechos individuales, los que se

---

35   Los derechos en serio: 37.

presentan a sí mismos como límites a aquella.

La primera declaración de derechos moderna, la Declaración de Derechos de Virginia de 1776, expresa precisamente esta dualidad de ideales del mundo moderno:

1. Que todos los hombres son por naturaleza igualmente libres e independientes, y tienen ciertos derechos inherentes, de los cuales, cuando entran en un estado de sociedad, no pueden ser privados o postergados; expresamente, el gozo de la vida y la libertad, junto a los medios para adquirir y poseer propiedades, y la búsqueda y obtención de la felicidad y la seguridad.

2. Que todo poder reside en el pueblo, y, en consecuencia, deriva de él; que los magistrados son sus administradores v sirvientes, en todo momento responsables ante el pueblo.

Ambos ideales podrían ser reconciliados o armonizados si se entiende que la comunidad política mantiene una doble relación: por un lado con sus integrantes en cuanto individuos, cuyos derechos la comunidad política debe respetar en su actuar; por el otro, con los gobernantes, de los cuales la comunidad política debe ser considerada como mandantes y no como simples súbditos. La soberanía, en esta formulación, y a diferencia de la tesis planteada por autores como Bodin o incluso Böckenförde, estaría limitada inherentemente por el respeto a los derechos inalienables del ser humano. Esta pareciera ser la concepción, por lo demás, que anima nuestro texto constitucional.

Ahora bien, esta es una concepción aceptable desde una concepción filosófica individualista, que en última instancia fundamenta el orden político en el respeto a un determinado conjunto de derechos abstractos, pero es insatisfactoria desde una teoría que enfatice la dependencia que los derechos efectivamente reconocidos tienen respecto del orden político concreto de que se trate. Esta última perspectiva es preferible no tanto por razones político-normativas sino, más bien, teórico-metodológicas: sólo ella es capaz de huir de la trampa de confundir la 'constitución ideal' con la 'constitución positiva'. En otros términos, sólo ella es capaz de describir adecuadamente la razón por la que algunos derechos son reconocidos en una determinada comunidad mientras que otros no lo son. Pues, en efecto, ninguna democracia en el mundo moderno ha prescindido de la idea de que los individuos son titulares de derechos; y, sin embargo, los derechos reconocidos y la intensidad con que ellos son efectivamente tutelados varía significativamente.

En este sentido histórico, la idea de derechos individuales inalienables constituye más bien una categoría formal cuyo contenido está determinado por las relaciones de poder socialmente existentes. Como señala el propio Dworkin respecto de su planteamiento, "una caracterización tal de un derecho es formal, en el sentido de que no indica qué derechos tiene la gente, ni garantiza siquiera que tengan alguno".[36] En consecuencia, una aproximación explicativa enfatizará que, *en cierto sentido*, los derechos individuales también tienen un carácter mayoritario o, al menos, cratológico, en cuanto su contenido está determinado por las relaciones de poder y, en consecuencia, al menos parcialmente por la expresión de las mayorías en el proceso político. Allí concurrirán dichas mayorías junto a otros factores sociales de poder tales como la prensa y la opinión pública, los intereses económicos, las corrientes culturales, el desarrollo tecnológico, para dar contenido a la idea de derechos individuales.

También es posible, desde una perspectiva normativa, vincular derechos individuales y ejercicio colectivo de la soberanía entendiendo a los primeros como sustrato de la segunda. Esto se puede dar de dos maneras. En primer lugar, si en la modernidad el pueblo reemplaza colectivamente al monarca como soberano y se apropia de los atributos que le pertenecieran a aquel, esto significa que el pueblo adquiere colectivamente la dignidad o *maiestas* de aquel. En consecuencia, esto significa que cada ciudadano participa individualmente de dicha dignidad.

> Excurso. ¿Qué ocurre cuando un monarca intenta emplear el aparato conceptual del derecho constitucional para exigir un mejor tratamiento por parte de un régimen republicano? En 1919, la Ley sobre la Expulsión y Expropiación de los Bienes de la Casa Habsburgo-Lorena o Ley Habsburgo impidió el ingreso a Austria de los miembros de la centenaria dinastía imperial Habsburgo y les expropió diversos bienes. En Italia, la XIII

---

36   Los derechos en serio: 37.

disposición transitoria de la Constitución de 1947 prohibió el ingreso en territorio italiano de los miembros de la Casa de Saboya y les denegó el derecho a sufragio, expropiando también diversos bienes. La prohibición de ingreso de los Saboya y su privación del derecho a voto fue retirada de la Constitución el 2002, si bien se mantuvo la requisación de sus bienes. En Austria, el Panel Arbitral del Fondo Nacional de la República de Austria para las Víctimas del Nacional Socialismo desechó en sus decisiones 5/2004, 6/2004 y 7/2004 las peticiones de restituciones inmobiliarias de la familia Habsburgo, argumentando que "[h]asta el día de hoy el legislador constitucional de la Segunda República no ha anulado la Ley Habsburgo, que está dotada de rango constitucional" y cuya validez "ha sido confirmada en repetidas ocasiones por la legislación y la jurisprudencia desde 1945". Posteriormente, Karl Habsburg presentó el 2005 una demanda ante el Tribunal Constitucional de Austria con el mismo propósito, intento que también fracasó.

Otra forma de argumento enfatiza el carácter instrumental de ciertos derechos. La expresión de la voluntad soberana del pueblo sólo puede desarrollarse a través de interacciones entre individuos dotados de ciertos derechos: derechos que miran a la conservación del individuo, tales como el derecho a la vida, a la integridad psíquica y física, a la propiedad sobre sus objetos personales y su vivienda, a desarrollar actividades productivas que le permitan obtener su sustento; derechos políticos, tales como la libertad de pensamiento, de expresión, de asociación, y el derecho de sufragio junto al derecho a optar a cargos públicos; junto a la igualdad legal, política y social, de forma tal que ningún individuo o grupo de individuos pueda ser excluido del proceso político y del goce de los bienes sociales si no es de manera excepcional y por calificadísimos motivos. Sólo en un orden político que reconozca los derechos aquí expresados podría darse aquel tipo de interacción que ha de caracterizar a un gobierno republicano y democrático.

En este sentido, la supremacía constitucional sólo está justificada desde el punto de vista democrático cuando actúa como un marco en que se garantizan las condiciones de ejercicio de la democracia. En la medida que la supremacía constitucional incorpora la idea del Estado de

Derecho material y considera que la constitución incluye la dirección de la acción del Estado, la democracia se ve reducida y controlada mediante la supremacía constitucional a una mera decisión técnica acerca de los medios para lograr los fines que la constitución ya ha decidido.

El discurso público norteamericano, a partir de la crítica a la intervención judicial en los asuntos de gobierno, ha elaborado el concepto de *activismo judicial* para referirse a aquellos jueces que ejercen sus poderes de manera poco considerada y respetuosa hacia el proceso político. Contrapuesto al activismo judicial se encontraría el autocontrol judicial o *judicial restraint*, actitud de aquellos jueces que emplean sus poderes de manera cautelosa. Bickel habló de la necesidad de que los jueces se guiaran por *virtudes pasivas*, empleando argumentos procedimentales para retrasar la resolución de los conflictos constitucionales hasta que la sociedad estuviera preparada para ella. Cass Sustein habla del *minimalismo*, consistente en la capacidad de los jueces de resolver tan sólo lo estrictamente necesario cada vez que se les presentara un conflicto de alcance constitucional, dejando así tantos asuntos no resueltos como fuera posible para su tratamiento en el proceso político normal.

El devenir nacional

Nuestra tradición constitucional ha ido paulatinamente desarrollando mecanismos de protección jurisdiccional de la Constitución hasta construir un sistema de jurisdicción constitucional complejo y, a decir verdad, bastante barroco. Lo interesante es que, en sus orígenes, partió de una postura radicalmente opuesta a los mismos.

En nuestro país, la jurisdicción constitucional estuvo en principio vedada para la judicatura; se consideraba que, debido al principio de separación de poderes, el juez no estaba llamado a calificar la constitucionalidad de la ley –actividad considerada como exclusiva del Parlamento– sino simplemente a aplicarla. Ahora bien, sería un error pensar por ello que durante la vigencia de la Constitución de 1833, en Chile no existían mecanismos de control de la constitucionalidad de la ley y de los actos del Ejecutivo, como se sostiene a menudo. Dicho control existía, pero era de naturaleza política y estaba en manos del Senado Conservador cuando el Parlamento no estaba en período de sesiones ordinarias, y en manos de esta Corporación cuando se encontraba reunida.

En consecuencia, el rol de los jueces estaba a grandes rasgos excluido de la determinación de los contenidos de la Constitución. Así la Constitución de 1833 establecía, en su artículo 164, que "[s]ólo el Congreso, conforme a lo dispuesto en los artículos 40 i siguientes [esto es, mediante el proceso legislativo], podrá resolver las dudas que ocurran sobre la inteligencia de alguno de sus artículos". En línea con ello, el Código Civil de 1855 establece en su artículo 3º que "[s]ólo toca al legislador explicar o interpretar la ley de un modo generalmente obligatorio. Las sentencias judiciales no tienen fuerza obligatoria sino respecto de las causas en que actualmente se pronunciaren".

La propia Corte Suprema reconoció estos límites a su jurisdicción mediante un Dictamen de 27 de Junio de 1848, emitido sobre una consulta elevada por la Intendencia de Concepción respecto a si le competía o no conocer en segunda instancia de la recusación del Juez de Letras de la provincia. Señaló la Corte que

> *ninguna majistratura* goza de la prerrogativa de declarar la inconstitucionalidad de las leyes promulgadas despues del Codigo Fundamental i de quitarles por este medio sus efectos y su fuerza obligatoria. Este poder, que por su naturaleza sería superior al del Lejislador mismo, puesto que alcanzaba a anular sus resoluciones, *no existe en majistratura alguna, segun nuestro sistema constitucional*. El supremo juicio del Lejislador, de que la ley que dicta *no* es opuesta a la Constitución, disipa toda duda en el particular i no permite retardos o demoras en el cumplimiento de sus disposiciones.[37]

La Constitución de 1925 innovó al respecto, entregándole a la Corte Suprema la potestad de declarar inaplicables las leyes a casos concretos en su artículo 86 (el así llamado *control concreto de constitucionalidad*):

> La Corte Suprema tiene la superintendencia directiva, correccional y económica de todos los Tribunales de la Nacion, con arreglo a la lei que determine su organizacion y atribuciones.

---

37   Boletín de las Leyes, Ordenes i Decretos del Gobierno: 211.

La Corte Suprema, en los casos particulares de que conozca o le fueren sometidos en recurso interpuesto en juicio que se siguiere entre otro Tribunal, podrá declarar inaplicable, para ese caso, cualquier precepto legal contrario a la Constitucion. Este recurso podrá deducirse en cualquier estado del juicio, sin que se suspenda su tramitacion.

La innovación de este texto constitucional no estuvo exenta de los temores y objeciones ya vistas a la propia idea de jurisdicción constitucional. Durante la elaboración del Proyecto de reforma constitucional, en la séptima sesión de la subcomisión de reformas constitucionales realizada el 12 de mayo de 1925, Luis Barros Borgoño había expresado que "habría en establecer en la nueva Constitución algún poder o autoridad que determine si las leyes que en lo sucesivo se dicten, van o no contra los principios constitucionales", señalando que podría ejercer tal función "nuestra Corte Suprema, o una Corte especial". A ello añadió Romualdo Silva Cortés que al proyecto presentado por el Presidente en ese sentido "convendría agregar que el Tribunal conocería también de las reclamaciones que se hicieran contra disposiciones legales contrarias a la Constitución". Sin embargo, el Presidente Arturo Alessandri expresó sus reparos frente a la consagración de una potestad general de revisión de constitucionalidad de las leyes, aseverando que ello significaría "un grave peligro, porque se constituiría el Tribunal en Poder Legislativo".[38]

Así y todo, la primera propuesta que se recibió al respecto, durante la 28ª sesión de la Subcomisión de reformas constitucionales, fue proporcionada por Alessandri. En ella se lee que "Los Tribunales de Justicia, en los negocios de que conozcan con arreglo a la ley aplicarán preferentemente los preceptos de esta Constitución cuando entre ellos y las leyes hubieren oposición". Inmediatamente, los demás comisionados le señalaron que "no habría conveniencia... en entregar esta declaración de inconstitucionalidad a todos los tribunales".

Finalmente, en oposición a un sistema disperso en que cada juez está llamado a velar por la constitucionalidad de la ley que aplica, se optó por un sistema concentrado, en el cual un único órgano, la Corte

---

38   Actas Oficiales de las Sesiones Celebradas por la Comisión y Subcomisiones encargadas del estudio del Proyecto de Nueva Constitución Política de la República: 81.

Suprema, podrá inaplicar la ley, mediante el ejercicio de una acción de inconstitucionalidad. Así, en la sesión 29ª de la subcomisión de reformas constitucionales, el Ministro de Justicia José Maza propuso la redacción acogida en el texto de la Constitución de 1925.

Este esquema fue complementado en 1970 mediante la creación de un Tribunal Constitucional, encargado de resolver conflictos de constitucionalidad durante el proceso legislativo (el así llamado *control abstracto de constitucionalidad*):

> Artículo 78. a) Habrá un Tribunal Constitucional, compuesto de cinco Ministros que durarán cuatro años en sus funciones, pudiendo ser reelegidos. Tres de ellos serán designados por el Presidente de la República con acuerdo del Senado y dos por la Corte Suprema de entre sus miembros. (...)

> Artículo 78. b) El Tribunal Constitucional tendrá las siguientes atribuciones.

> a) Resolver las cuestiones sobre constitucionalidad que se susciten durante la tramitación de los proyectos de ley y de los tratados sometidos a la aprobación del Congreso. (...)

> En el caso de la letra a), el Tribunal sólo podrá conocer de la materia a requerimiento del Presidente de la República, de cualquiera de las Cámaras o de más de un tercio de sus miembros en ejercicio, siempre que sea formulado antes de la promulgación de la ley.

Por su parte, la Constitución de 1980 mantuvo tanto el control concreto como el abstracto, pero ampliando este último al crear el *control forzoso* de las leyes orgánicas constitucionales (diferenciado del *control previo requerimiento* característico de los anteriores mecanismos), control que pasa a convertirse en un requisito de validez formal para la aprobación de dichas leyes:

> Artículo 81. Habrá un Tribunal Constitucional integrado por

diez miembros, designados de la siguiente forma: (...)

Artículo 82. Son atribuciones del Tribunal Constitucional:

1° Ejercer el control de constitucionalidad de las leyes que interpreten algún precepto de la Constitución, de las leyes orgánicas constitucionales y de las normas de un tratado que versen sobre materias propias de estas últimas, antes de su promulgación; (...)

Finalmente, el 2005 la reforma constitucional concentra el control de constitucionalidad en el Tribunal Constitucional al traspasarle el conocimiento del recurso de inaplicabilidad o control concreto, y amplía considerablemente las potestades de control al entregarle por primera vez a un órgano jurisdiccional la posibilidad de expulsar normas de nuestro sistema jurídico:

Artículo 93.- Son atribuciones del Tribunal Constitucional:

6° Resolver, por la mayoría de sus miembros en ejercicio, la inaplicabilidad de un precepto legal cuya aplicación en cualquier gestión que se siga ante un tribunal ordinario o especial, resulte contraria a la Constitución;

7° Resolver por la mayoría de los cuatro quintos de sus integrantes en ejercicio, la inconstitucionalidad de un precepto legal declarado inaplicable en conformidad a lo dispuesto en el numeral anterior.

Por añadidura, se ha dicho que nuestro actual texto constitucional reconoce explícitamente el *principio de supremacía constitucional*, colocando a la Constitución Política como el conjunto de normas con la más alta jerarquía dentro del ordenamiento jurídico nacional, de lo que se sigue que las demás normas jurídicas del sistema jurídico no deben contradecirla. El artículo 6° inciso 1° de la Constitución Política afirma:

Los órganos del Estado deben someter su acción a la Constitución y a las normas dictadas conforme a ella, y garantizar el orden institucional de la República.

Diversos autores unidos entre sí por una cierta adhesión a los contenidos de la Constitución de 1980 –algunos de los cuales, de hecho, participaron directamente en su elaboración como asesores constitucionales de la dictadura– han concluido que esta disposición efectúa un cambio de paradigma en cuanto a la naturaleza de la Constitución. Mediante diversas ideas fuerza, incluyendo las de la *fuerza normativa de la Constitución*, la *constitucionalización del Derecho*, la *aplicación directa de la Constitución*, o la *interpretación conforme a la Constitución*, estos autores han sugerido que la Constitución de 1980 ha representado una 'revolución silenciosa'. Así, un autor ha afirmado:

> Característica del nuevo paradigma es también la supremacía, sustantiva y formal, del Código Político, secuela de lo cual es la fuerza normativa, propia y directa, de los valores, principios y normas incluidos en su texto y en el bloque de constitucionalidad. Por consiguiente, ya no se requiere la intermediación, previa ni ulterior, de la ley para que las disposiciones constitucionales pasen del libro a la vida. La Constitución, evocando a Herman Heller, vive hoy porque es vivida, en el sentido que se aplica, realmente y en los más variados asuntos de la convivencia, sometiéndose a ella los gobernantes igual que los gobernados.[39]

En manos de sus promotores, estas ideas funcionan más como marcadores retóricos que como conceptos teórico-jurídicos o dogmático-jurídicos, puesto que dichos autores no problematizan axiológica ni metodológicamente las dificultades y problemas asociados a las mismas. Ellas ni siquiera reciben el tratamiento sistemático que permita distinguir nítidamente una idea de otra. Resumiendo los problemas de estos usos retóricos de conceptos y principios en apariencia dogmáticos, el constitucionalista Eduardo Aldunate [1968–] ha afirmado lo siguiente:

> La idea de fuerza normativa de la constitución, comúnmente aceptada en la doctrina y la jurisprudencia nacional, es una noción de múltiples contenidos que no se encuentran debidamente acotados en su uso argumental, y cuya pluralidad no contribuye a racionalizar y concretar las propias exigencias que se estima derivadas de ella. Su desarrollo en el

---

39   Estado constitucional de derecho, nuevo paradigma jurídico: 47.

plano jurídico, bajo la idea de eficacia directa, relega a un segundo plano la cuestión constitucional básica, que consiste en determinar las condiciones bajo las cuales la constitución es capaz, efectivamente, de ser un elemento regulador de las luchas por el poder en el esquema institucional. Un examen de nuestra práctica constitucional demuestra que al menos en el plano de la distribución de las competencias normativas, nuestra realidad institucional está lejos de dar cuenta de una verdadera fuerza normativa de la constitución. Por otro lado, los efectos de la invocación de esta idea, en vez de contribuir a dar unidad y racionalidad al sistema de fuentes, conllevan el peligro de destruirlo, sustituyendo cada vez más el sofisticado instrumental del derecho común y de las distintas ramas del derecho por una especie de referencia vaga y genérica a principios constitucionales que quedan entregados a la decisión caso a caso del juez constitucional y exentos de toda posibilidad de control.[40]

Intentaremos hacer aquí una exposición breve, pero coherente, de las ideas antes señaladas. Para tal efecto, homologaremos la primera y la tercera de las ideas-fuerza, por un lado, y las segunda y la cuarta, por el otro.

En cuanto a la *aplicación directa* de la Constitución en virtud de su *fuerza normativa*, diversos autores han enfatizado, como queda dicho, la novedad de esta disposición. Así, se ha dicho que este cúmulo de principios significan que la Constitución "obliga por sí misma y que los preceptos constitucionales son verdaderas y auténticas normas jurídicas que vinculan inmediatamente y simultáneamente a todos los órganos del Estado y a todas las personas y grupos", lo cual "podría también ser calificado como una nueva fórmula de protección de la Constitución como ley fundamental o principio de la supremacía constitucional".[41] Otros autores le han dado un sentido lírico a este principio, afirmando que aquel implica que "[l]os integrantes de la comunidad política asuman el compromiso de ajustar su conducta a sus mandatos e inspirar sus actos en propósito de colaborar al cumplimiento de las finalidades del Estado".[42] Estas declaraciones no aportan, sin embargo, criterio alguno para determinar qué es lo que,

---

40 La fuerza normativa de la Constitución y el sistema de fuentes del derecho: 482.

41 La fuerza normativa de la Constitución: 137.

42 Tratado de Derecho Constitucional, Vol. 4: 133.

en estricto rigor, la aplicación directa significa. Ellas no precisan a qué se refieren con aplicación, en qué contextos ella se verifica, o cómo se aplican las normas constitucionales por parte de individuos privados –a menudo carentes de conocimientos técnico-jurídicos–, considerando que la aplicación de normas es una competencia entregada a órganos estatales con experticia profesional en la materia.

Por lo demás, es importante matizar la novedad de lo exigido por el artículo 6°. Desde que nuestro país adoptó el constitucionalismo como tecnología organizacional de lo político se ha entendido que la supremacía constitucional no se agota en el establecimiento de una relación de jerarquía de la Constitución frente a las demás normas jurídicas, sino que exige además que también los actos singulares de los órganos del Estado se realicen conforme a las normas constitucionales.

Por otro lado, la idea de que nuestro sistema de modos de producción de normas está establecido en la Constitución es también consustancial a nuestra tradición constitucional. Si la forma en que la fuerza normativa de la Constitución se realiza es mediante la vinculación de la producción de normas jurídicas a la Constitución, algo que podría ser caracterizado como *eficacia indirecta*, entonces ella *conceptualmente* no representa una novedad significativa, sin perjuicio de que sí lo sea institucionalmente la incorporación en 1970 de un órgano encargado de velar por el respeto de tal eficacia indirecta, el Tribunal Constitucional. En estas circunstancias, decir explícitamente en el propio texto constitucional que la Constitución es una norma sobre la creación de normas es correcto, pero en ningún caso representa una revolución. El estudio de tal eficacia indirecta está subsumido tanto en el concepto normativo de Constitución ya visto, como en el análisis del proceso de producción de normas legales y reglamentarias, que será abordado en el próximo volumen.

Ahora bien, la idea de la fuerza normativa de la Constitución, tal como la entienden sus partidarios, pareciera ser más ambiciosa que lo recién apuntado. Ella pareciera sugerir que las normas constitucionales podrán ser aplicables por los jueces para fallar casos; que la Constitución no sólo es la norma sobre las fuentes, sino que también es fuente de derecho en sí misma. En otros términos, el planteamiento en cuestión nos lleva a considerar la posibilidad de que la Constitución pueda servir para fallar casos distintos a los casos que se generan por la infracción de sus normas sobre fuentes.

Al respecto, es importante partir del presupuesto de que lo normal es que la Constitución no sea una norma aplicable directamente en el contexto de la jurisdicción ordinaria, en cuanto distinta de la jurisdicción constitucional orientada al control de la constitucionalidad de la legislación. En nuestra tradición, la Constitución busca paradigmáticamente el control de las actuaciones de los órganos del Estado. No obstante, la propia Constitución flexibiliza esa característica cuando ella o la ley expresamente señalan que en determinado procedimiento de aplicación determinadas normas de la Constitución serán tenidas como derecho directamente aplicable a los hechos. Estos casos no forman parte de una competencia jurisdiccional general, sino de una excepción a la aplicación de las normas constitucionales únicamente en procedimientos de control de constitucionalidad.

Un procedimientos característico de aplicación directa de la Constitución se encuentra en la reglamentación de las competencias para la destitución de funcionarios de gobierno a través de la acusación constitucional. En ésta, la norma que presenta el estándar normativo de conducta adecuada es la Constitución, la que se aplica a los hechos relevantes que están constituidos por la conducta del funcionario cuestionado. Este caso, sin embargo, no es el caso paradigmático que tienen en mente quienes han argumentado sobre la transformación en esta materia operada por la Constitución vigente. Tampoco representa dicho caso paradigmático la acción de protección, la cual permite a los jueces de las Cortes de Apelaciones el aplicar estándares contenidos en el artículo 19 de la Constitución; esto, debido a que en dicho caso no estamos frente a una consecuencia de la supremacía constitucional, sino frente a una competencia especialmente atribuida por el artículo 20 de la Constitución actuando paradigmáticamente como *ley constitucional*.

La expresión paradigmática de la supremacía constitucional consiste en la aplicación de la Constitución por parte de la jurisdicción ordinaria y en el contexto de procedimientos ordinarios. La pregunta relevante, entonces, es, ¿pueden los jueces ordinarios aplicar la Constitución? Los jueces en tal situación podrían optar por uno de dos caminos. El primero consiste en pensar que la norma legal o reglamentaria que soluciona el caso, lo hace de manera inconstitucional (por ejemplo, violando los derechos fundamentales) y, frente a ello, derogar la norma legal o reglamentaria que contradice la Constitución y solucionando el caso con las demás normas constitucionales. A este caso lo llamaremos *eliminación de normas inconstitucionales.* Un segundo camino, frente a la norma legal o reglamentaria que soluciona inconstitucionalmente el caso, consiste en simplemente no darle aplicación a dicha norma y solucionar el caso que le ha sido presentado mediante la aplicación directa de las normas constitucionales relevantes. A este caso lo llamaremos *prescindencia de la dimensión legal del derecho.*

El problema con ambas estrategias es que no comprenden la importancia del principio de distribución de competencias. La eliminación de normas inconstitucionales cree poder invadir lícitamente la esfera de competencias de los tribunales de control. La prescindencia de la dimensión legal infringe la obligación del juez de sujetarse al derecho vigente, ignorando la vinculación estricta a la ley que el ejercicio de su función implica, especialmente teniendo en consideración el principio de la democracia establecido en la constitución.

La eliminación de normas toma en cuenta la competencia del legislador para la regulación de las relaciones sociales y se toma en serio la coherencia interna del sistema jurídico; pero no comprende la relevancia que tiene el principio de la distribución de competencias jurisdiccionales en el Estado moderno. En este último sentido, quiere hacer propia la doctrina del control difuso, sin tener presente las numerosas diferencias estructurales del sistema jurídico continental con el anglosajón, en el cual el sistema de precedentes constituye un elemento necesario para su implementación. Esta fórmula no está consciente de que las competencias de control judicial de constitucionalidad son excepcionales y establecidas expresamente, características sustantivas de un sistema que ha optado por el control de constitucionalidad concentrado.

La prescindencia de la dimensión legal no sólo infringe el principio de distribución de competencias jurisdiccional, sino que ignora la naturaleza constitutiva que el principio de distribución de competencias en general tiene para la aplicación del derecho legítimo en el Estado de Derecho moderno. Esta fórmula, a diferencia de la anterior, no pretende obtener para la justicia ordinaria la competencia de control, o, por lo menos, no pretende ejercerla enteramente. En ese sentido, respeta la separación de funciones que el sistema concentrado plantea. Pero su problema es que quiere solucionar el conflicto jurídico que se le ha presentado ignorando productos legislativos formalmente válidos, conjurando los problemas de déficit democrático del control de constitucionalidad ya indicados.

A nivel comparado es difícil encontrar ejemplos de *prescindencia*, siendo más fácil encontrar ejemplos de *eliminación*. En el derecho alemán se ha hecho frente a la tentación de constitucionalizar la aplicación del derecho mediante las fórmulas antes descritas, buscando otras fórmulas más refinadas de aplicación de la Constitución y en definitiva elaborando una fórmula de aplicación directa que no afecte el principio de distribución de competencias jurisdiccionales, por lo menos formalmente.

Nuestra Constitución, en tanto, ha considerado que la tarea de juzgar la constitucionalidad de la ley no puede ser encomendada a los jueces de manera genérica. De manera diversa a cómo lo concluyó Marbury, la facultad de determinar la constitucionalidad de la ley, no forma parte de la facultad de juzgar establecida en el artículo 76 de la Constitución, sino que ella es atribuida especialmente y de manera constitutiva a un órgano especial, el Tribunal Constitucional. Asimismo, la Constitución no reconoce la posibilidad de asumir la derogación tácita de las normas legales preexistentes. La única opción es plantear la inconstitucionalidad al Tribunal Constitucional, por dos razones. Esto, por cuanto la seguridad jurídica exige que se constate que una norma ha perdido su eficacia normativa, ya sea mediante la derogación expresa, ya sea mediante un pronunciamiento de inconstitucionalidad. Para que una norma pierda su eficacia en un juicio jurisdiccional debe ser *prima facie* válida para el caso. Todas las normas que están vigentes tienen esa validez *prima facie*. Por lo tanto, todas las normas vigentes, conservan su eficacia motivadora de la conducta (o directiva) a menos que sean derogadas expresamente. No hay una pérdida de validez *ipso iure* por razón de la dictación de una norma superior incompatible. Por ello, no resulta serio aquel recurso de algunos profesores de argumentar que ciertas normas vigentes están derogadas tácitamente por la Constitución Política. La derogación tácita es un procedimiento de aplicación de normas de igual naturaleza y jerarquía que resultan incompatibles para un caso concreto; es, esencialmente, un proceso de sistematización característico del control de *legalidad*. Sin embargo, según hemos visto, sostener que la derogación tácita sea aplicable en supuestos de aplicación de la Constitución es incompatible con la existencia de un sistema especializado de control de la *constitucionalidad* de las leyes. No basta, para respaldar tal posibilidad, invocar la jerarquía superior de la Constitución, en ausencia de una competencia especial para ello. De otra forma, no debieran existir procedimientos especiales de inaplicabilidad e inconstitucionalidad, entregados al Tribunal Constitucional; los tribunales no necesitarían de normas especiales, que le concedan esa competencia especialmente a algunos de ellos.

A modo de conclusión, puede decirse que la aplicación directa de la constitución, pese a estar consagrada de manera tan general en el artículo 6° inciso 2°, sólo procede allí donde la constitución expresamente atribuye una competencia para aplicar la constitución. Cuando un órgano aplica la Constitución sin tener competencia para ello, está en realidad infringiendo la Constitución en lo que respecta al principio de distribución de competencias del artículo 7°.

En cuanto a la *constitucionalización del Derecho* como consecuencia de la *interpretación conforme a la Constitución de las normas infraconstitucionales*, es posible señalar que ella supone que las normas infraconstitucionales deben interpretarse de una forma que no arrojen un resultado en su aplicación que sea contrario a la constitución. Debe preferirse entre las diversas alternativas interpretativas, cuando alguna de ellas parece contradecir la constitución, aquellas que no tengan ese efecto.

Este principio tiene su fundamento en la unidad del ordenamiento jurídico, esto es, en su carácter sistemático. Esto implica que el sistema jurídico debe producir soluciones no contradictorias para los casos que se presentan y debe poder eliminar las contradicciones que pueda haber para entregar dicha solución. La primera forma de eliminar las contradicciones, antes de la eliminación de una norma del sistema, es intentar interpretar las normas del sistema jurídico de una manera que las contradicciones no se planteen. Esa es la idea que está detrás de la interpretación del derecho conforme a la constitución.

El principio de interpretación de las normas del sistema jurídico conforme a la constitución no sólo vincula a los tribunales de aplicación del derecho sino también a aquellos encargados del control de constitucionalidad. En ese sentido, el sistema de producción de normas en un Estado democrático, debe implicar que quien examina la constitucionalidad de las normas jurídicas tenga una deferencia, especialmente hacía la ley, por lo que si considera que al menos una interpretación posible de la norma es conciliable con la constitución, ésta debe ser declarada constitucional.

Una interpretación razonable del principio de supremacía constitucional, en lo relativo a la aplicación judicial de la constitución, debe quedar restringida a los casos en que tal aplicación sea válida conforme a las reglas que definen los ámbitos de competencia de las potestades jurisdiccionales, que se pretenden ejercer con dicha aplicación. En la medida que no se dé aplicación a esta comprensión se estará defraudando el principio de supremacía constitucional en su dimensión formal, esto es, en su comprensión como distribución constitucional de competencias.

El respeto y la protección de los derechos fundamentales quedan, por tanto, restringidos a las posibilidades de actuación, dentro de sus respectivas competencias, de los órganos jurisdiccionales. Sin embargo, la aplicación del derecho legal, en la cual los derechos se pueden hacer parte, no queda sujeta a la distribución de competencias. En la medida que se adopte por todos los órganos del Estado, la fórmula de interpretar las normas infraconstitucionales conforme a su versión más constitucionalizada, se provee al principio de la vinculación directa, al principio de supremacía constitucional en su dimensión material y a los derechos fundamentales, la máxima eficacia posible en el Estado de Derecho.

Entender la interpretación del derecho en los términos propuestos por los defensores de la constitucionalización del derecho, acarrea una importante consecuencia. Se debe superponer a los elementos interpretativos del derecho común, un elemento "más fundamental: *el de adecuación a la norma constitucional*".[43] Cuando se interpreta la misma constitución, cuando se siguen procedimientos para declarar la inconstitucionalidad de la ley e inclusive en toda actividad interpretativa

---

43   Aspectos de la Constitucionalización del Derecho Civil: 111.

de carácter jurídico, la constitución servirá como criterio general y fundamental.

Una vez comprendida cuál es la efectiva labor de la interpretación conforme a la constitución, puede determinarse la forma de control de su ejercicio, que no es otro que los procedimientos establecidos para la *correcta* aplicación de los preceptos infraconstitucionales. En los procedimientos de ilegalidad, para la aplicación de disposiciones administrativas, en los procedimientos de correcta aplicación de la ley, esto es, la casación, para la aplicación judicial de la ley. Se puede pensar en lo disparatada que resulta esta idea, que termina con desformalizar totalmente la aplicación del derecho legal. Esa objeción es diluida en la medida que la interpretación conforme a la constitución implica realizar el mandato imperativo de supremacía y aplicación directa de la constitución en su mejor versión, la que terminará por contribuir a que toda la interpretación del derecho infra-constitucional, sin perder sus límites formales propios, sea promotora respetuosa de los derechos fundamentales.

La fórmula de la interpretación conforme a la constitución respecto al derecho privado, no es otra cosa que el efecto indirecto de los derechos fundamentales y de la constitución. De nuevo:

> Por mandato constitucional, el juez debe examinar si las prescripciones materiales de derecho civil que tiene que aplicar están influenciadas iusfundamentalmente en la manera descrita; si tal es el caso, entonces, en la interpretación y aplicación de estas prescripciones, tiene que tener en cuenta la modificación del derecho privado que de aquí resulta.[44]

Para acabar, considérese el problema del recurso de protección. Se ha señalado que del enunciado del artículo 20 y del artículo 6º inciso 2º se desprenden razones para comprender al recurso de protección como procedente frente a intromisiones provenientes de todo tipo de agentes. Ya se ha defendido la idea de que el artículo 6º, sólo provee aplicación directa allí donde una competencia especial de la Constitución la entregue. Respecto del argumento basado en el enunciado del artículo 20, éste cae por su propio peso. Si no hay más asiento constitucional para entender

---

44   El efecto de irradiación de los derechos fundamentales: 104.

que los derechos fundamentales vinculan a los particulares que la sola referencia abierta al sujeto pasivo de una medida precautoria supletoria, tal referencia debe ser entendida armoniosamente, conforme a una tradición constitucional uniforme, respecto a la procedencia únicamente frente al Estado de los derechos fundamentales, como procedente sólo en las relaciones en las que intervenga un ente de carácter estatal.

REFERENCIAS BIBLIOGRÁFICAS

Alexy, Robert (2007). *Teoría de los derechos fundamentales*. Centro de Estudios Constitucionales, Madrid.

Aldunate, Eduardo (2003): "El efecto de irradiación de los derechos fundamentales". En *La Constitucionalización del Derecho Chileno*. Editorial Jurídica de Chile, Santiago.

Aldunate, Eduardo (2009). "La fuerza normativa de la Constitución y el sistema de fuentes del derecho", *Revista de Derecho (Valparaíso)*, Vol. 32.

de Aquino, Tomás (2010). *Suma Teológica*. Biblioteca de Autores Cristianos, Madrid.

Arendt, Hannah (1990). *On Revolution*. Penguin Books, New York.

Arendt, Hannah (1997). *¿Qué es la política?* Editorial Paidós, Barcelona.

Arendt, Hannah (1998). *Crisis de la república*. Taurus, Madrid.

Arendt, Hannah (2005). *Sobre la Violencia*. Alianza Editorial, Madrid.

Arendt, Hannah (2005). *La Condición Humana*. Editorial Paidós, Barcelona.

Aristóteles (2005). *Política*. Ediciones Istmo, Madrid.

Atria, Fernando (2013). *Veinte años después. Neoliberalismo con rostro humano*. Catalonia, Santiago.

Austin, John (1832). *The Province of Jurisprudence Determined*. John

Murray, London.

Bellomo, Manlio (1995). *The Common Legal Past of Europe: 1000-1800.* The Catholic University of America Press, Washington D.C.

Benda, Ernst et al. (1996). *Manual de Derecho Constitucional.* Marcial Pons, Madrid.

Bentham, Jeremy (1823). *An Introduction to the Principles of Morals and Legislation.* W. Pickering, London.

Berlin, Isaiah (1971). *Four Essays on Liberty.* Oxford University Press, Oxford.

Bobbio, Norberto (1989). *Estado, Gobierno y Sociedad.* Fondo de Cultura Económica, Ciudad de México.

Bobbio, Norberto (1995). *Derecha e Izquierda. Razones y significados de una distinción política.* Taurus, Madrid.

Bobbio, Norberto (1995). *Liberalismo y Democracia.* Fondo de Cultura Económica, Madrid.

Böckenförde, Ernst (1998). "The concept of the political. A key to understanding Carl Schmitt's constitutional theory". En: *Law as Politics. Carl Schmitt's Critique of Liberalism.* Duke University Press, Durham.

Böckenförde, Ernst (2000). *Estudios sobre el Estado de Derecho y la democracia.* Editorial Trotta, Madrid.

Bulnes, Luz (1998). "La fuerza normativa de la Constitución". *Revista Chilena de Derecho,* Número Especial.

Cea, José (2005). "Estado constitucional de derecho, nuevo paradigma jurídico". *Anuario de Derecho Constitucional Latinoamericano,* Vol. 11.

Coke, Edward (2003). *The selected writings of Edward Coke.* Liberty Fund, Indianapolis.

Constant, Benjamin (2013). "Sobre la libertad de los antiguos comparada a la de los modernos". *Libertades*.

Cordero, Eduardo (2010). "La legislación delegada en el derecho chileno y su función constitucional". *Estudios constitucionales*, Vol.8.

Cristi, Renato (2011). *El pensamiento político de Jaime Guzmán: una biografía intelectual*. Lom, Santiago.

Dahl, Robert (2009). *La Poliarquía. Participación y oposición*. Tecnos, Madrid.

Dahl, Robert (2010). *¿Quién gobierna? Democracia y poder en una ciudad estadounidense*. Centro de Investigaciones Sociológicas, Madrid.

Domínguez, Ramón (1996). "Aspectos de La Constitucionalización Del Derecho Civil Chileno". *Revista de Derecho y Jurisprudencia*, Tomo 93 N° 3.

Duguit, Leon (2007). *Las transformaciones del derecho público y privado*. Editorial Comares, Granada.

Dworkin, Ronald (1984). *Los derechos en serio*. Editorial Ariel, Barcelona.

Edwards, Alberto (1975). "La Constitución de 1833". *Revista Chilena de Derecho*, Vol. 2.

Engels, Friedrich (1970). *El Origen de la Familia, la Propiedad Privada y el Estado*. Editorial Fundamentos, Madrid.

Fermandois, Arturo (2004). "La píldora del día después. Aspectos normativos". *Estudios Públicos*, N° 95.

Finnis, John (2011). *Natural Law and Natural Rights*. Oxford University Press, Oxford.

Fraser, Nancy (2008). *Scales of Justice. Reimagining Political Space in a Globalizing World*. Columbia University Press, New York.

Fuller, Lon (1958). "Positivism and Fidelity to Law—A Reply to

Professor Hart". *Harvard Law Review*, Vol. 71.

Fuller, Lon (1964). *The Morality of Law.* Yale University Press, New Haven.

Gallie, Walter Bryce (1955). "Essentially contested concepts". *Proceedings of the Aristotelian Society*, Vol. 56.

García, Eduardo (2001). *La lengua de los derechos. La formación del Derecho público europeo tras la Revolución francesa.* Editorial Alianza, Madrid.

García-Pelayo, Alonso (1984). *Derecho constitucional comparado.* Editorial Alianza, Madrid.

Gavison, Ruth (1992). "Feminism and the Public/Private Distinction". *Stanford Law Review*, Vol. 45.

González, Julio y Beltrán, Miguel (2006). *Las sentencias básicas del Tribunal Supremo de los Estados Unidos de América.* Boletín Oficial del Estado, Madrid.

Gramsci, Antonio (2014). *Quaderni del Carcere.* Giulio Einaudi Editore, Torino.

Grimm, Dieter (1983). "La Constitución como Fuente del Derecho". En: *Las Fuentes Del Derecho.* Publicacions Edicions Universitat de Barcelona, Barcelona.

Guzmán, Jaime (1979). "Autoridad Fuerte para la Nueva Institucionalidad", *Revista Realidad*, No. 1.

Häberle, Peter (2002). *Pluralismo y Constitución. Ensayos de teoría constitucional de la sociedad abierta.* Tecnos, Madrid.

Habermas, Jürgen (1999). *Teoría de la acción comunicativa.* Taurus, Madrid.

Habermas, Jürgen (1999). *La inclusión del otro.* Paidós, Barcelona.

Hamilton, Alexander et al. (2001). *El Federalista.* Fondo de Cultura

Económica, Ciudad de México.

Hauriou, Andre (1971). *Derecho constitucional e instituciones políticas*. Ariel, Barcelona.

Hart, Herbert (1983). "Kelsen Visited". En: *Essays in Jurisprudence and Philosophy*. Oxford University Press, Oxford.

Hart, Herbert (1998). *El Concepto de Derecho*. Abeledo-Perrot, Buenos Aires.

Heller, Hermann (1998). *Teoría del Estado*. Fondo de Cultura Económica, Ciudad de México.

Herder, Johann Gottfried (2002). *Philosophical Writings*. Cambridge University Press, Cambridge.

Herrero, Montserrat (1997). *El* nomos *y lo político: la filosofía política de Carl Schmitt*. Eunsa, Navarra.

Hobbes, Thomas (2005). *Leviatán o de la materia, forma y poder de una república eclesiástica y civil*. Fondo de Cultura Económica, Buenos Aires.

Holmes, Oliver Wendell (1899). "Law in Science and Science in Law". *Harvard Law Review*, vol. 12.

Jellinek, Georg (2000). *Teoría General del Estado*. México, Fondo de Cultura Económica.

Kalyvas, Andreas (2005). "Soberanía popular, democracia y el poder constituyente". *Política y Gobierno*, Vol. 12.

Kant, Immanuel (2001). *Fundamentación de la metafísica de las costumbres*. Espasa Calpe, Madrid.

Kant, Immanuel (2004). "Teoría y Práctica". En: *¿Qué es la Ilustración*. Madrid, Alianza.

Kantorowicz, Hermann (1958). *The Definition of Law*. Cambridge University Press, Cambridge.

Kelsen, Hans (1969). *Teoría General del Derecho y del Estado*. Universidad Nacional Autónoma de México, Ciudad de México.

Kelsen, Hans (1982). *Teoría Pura del Derecho*. Ediciones Universidad Nacional Autónoma de México, Ciudad de México.

Kelsen, Hans (2008). "La garantía jurisdiccional de la Constitución". *Revista Iberoamericana de Derecho Procesal Constitucional*, N° 10.

Kelsen, Hans (2009). *¿Quién debe ser el defensor de la Constitución?* Tecnos, Madrid.

Kennedy, Duncan (1982). "The Stages of the Decline of the Public/Private Distinction". *University of Pennsylvania Law Review*, Vol. 130.

Kennedy, Duncan (1991). "A semiotics of legal argument". *Syracuse Law Review*, Vol. 42.

Kriele, Martin (1980). *Introducción a la teoría del Estado. Fundamentos históricos de la legitimidad del estado constitucional democrático*. Depalma, Buenos Aires.

Kymlicka, Will (1996). *Ciudadanía Multicultural*. Paidós, Madrid.

Kymlicka, Will (1997). "El retorno del ciudadano. Una revisión de la producción reciente en teoría de la ciudadanía". *Ágora*, N° 7.

Laski, Harold (2009). El Estado en la teoría y en la práctica. Editorial Reus, Madrid.

León, Marco Antonio (1998). "Entre el espectáculo y el escarmiento. El presidio ambulante en Chile (1836-1847)". *Mapocho*, Vol. 43.

Letelier, Valentín (1898). *Sesiones de los Cuerpos Lejislativos de la República de Chile, 1811 a 1845*. Tomo 19. Imprenta Cervantes, Santiago.

Llewellyn, Karl (1934). "The Constitution as an Institution". *Columbia Law Review*, Vol. 34.

Locke, John (1997). *Dos Ensayos sobre el Gobierno Civil*. Espasa, Madrid.

Loewenstein, Karl (1976). *Teoría de la Constitución*. Editorial Ariel, Barcelona.

Luhmann, Niklas (2002). *El derecho de la sociedad*. Universidad Iberoamericana, Ciudad de México.

Maquiavelo, Nicolás (2011). *Discursos sobre la primera década de Tito Livio*. Editorial Gredós, Madrid.

Marx, Karl y Engels, Friedrich (1997). *El Manifiesto Comunista*. Ediciones Akal, Madrid.

Miller, David (1997). *Sobre la Nacionalidad. Autodeterminación y Pluralismo Cultural*. Paidós, Madrid.

Muñoz, Fernando (2013). "Chile es una república democrática. La asamblea constituyente como salida a la cuestión constitucional". *Anuario de Derecho Público Universidad Diego Portales*, Vol. 4.

Meese, Edwin (1988). "Toward a Jurisprudence of Original Intent". *Harvard Journal of Law and Public Policy*, Vol. 11.

Molina, Hernán (2006). *Instituciones Políticas*. Lexis Nexis, Santiago.

Mouffe, Chantal (1999). *The Challenge of Carl Schmitt*. Verso, New York.

Mouffe, Chantal (2003). *La paradoja democrática*. Gedisa, Barcelona.

Nozick, Robert (1974). *Anarchy, State, and Utopia*. Basic Books, New York.

Orestes, Héctor (2004). "Carl Schmitt, el teólogo y su sombra". En: *Carl Schmitt, Teólogo de la Política*. Fondo de Cultura Económica, Ciudad de México.

de Otto, Ignacio (1988). *Derecho Constitucional. Sistema de Fuentes*. Editorial Ariel, Barcelona.

Peirce, Charles (1955). "How to make our ideas clear". En: *Philosophical writings of Peirce*. Dover Publications, Mineola.

Pettit, Philip (1999). *Republicanismo*. Editorial Paidós, Barcelona.

Pitkin, Hannah (1985). *El concepto de representación*. Centro de Estudios Constitucionales, Madrid.

Portales, Felipe (2000). *Chile: Una Democracia Tutelada*. Editorial Sudamericana Chilena, Santiago.

Post, Robert y Siegel, Reva (2006). "Originalism as a Political Practice: the Right's Living Constitution". Fordham Law Review, Vol. 75.

Post, Robert (2003). "Fashioning the legal constitution. Culture, courts and law". *Harvard Law Review*, Vol. 117.

Radbruch, Gustav (1962). *Arbitrariedad Legal y Derecho Supralegal*. Abeledo-Perrot, Buenos Aires.

Rawls, John (1979). *Teoría de la Justicia*. Fondo de Cultura Económica, Ciudad de México.

Rousseau, Jean Jacques (2007). *El Contrato Social*. Editorial Espasa, Madrid.

de Saussure, Ferdinand (1945). *Curso de Lingüística General*. Editorial Losada, Buenos Aires.

von Savigny, Friedrich (s/a). *De la vocación de nuestro siglo para la legislación y para la ciencia del derecho*. La España Moderna, Madrid.

Schmitt, Carl (1985). *La Dictadura*. Editorial Alianza, Madrid.

Schmitt, Carl (1990). *Sobre el Parlamentarismo*. Editorial Tecnos, Madrid.

Schmitt, Carl (1998). *El Concepto de lo Político*. Editorial Alianza, Madrid.

Schmitt, Carl (2001). *Teoría de la Constitución*. Editorial Alianza, Madrid.

Schmitt, Carl (2003). *El Nomos de la Tierra en el Derecho de Gentes del "Jus publicum europaeum"*. Editorial Struhart, Buenos Aires.

Schmitt, Carl (2004). "Teología Política". En: *Carl Schmitt, Teólogo de la Política*. Fondo de Cultura Económica, Ciudad de México.

Schmitt, Carl (2009). *El defensor de la Constitución*. Editorial Tecnos, Madrid.

Schwab, George (2005). "Introduction". En: *Political Theology*. The University of Chicago Press, Chicago.

Sieyès, Emmanuel (2008). *¿Qué es el Tercer Estado? Ensayo sobre los privilegios*. Alianza Editorial, Madrid.

Smith, Adam (1999). *Investigación sobre la naturaleza y causas de la riqueza de las naciones*. Fondo de Cultura Económica, México.

Smith, Anthony (2000). *Nacionalismo y modernidad*. Ediciones Akal, Madrid.

Silva, Raúl (1954). *Ideas y confesiones de Portales*. Editorial del Pacífico, Santiago.

Silva, Alejandro (1997). *Tratado de Derecho Constitucional*. Editorial Jurídica de Chile, Santiago.

Soto, Eduardo (1996). *Derecho Administrativo. Bases Fundamentales*. Editorial Jurídica de Chile, Santiago.

Taylor, Charles (2006). *Imaginarios sociales modernos*. Editorial Paidós, Barcelona.

Tönnies, Ferdinand (2009). *Comunidad y asociación*. Editorial Comares, Granada.

Tullock, Gordon, Seldon, Arthur y Brady, Gordon (2002). *Government failure: a primer in public choice*. Cato Institute, Washington.

von Jhering, Rudolf (1880). *L' esprit du droit romain dans les diverses phases de son developpement*, Vol. 4. A. Marescq, Aîné, Éditeur, Paris.

Weber, Max (1974). *Economía y Sociedad*. Fondo de Cultura Económica,

Ciudad de México.

Weber, Max (2006). *La Política como Profesión*. Espasa, Madrid.

Welzel, Hans (1956). *Derecho Penal. Parte General*. Editorial Depalma, Buenos Aires.

Willis, Garry (2001). *Explaining America*: The Federalist. Penguin Books, New York.

Zapata, Patricio (2002). *La jurisprudencia del Tribunal Constitucional*. Biblioteca Americana, Santiago.